Cecily von Ziegesar

GossipGirl

Nimm doch einfach mich!

Aus dem Amerikanischen
von Anja Galić

cbt ist der Jugendbuchverlag
in der Verlagsgruppe Random House

Zert.-Nr. SGS-COC-001940
www.fsc.org

Verlagsgruppe Random House FSC-DEU-0100
Das FSC-zertifizierte Papier *München Super Extra* für dieses Buch
liefert Arctic Paper Mochenwangen GmbH.

Gesetzt nach den Regeln der Rechtschreibreform

1. Auflage 2010

Die amerikanische Originalausgabe erschien 2009 unter dem Titel
»Take a chance on me« bei Little, Brown and Company, New York
Dieses Werk wurde vermittelt durch die
Literarische Agentur Thomas Schlück GmbH, 30827 Garbsen.
Übersetzung: Anja Galić
Lektorat: Stefanie Rahnfeld
Umschlagbild: © Andrea C. Uva/ Roger Moenks
Umschlaggestaltung: init.büro für gestaltung, Bielefeld
st· Herstellung: AnG
Satz: Uhl + Massopust, Aalen
Druck und Bindung: GGP Media GmbH, Pößneck
ISBN: 978-3-570-16026-8
Printed in Germany

www.cbt-jugendbuch.de

»Wir wissen wohl, was wir sind,
aber nicht, was wir werden können.«

William Shakespeare
Hamlet

gossipgirl.net

themen ◀ gesichtet ▶ eure fragen antworten

erklärung: sämtliche namen und bezeichnungen von personen, orten und veranstaltungen wurden geändert bzw. abgekürzt, um unschuldige zu schützen. mit anderen worten: mich.

ihr lieben!

es ist mitte oktober, oder wie man in unseren breitengraden sagt: indian summer – die schizophrene jahreszeit, in der wir unsere lieblingssommerkleidchen von alice+olivia über wollenen tibi-leggins tragen und plötzlich heiße schokolade statt geeistem latte trinken, während gewisse geschlechtsgenossinnen (ihr wisst, wer ihr seid) immer noch in ihren malia-mills-bikinis auf der sheep meadow im central park sonnenbaden und auf die blicke der fußball spielenden st.-jude-jungs hoffen.

überlieferungen zufolge galt der indian summer einst als die zeit des jahres, in der das verhältnis zwischen ureinwohnern und neuankömmlingen besonders angespannt war. und diese animosität scheint auf der upper east side auch heute noch zu bestehen. beispiel gefällig? **O** und **R**, ehemals beste freunde und wahre bilderbuch-buddys – sie schwammen gemeinsam, joggten gemeinsam und soffen gemeinsam –, schienen unzertrennlich und waren es auch, bis **R** seine freundin **K** und **O** in flagranti erwischte. **O** holte sich eine blutig geschlagene nase … und das mädchen. jetzt, wo er ihm **K** endgültig ausgespannt hat, spricht **R** nicht einmal mehr mit ihm. traurig, traurig. aber bei übertretung des neunten gebots hört die freundschaft eben auf.

das war allerdings nicht das einzige scharmützel, dessen zeugen wir diesen herbst wurden. die sommersprossige ballerina **J** und die it-girl-volontärin **A** haben an sämtlichen fronten gefechte ausgetragen – in sachen couture genauso wie auf dem gebiet der cliquenloyalität. und obwohl **A** zunächst einiges an boden wettmachte, als ihre schwester **B** sich **J**s ex-lover **J.P.** krallte, ist **B** nun wieder solo und **A** damit allein auf weiter flur. nur gut, dass sie ihre nachmittage im schutze eines verglasten großraumbüros verbringt, sobald sie ihr heiß begehrtes praktikum bei der *metropolitan* antritt. und da **J** jetzt wieder glücklich mit ihrem **J.P.** vereint ist – wer weiß? vielleicht kann sie ja einfach »schwamm drüber« sagen. wunder gibt es schließlich immer wieder, oder? und das nicht nur auf der 34. straße …

also was tun, wenn eine gewisse frostigkeit in der luft liegt, die nichts mit fallenden temperaturen zu tun hat – ein frost, gegen den eure süßen neuen dvf-mäntel mit fischgrätmuster nichts ausrichten können? nun, man könnte sich ein beispiel an einer uns allen bekannten boheme-nymphe nehmen und einfach die stadt verlassen. **B** ist dem heimatlichen drama aus dem weg gegangen und erforscht stattdessen die strände, boutiquen und cafés barcelonas – und zwar ohne jede begleitung. möchte sie ein bisschen in sich gehen und noch einmal in ruhe über ihre überstürzte trennung vom zukünftigen erben eines immobilienimperiums nachdenken oder sucht sie etwa nach einem gewissen spanier, der kürzlich in nyc war? eines ist jedenfalls sicher: sie mag vielleicht ein singlemädchen sein, allein aber ist sie nicht. unsere informanten haben sie an allen hotspots barcelonas gesichtet – stets von einer schar bewunderer umlagert. manche mädchen haben eben einfach alles glück der welt!

gesichtet

A, die sich an einem zeitungsstand auf der 72. straße/ ecke lexington mit den neuesten ausgaben der amerikanischen, französischen und italienischen *vogue*, mit *harper's bazaar* und dem *tatler* eindeckte. studienunterlagen für ihr großes *metropolitan*-praktikum? oder material für eine künstlerisch wirklich anspruchsvolle collage? **O** und **K**, die in einem minimarket auf der madison/ecke 62. neben einem chipsregal wild herumzüngelten … und auf einer bank im central park … und in der u-bahn richtung downtown. entweder haben die beiden turteltäubchen noch nie etwas von blickgeschützten dachterrassen gehört oder sie haben eine leicht exhibitionistische neigung. das erst seit kurzem wiedervereinte paar **J** und **J.P.**, das sich beim gassigehen mit den drei puggles in der corner bakery auf der 93. einen latte teilte. **R**, der einen müllbeutel voll zerrissener fotos in den east river streute und dabei die ganze zeit weinte. da bekommt die redewendung »seine sorgen ertränken« doch gleich eine ganz neue bedeutung. und zuletzt noch eine strahlende **B** auf den ramblas in barcelona, der auf schritt und tritt hinterhergepfiffen wurde. *hola, bebé!*

eure mails

f: chismosa,
in barcelona soll ein wunderschönes braunhaariges mädchen unterwegs sein, das nach einem jungen sucht, den sie in new york kennengelernt hat. ich glaube, der junge bin ich. bitte richte ihr aus, dass ich gerade in einem u-boot vor mallorca kreuze und sie wahnsinnig gern wiedersehen würde.
latin lover

a: buenas dias, ll,
leider weiß ich selbst nicht, wo genau in barcelona sich deine zerzauste schönheit gerade aufhält, aber wir hoffen alle, dass sie bald wieder nach hause kommt.
gg

f: liebes gossip girl,
ich studiere im zweiten semester an der barnard und hatte ein fantastisches praktikum bei der *metropolitan* – dem legendären new yorker fashion-magazin, das für alle, die in der branche einen namen haben, der karrierekick schlechthin war – schon so gut wie in der tasche. aber dann hab ich plötzlich gehört, dass mir der platz von irgend so einer elftklässlerin weggeschnappt wurde. äh, hallo? glaub mir, dieses highschool-küken kann einen artikel von joan didion nicht von einer reportage von mary mccarthy unterscheiden. was ist bloß mit unserer welt los? ich

überlege ernsthaft, dieser stadt den rücken zu kehren.
eine desillustrierte

a: meine liebe desillustrierte,
manchmal hängt eben alles davon ab, die richtigen leute zu kennen, und ich gehe mal davon aus, dass dieses mädchen die mehr als richtigen Leute kennt. aber hey, das ganze hat auch eine gute seite: vielleicht würdest du diese leute ja gar nicht kennen wollen…
gg

heißkalte wechselbäder

seltsame tage sind das, chères amies: an einem morgen möchte man am liebsten nach sagaponack zum sonnenbaden fahren, statt sich mit differentialrechnungen abzuplagen, und am nächsten braucht man einen unterwegskaffee, um sich die klammen hände zu wärmen. ich für meinen teil decke mich jetzt bei barneys mit kuscheligen kaschmir-cardigans von tse zu, pardon, ein. denn man kann zwar die öffentliche meinung nicht beeinflussen, das persönliche wohlbefinden aber sehr wohl. denkt also immer dran: ganz gleich, wie kalt es wird – oder wie frostig euch eure ehemaligen bffs auch begegnen –: ihr seid heiß!

ihr wisst genau, dass ihr mich liebt

freundin wechsel dich

»Aua!«, stieß Owen Carlyle aus, als ihn ein Bagel mit voller Wucht zwischen den Schulterblättern traf. Er drehte sich ruckartig um und schaute mit zusammengezogenen blonden Brauen zu den Schwimmern hinüber, die in losen Grüppchen auf der Treppe des YMCA herumlungerten. Der Spargeltarzan Chadwick Jenkins und der Arnold-Schwarzenegger-Verschnitt Ken Williams erwiderten seinen finsteren Blick mit einem engelsgleichen Lächeln, als wären sie Chorknaben der St. Patrick's Cathedral statt testosteronstrotzender Jungmänner, die nichts als Blödsinn im Kopf hatten.

»Lasst den Scheiß, ja?«, knurrte Owen und ließ den Blick zur kurz vor dem Verkehrsinfarkt stehenden Second Avenue schweifen. Er hatte nichts gegen Frotzeleien unter Schwimmkollegen – im Gegenteil, sie stärkten den Teamgeist, besonders so kurz vor dem ersten Wettkampf der Saison. Aber es war ihm peinlich, mit Jungs gesehen zu werden, die sich wie ritalingedopte Kindergartenkinder aufführten, zumal jeden Moment seine neue Freundin Kelsey auftauchen konnte.

»Hi, Sweetie.«

Owen wirbelte herum und sah Kelsey auf sich zukommen. Es hatte den ganzen Morgen in Strömen gegossen, aber gegen Nachmittag war der Regen schließlich in feinen Sprühnebel übergegangen. Kelseys honigblonden Haare glänzten feucht, als sei sie gerade erst aus der Dusche gestiegen, und ihre Gummistiefel schimmerten im gleichen Rosaton wie ihr Trenchcoat, dessen Gürtel sie locker um ihre superschmale Taille geknotet hatte. Aus der Entfernung wirkte es, als würde sie darunter nur einen Hauch von Nichts tragen. Owens Gehirn begann sofort die visuellen Signale an die entsprechenden Synapsen weiterzuleiten.

Ach, »Synapsen« nennt man das neuerdings?

Immer wenn er Kelsey sah, klopfte sein Herz schneller. Das war schon im Juli so gewesen, als er sie in Nantucket zum ersten Mal gesehen hatte. Er hatte auf einer dieser typischen Grillpartys am Strand ein bisschen abseits gesessen, als sie mit ein paar Freunden aus Cape Cod, wo sie ihre Ferien verbrachte, aufgetaucht war. Ihre Blicke hatten sich getroffen und nur wenige Stunden später waren sie am anderen Ende des Strands gelandet und hatten ihre Unschuld aneinander verloren. Wild und unvernünftig, ja, vielleicht – aber es war gleichzeitig die romantischste Nacht seines Lebens gewesen. Als er ein paar Monate später nach New York gezogen war, hatte er jede Minute gehofft, ihr zufällig wiederzubegegnen. Und dann war es tatsächlich passiert, allerdings ganz anders, als er sich das vorgestellt hatte. Rhys Sterling, der Mannschaftskapitän des St.-Jude-Schwimmteams und sein neuer bester Freund, stellte sie ihm am ersten Schultag als seine Freundin Kelsey vor. Einige Wochen und eine blutige Nase später hatte Owen einen Freund verloren und eine Freundin gewonnen. Er hatte sich noch nie glücklicher gefühlt.

Warum nicht gleich wie Romeo?

Kelsey tippte Owen mit einem zart pfirsichfarben glänzenden Fingernagel an die Schläfe. »Hallo, jemand zu Hause?«, fragte sie mit gespielt beleidigter Stimme.

»Oh, tut mir leid!« Schnell beamte er sich in die Wirklichkeit zurück. Die war sowieso um Längen besser als jede Traumwelt. Er zog Kelsey an sich, ließ seine Hände sanft über ihren Rücken gleiten und küsste sie zärtlich. Ihr Lipgloss schmeckte nach englischem Toffee. Hinter ihnen pfiffen und johlten die Jungs anzüglich, bis Owen sich widerstrebend von Kelsey löste und seinen Teamkollegen einen warnenden Blick zuwarf.

»Gott, ihr Typen seid echt so was von albern«, lachte Kelsey und streckte ihnen die Zunge raus. Owen grinste das debile Lächeln eines Schwerverliebten. Alles war so viel besser, wenn sie da war. Was natürlich nichts daran änderte, dass ständig das schlechte Gewissen an ihm nagte, weil er das Leben seines besten Freundes zerstört hatte.

Tja, irgendein Opfer muss man nun mal bringen …

»Du hast mir gefehlt. Ich hab heute die ganze Zeit nur an dich denken können«, wisperte Kelsey, während sie mit dem blütenförmigen silbernen Anhänger ihrer Kette spielte. Ihre sprühregenbenetzte Haut schimmerte wie Morgentau, und Owen wünschte sich, sie würden in seinem mit Flanell bezogenen Bett liegen, statt hier mitten auf der Straße zu stehen. Er riss den Blick vom verheißungsvollen Ausschnitt ihres Trenchcoats los, nur um ein paar Zentimeter höher an ihren korallenroten Lippen hängen zu bleiben. Gott, sie war so sexy.

Unfähig, sich von ihr zu lösen, zog er sie noch einmal fest an sich und vergrub die Nase in ihren feuchten dunkelgoldenen Haaren.

»Harte Eier! Hart gekochte Eier«, pries ein Straßenverkäufer an der Ecke seine Waren an, woraufhin die Jungs aus dem Schwimmteam losprusteten, als hätten sie noch nie etwas Witzigeres gehört. Seufzend gab Owen Kelsey wieder frei.

»Komm, wir gehen ein paar Schritte.« Sein Blick glitt unruhig hin und her, als wäre er ein Verbrecher auf der Flucht. Bis auf eine Frau, die ihren sabbernden schwarzen Labrador im Laufschritt an den umzäunten Bäumen vorbeizerrte, war die 92. Straße menschenleer.

»Okay, aber ich will auf keinen Fall, dass du zu spät zu deinem Wettkampf kommst.« Kelsey nagte nervös an ihrer Unterlippe.

Owen lächelte gerührt. Es war ein schönes Gefühl, sich so umsorgt zu wissen. »Werd ich schon nicht«, beruhigte er sie mit fester Stimme und schloss die Finger um ihr Handgelenk. Liebevoll strich er über das zerkratzte Silber ihres Tiffany-Namenskettchens und tastete über die eingravierten Buchstaben: KAT. Es war das Kettchen, das Kelsey nach ihrer gemeinsamen Nacht am Strand zurückgelassen hatte. Er hatte es nach New York mitgenommen und abends immer unter sein Kopfkissen gelegt, in der Hoffnung, dadurch sein Traummädchen Kat heraufzubeschwören. Damals hatte er noch nicht gewusst, dass KAT ihre Initialen waren: Kelsey Addison Talmadge. Das Rätsel um ihren Namen passte irgendwie zu ihr und der Art, wie sie einfach in seinem Leben aufgetaucht war.

Sobald sie um die Ecke gebogen und außer Sichtweite seiner Schwimmteamkollegen waren, drückte er sie sanft gegen die Backsteinmauer des YMCA und beugte sich zu einem Kuss zu ihr hinunter. Dass es helllichter Tag war, kümmerte ihn kein bisschen. Nachdem sie ihre Gefühle wochenlang hatten geheim halten müssen, konnten sie jetzt endlich vor aller Welt zueinander stehen. Er spürte ihre langen Wimpern auf seiner Wange, ihren straffen Körper, der sich so unglaublich gut anfühlte, und…

»Sehr stilvoll, Carlyle!«, riss ihn eine Stimme aus seinem Liebestaumel. Er löste sich von Kelsey und fuhr sich verlegen mit dem Handrücken über den Mund. In der einen Hand lässig eine Speedo-Schwimmtasche schwingend und mit der anderen über seinen dichten Vollbart streichend, kam sein Schul- und Mannschaftskollege Hugh Moore die Straße entlanggeschlendert. Während alle anderen Jungs aus dem Schwimmteam ihre lächerlichen Bärte – das Symbol eines Solidaritätspakts – wieder abrasiert hatten, trug er seinen auch weiterhin, weil er dadurch ein paar Jahre älter wirkte und deshalb ohne Ausweiskontrolle in die Schmuddelbars auf der Second Avenue kam.

»Hey, Hugh.« Owen hob kurz grüßend die Hand und wandte sich dann wieder Kelsey zu. Er strich ihr eine Strähne aus dem Gesicht, küsste ihren Hals und schlang die Arme um ihre Taille, ohne noch weiter auf Hugh zu achten, der das Ganze wahrscheinlich mit seinem iPhone filmte, um es anschließend auf YouTube zu stellen. Perversling. Die beiden pressten sich aneinander und küssten sich selbstvergessen, als Hughs peinlich berührtes Räuspern Owen auf die 92. Straße zurückholte. Gereizt blickte er auf.

Ein paar Meter weiter bog Rhys Sterling um die Ecke. Sein weinroter St.-Jude-Blazer war zerknittert und sein Gesicht grau und eingefallen. Mit hängenden Schultern schleppte er sich die Straße entlang und machte sich noch nicht einmal die Mühe, den Regenpfützen auszuweichen.

Hugh ging hastig auf ihn zu, packte ihn an den Schultern und versuchte ihn so schnell wie möglich an Owen und Kelsey vorbeizumanövrieren.

»Alles klar, Alter? Gleich treten wir den Orioles in den Arsch – bist du bereit?«

Rhys entwand sich Hughs Pranken und blieb wie angewurzelt stehen. Er wusste, dass Hugh ihn von der Szene, die sich vor seinen Augen abspielte, ablenken wollte, aber wie sollte er diesen Anblick ausblenden, der sich für immer in sein Hirn gebrannt hatte: seine ehemalige Freundin und sein ehemaliger Freund – innig knutschend. Die goldblonden Haare fielen Kelsey über die Schultern und sie lächelte. Es fühlte sich an, als lächelte sie nur, um ihm wehzutun.

»Die machen wir fertig, was?«, versuchte Hugh einen zweiten Anlauf und hielt ihm die Hand zum Abklatschen hin.

Rhys tat mechanisch, was von ihm erwartet wurde, als wäre es ihm völlig egal, dass seine Ex-Freundin und sein Ex-bester-Freund es praktisch vor seinen Augen auf dem Gehweg trieben.

Dann räusperte er sich. »Wir sind spät dran«, drängte er Hugh mit unnatürlich lauter Stimme zum Gehen, einfach nur weil er nicht wusste, was er verdammt noch mal sonst hätte sagen sollen. Als er seine eigenen Worte hörte, krümmte er sich innerlich. Er klang wie eine überambitionierte Mutter, die ihr Kind zum Training treibt. Den Blick blinzelnd zu Boden gerichtet, zwang er sich, einen John-Varvato-Schuh vor den anderen zu setzen. Vielleicht sollte er einfach bis nach Kanada weiterlaufen oder an irgendeinen anderen gottverdammten Ort, egal welchen, wo er nicht daran erinnert wurde, wie ihn Kelsey – der Mensch, den er mehr als jeden anderen auf der Welt geliebt hatte – zum Idioten gemacht und betrogen hatte.

»Rhys?« Kelsey drehte sich zu ihm um, in ihren großen silberblauen Augen lag ein flehender Ausdruck.

»Mit dir rede ich nicht mehr, Kelsey«, fauchte Rhys wütend. Gott, war das *alles*, was ihm einfiel? Am liebsten hätte er sich selbst einen Arschtritt verpasst, als er auf den Eingang des YMCA zutrottete und jeden Blickkontakt mit Owen vermied.

»Tja … Ich sollte dann wohl auch mal …« Owen zog entschuldigend die Schultern hoch und ließ Kelseys Hand los.

»Bis später, Süßer. Und wenn du als Sieger nach Hause kommst, hab ich vielleicht eine Überraschung für dich«, raunte sie ihm mit leuchtenden Augen zu. Owen grinste von einem Ohr zum anderen, von schlechtem Gewissen fast keine Spur mehr.

Liebe macht anscheinend nicht nur blind, sondern auch skrupellos.

lehrjahre sind keine herrenjahre

»Scheiße!«, fluchte Avery Carlyle, als sie am Freitag nach der Schule vor dem Büroturm der Dennen Publishing Enterprises in eine riesige Pfütze trat. Ihre Wolford-Nahtstrümpfe im sexy Sekretärinnen-Style waren bis zum Knöchel durchnässt und ihre Vintage-T-Strap-Pumps von Prada quietschten bei jedem Schritt – und das ausgerechnet an ihrem ersten Praktikumstag bei der *Metropolitan*, dem legendären New Yorker Fashionmagazin.

Der Dennen Tower, der gegenüber der Grand Central Station lag, war ein funkelnagelneues architektonisches Wunder im Art-Deco-Stil, das sich perfekt in die New Yorker Stadtlandschaft integrierte. Spindeldürre Frauen in turmhohen Jimmy Choos oder derben Stella-McCartney-Stiefeln scharten sich vor den gläsernen Drehtüren, pafften gierig ihre Parliaments und bellten Befehle in ihre BlackBerrys. Fahrradkuriere sprangen von ihren Bikes und taumelten unter dem Gewicht ihrer bis zum Rand gefüllten Taschen ins Gebäude, während ein Konvoi schwarz glänzender Limousinen geduldig am Straßenrand wartete.

Avery holte tief Luft und schob sich dann nervös durch eine der Türen. Heute war der erste Tag vom Rest ihres neuen und besseren Lebens. Ihr erster Monat in New York war von einigen Startschwierigkeiten begleitet gewesen: 1. hatte sie sich innerhalb kürzester Zeit Jack Laurent, die gehässigste, durchtriebenste und launischste Elftklässlerin ihrer Schule, zur Feindin gemacht. 2. hatte sie zwar das heißbegehrte Amt der Verbindungsschülerin der elitären Constance-Billard-Schule ergattert, aber sehr schnell feststellen müssen, dass die wöchentlichen Pflichttermine mit dem Verein der Ehemaligen und Förderer eine regelrechte Tortur waren, weil sich diese Ehemaligen als eine Gruppe nicht weniger gehässiger und möglicherweise sogar alkoholabhängiger achtzigjähriger Ladys entpuppt hatte.

Aber, sagte sich Avery tapfer, während sie den breiten schwarz-silbernen Marc-Jacobs-Haarreif in ihren weizenblonden Haaren zurechtrückte, jetzt schien sich das Blatt für sie endlich zum Guten zu wenden. Ticky Bensimmon-Heart – die weltberühmte Herausgeberin der *Metropolitan* und zufälligerweise ebenfalls Mitglied des Vereins der Ehemaligen – hatte sie aus ihrer misslichen Lage gerettet und ihr ein Praktikum bei der renommierten Zeitschrift angeboten. Schon bald würde ihr die gesamte New Yorker Medienwelt zu Füßen liegen und Jack Laurent und ihr Zickengefolge würden sich vor Neid die manikürten Fingernägel bis aufs Fleisch herunterbeißen.

Sie ging entschlossen auf die marmorne Theke an der Stirnseite zu, hinter der ein gelangweilt aussehender weißhaariger Wachmann stand und sie von oben bis unten musterte.

Natürlich nur aus Sicherheitszwecken.

»Avery Carlyle, hallo. Ich fange heute bei der *Metropolitan* an«, stellte sie sich vor und schlug ihren professionellsten Ton an. Der Boden der beeindruckenden Lobby war mit feinstem weißem Marmor gefliest und die Rolltreppen von leise plätschernden Wasserfällen flankiert – nur mit Mühe widerstand sie dem Bedürfnis, wie Audrey Hepburn in »Ein süßer Fratz« staunend um ihre eigene Achse zu wirbeln.

»Ausweis?«, fragte der Wachmann desinteressiert und ohne zu bemerken, welchen einzigartigen Moment Avery gerade durchlebte. Sie fischte ihren in Massachusetts ausgestellten Führerschein aus ihrer brandneuen Hermès-Tasche, die sie am Wochenende, sozusagen als Gegenstück zur Erstklässler-Schultüte, in Soho erbeutet hatte.

»Viel Glück.« Der Wachmann zwinkerte und reichte ihr einen hässlichen Aufkleber, der sie als Besucherin auswies. »Fünfunddreißigster Stock. Oder wie wir hier sagen: *Gewinneretage*. Tragen Sie diesen Aufkleber bitte deutlich sichtbar an Ihrer Kleidung, bis Sie einen eigenen Ausweis bekommen.«

Avery klatschte sich den Sticker an ihren Rock, wo sie ihn mit ihrer Tasche verdecken konnte. Auf keinen Fall würde sie ihn wie ein dämliches Namensschild über ihrer linken Brust tragen. Dann schloss sie sich einer Herde gazellengleicher junger Frauen an, die gerade die Rolltreppe Richtung Aufzüge hinauffuhr, und tat routiniert, als wüsste sie ganz genau, wo sie hinwollte.

Im fünfunddreißigsten Stock öffneten sich die Aufzugtüren und enthüllten einen ganz in Weiß gehaltenen Empfangsbereich, der mit riesigen Hochglanzabzügen der berühmtesten *Metropolitan*-Cover dekoriert war.

Ehrfürchtig betrachtete sie die Porträts von Andy Warhol, Edie Sedgewick und Jackie Kennedy und holte noch einmal tief Luft. Sie war im Allerheiligsten angekommen.

»Kann ich Ihnen behilflich sein?« Das Mädchen an der Empfangstheke machte keinerlei Anstalten, von ihrem in mattem Edelstahl glänzenden iMac aufzuschauen. Sie hatte glatte schwarze Haare, die ihr bis über die Schultern fielen, und einen dichten, ihre Augenbrauen verdeckenden Pony – und sah aus wie Angelina Jolie, bevor Brad Pitt in ihr Leben trat.

»Ich habe einen Termin mit Ticky Bensimmon-Heart.« Der köstliche offizielle Klang dieser Worte ließ Averys Herz vor Freude höher schlagen. Sie war sogar noch aufgeregter als an ihrem ersten Schultag an der Constance Billard.

Und wir wissen ja alle noch, wie *herrlich* dieser Tag endete.

»Wer sind Sie?« Die Angelina-Kopie bequemte sich, den Blick von ihrem Computer zu heben.

Avery lächelte ihr schönstes Erster-Arbeitstag-Lächeln und straffte die Schultern. Jackie O. schien ihr von ihrem Cover aus aufmunternd zuzunicken. »Avery Carlyle?«, sagte sie und ärgerte sich sofort darüber, dass es wie eine Frage klang. »Avery *Carlyle*«, wiederholte sie mit Betonung auf ihrem Nachnamen. »Ich bin die Praktikantin«, fügte sie hinzu.

»Sie sind *eine* Praktikantin«, kam es von dem A.J.-Verschnitt zurück, was aus ihrem Mund so klang, als hätte sie *Sie sind eine Müllwagenfahrerin* oder *Sie sind eine Proktologin* gesagt. »Und Ticky möchte ganz bestimmt nicht mit Ihnen sprechen, glauben Sie mir. Ich geb McKenna

Bescheid, die wird sie hier einsammeln. Sie ist zuständig für die Praktikanten.«

Avery runzelte die Stirn. *Einsammeln?* Sie war doch kein recyclingfähiges Altglas.

Sie setzte sich auf die schwarze Ledercouch gegenüber der Empfangstheke und blätterte in der neuesten Ausgabe der *Metropolitan*. Eine Modestrecke zeigte Models, die sich träge auf der Brooklyn Bridge mitten auf der Fahrbahn räkelten und drauf und dran waren, vom entgegenkommenden Verkehr erfasst zu werden. Die Schlagzeile warnte vor den *Gefahren des Downtown-Looks* und im dazugehörigen Artikel machte sich der Autor über den Boho-Chic lustig. Avery musste grinsen, als sie an die ganzen Mädchen auf der Constance dachte, die versuchten, die schlichte Eleganz ihrer Schuluniform durch Flip-Flops, Palästinenserschals oder zerrissene Leggins aufzubrechen. Ja, hier war sie *garantiert* am richtigen Ort.

»Ist es die?«

Avery blickte auf. Neben der Glastür stand ein supergroßes, superdünnes Mädchen, dessen herzförmiges Gesicht von einem strengen hellblonden Bob à la Anna Wintour eingerahmt wurde. Sie trug gerade geschnittene Jeans zu einem roséfarbenen Thakoon-Blazer, den Avery in der neuen *Vogue* gesehen hatte, und sah aus, als käme sie frisch von der Uni.

»Avery, das ist McKenna Clarke«, stellte der A.J.-Verschnitt sie vor und wandte sich dann wieder ihrem iMac zu.

»Avery Carlyle. Hallo.« Avery stand auf und streckte förmlich die Hand aus. »Ich freue mich so, Sie kennenzulernen, McKenna!«

»Mitkommen.« McKenna drehte sich auf dem Absatz ihrer zehn Zentimeter hohen Wildleder-Louboutins um und ging mit zackigen Schritten den weißen Flur hinunter. Avery musste praktisch rennen, um mithalten zu können.

»Wie lange arbeiten Sie denn schon hier?«, tschilpte sie höflich, während sie verzweifelt versuchte, sich McKennas Supermodelgang anzupassen. Der Flur war in seiner gesamten Länge verglast und gab den Blick auf ein riesiges Großraumbüro frei, in dem Redakteurinnen in engen Kabinen an Computern saßen. Kurz darauf kamen sie an einem Konferenzraum voller Magermodels mit Schlauchbootlippen vorbei, die im Akkordtempo von einer gestresst aussehenden blonden Frau abfotografiert wurden.

McKenna seufzte und verringerte ihr Tempo nicht einmal um eine Viertelschrittlänge, als sie sich zwischen labyrinthartig aufgestellten Ständern voller Pelzmäntel hindurchschlängelte. »Ein Jahr. Und die erste Praktikantenregel lautet übrigens: Bleib immer in Sichtweite und mach nur dann den Mund auf, wenn du was gefragt wirst. So läuft das hier bei der *Metropolitan*.«

Gut zu wissen.

Vor einem verglasten Eckbüro drosselte McKenna endlich ihre Geschwindigkeit. Avery sah Ticky, die an einem Schreibtisch saß, in der einen Hand einen vorsintflutlichen Telefonhörer, mit der anderen hektisch auf eine ebenso vorsintflutliche Schreibmaschine einhackend. Sie trug eine perlenbesetzte goldene Chanel-Kostümjacke und ihre hennarot gefärbten Haare ragten über ihrer gebotoxten Stirn zu einem mindestens zehn Zentimeter hohen Turm auf.

»Ich sag Ticky schnell Guten Tag – sie erwartet mich«, erklärte Avery und steuerte beherzt auf das im Fünfzigerjahrestil gehaltene Büro zu.

»Tststs!« McKenna schloss ihre dünnen Finger um

Averys Handgelenk und zog sie resolut den Flur entlang. An dessen Ende öffnete sie eine Tür ohne Aufschrift, schob Avery hindurch und machte sie hinter sich zu.

Sie befanden sich in einem fensterlosen Kabuff. Entlang der Wände standen Regale, in denen die unterschiedlichsten Beauty-Produkte gelagert wurden; auf dem Boden stapelten sich Kartons, deren Inhalt offenbar darauf wartete, ebenfalls in die Regale einsortiert zu werden. In der Mitte des Raums saßen drei über Laptops gebeugte junge Frauen an einem langen Tisch; in einer Ecke klingelte durchdringend ein Telefon.

»Äh, vielen Dank für Ihre Hilfe, aber ich sollte jetzt wirklich kurz bei Ticky vorbeischauen und nachfragen, was sie für mich zu tun hat«, sagte Avery höflich und drehte sich zur Tür.

»Hiergeblieben!« McKenna erdolchte sie mit Blicken. »*Ich* bin für die Praktikanten zuständig, und *ich* entscheide, was Sie zu tun haben. Und bis Sie sich in die Unternehmenskultur der *Metropolitan* eingefunden haben, bleiben Sie hier. Gemma?« Ein brünettes Mädchen, das an einem der Computer saß, drehte sich um und hob fragend eine Augenbraue, bevor sie aufstand und auf einen hohen Schubladenschrank zuging. »Hier rüber, Praktikantin«, rief sie ungeduldig.

Praktikantin? Wurde sie hier noch nicht einmal mit *Namen* angesprochen?

»Die Schubladen müssen aufgeräumt werden.« Gemma schob ihre schwarze Prada-Brille höher auf die Himmelfahrtsnase und taxierte Avery abschätzig. Auf ihrem kantigen Kinn spross ein überreifer Pickel, und ihr Teint war unregelmäßig und fahl, aber sie trug ein graues Pulloverkleid von Dries Van Noten über einer schwarzen Leggins mit Reißverschlüssen an den Waden, die ihre Größe unterstrich. Sie sah cool aus und das wusste sie auch.

Avery rang sich trotz ihrer Enttäuschung ein tapferes Lächeln ab, zog eine der Schubladen auf und leerte den Inhalt auf einen weißen Arbeitstisch, der an der Wand stand. Na schön, dann würde sie eben Lippenstifte sortieren. Das hatte zwar nichts mit investigativem Journalismus oder dem Styling für ein Fotoshooting zu tun, war aber immer noch besser, als den Nachmittag mit seltsam riechenden alten Frauen zu verbringen, wie sie es die letzten Wochen nach der Schule getan hatte.

Als sie gerade dabei war, die Lippenstifte nach Farben geordnet wieder in die Schubladen zu räumen, kam McKenna zur Tür herein und stürzte sofort auf sie zu.

»Das ist Bordeauxrot!« Sie nahm einen MAC-Lippenstift aus der Schublade und hielt ihn Avery anklagend unter die Nase. »Was hat der bei den Pinkfarbenen zu suchen?«

Avery nahm den Lippenstift schuldbewusst entgegen und legte ihn in die richtige Schublade. Sie kam sich vor wie eine Dreijährige, die ausgeschimpft wird, weil sie ihre Malstifte nicht ordentlich sortiert hat.

»Passen Sie in Zukunft gefälligst besser auf«, raunzte Gemma und blickte stirnrunzelnd in die Schublade.

»Na schön, da diese Arbeit Sie offensichtlich überfordert…«, seufzte McKenna. »Stella McCartney veranstaltet heute im Meatpacking District einen Musterverkauf. Ich habe hier eine kleine Einkaufsliste zusammengestellt. Wenn Sie mir die Sachen bitte besorgen würden? Ich bin ein bisschen schmaler als Sie – das heißt, alles, was Ihnen zu eng ist, wird mir wahrscheinlich perfekt passen.« McKenna schenkte Avery ein zuckersüßes Lächeln und drückte ihr eine American Express Card in die Hand.

Averys Blick verdüsterte sich. Wollte McKenna etwa, dass sie ihre *persönlichen* Einkäufe für sie erledigte?

»Hoffentlich akzeptieren die Kreditkarten! Ach ja, wenn Sie schon mal unterwegs sind, könnten Sie die hier gleich auch noch zu Jeffrey zurückbringen. Diese Schuhe sind wirklich gar nichts für mich. Oder fürs Heft.« McKenna zog eine Braue hoch.

In diesem Moment dröhnte aus Averys Hèrmes-Tasche die Technoversion eines Madonna-Songs. Baby hatte sich vor ein paar Tagen ihr Handy geschnappt und ihn als ihren persönlichen Klingelton eingespeichert. Nicht etwa weil er ihr gefiel, sondern einzig und allein, um Avery damit zu nerven.

»Ist das etwa ein Privatgespräch?« McKenna verschränkte die Arme und trommelte mit der Fußspitze auf den Boden. Sie wirkte wie die herrische Schichtleiterin in einer Fabrik.

»Tut mir leid.« Avery stellte das Handy hastig auf lautlos. Ein paar Sekunden später leuchtete auf dem Display eine SMS auf: *bin aus españa zurück!* Ganz toll. Ihre Schwester war in Spanien gewesen, und sie würde es gerade mal bis in den Meatpacking District schaffen, und das auch noch auf Anweisung ihrer Vorgesetzten.

Avery schnappte sich die Henkel der schweren Jeffrey-Tragetasche, drehte sich wortlos um, ging hocherhobenen Hauptes in den Flur hinaus und marschierte an dem Angelina-Verschnitt vorbei zu den Aufzügen. Ihr Traumjob hatte sich zwar gerade als Albtraum entpuppt, aber sie würde den Teufel tun und vor der versammelten *Metropolitan*-Belegschaft in Tränen ausbrechen.

Genau – wofür gibt es schließlich Rückbänke in Taxis?

auf der couch

Am Freitagnachmittag schnalzten Baby Carlyles weiße Havaiana-Flip-Flops über das glänzende Parkett der Constance-Billard-Flure. Offiziell waren Flip-Flops an der elitären Mädchenschule zwar verboten, aber in Anbetracht der vielen Regeln, die Baby in letzter Zeit gebrochen hatte, konnte sie sich nicht vorstellen, dass sich irgendjemand für eine derartige Lappalie interessieren würde. Sie war erst vor zwei Stunden aus Spanien zurückgekommen und wollte eigentlich nur noch in ihr Bett und ausgiebig Siesta halten. Aber kaum hatte sie nach der Landung ihr Handy eingeschaltet, war eine hysterische SMS ihrer Mutter eingegangen: Mrs McLean, die Rektorin der Constance Billard, wünsche sie *unverzüglich* zu sehen. Baby hatte natürlich gewusst, dass das auf sie zukommen würde – immerhin hatte sie für ihren Spontantrip eine Woche lang die Schule geschwänzt –, aber sie hatte nicht damit gerechnet, dass es schon so bald passieren würde.

»Mrs McLean erwartet Sie bereits«, verkündete die flusenhaarige Schulsekretärin Donna wichtigtuerisch, kaum dass Baby das Vorzimmer betreten hatte.

»Danke«, murmelte Baby und schlurfte in Mrs McLeans Büro. Sie kannte den Weg. Es war schließlich das vierte Mal innerhalb kürzester Zeit, dass die Rektorin sie zu sich zitierte.

»Baby, da sind Sie ja endlich!«, rief Mrs McLean, und ein strenger Ausdruck erschien auf ihrem großflächigen, teigigen Gesicht.

Baby setzte ihr süßestes »Ich bin doch nur ein unschuldiger Teenager und wir machen halt manchmal Blödsinn«-Lächeln auf – ein Lächeln, das sie während ihrer kurzen Zeit an der Constance perfektioniert hatte. Sie hoffte nur, es würde reichen, um Mrs McLean – auch diesmal – dazu zu bringen, ihr diesen Ausrutscher durchgehen zu lassen.

Sie ließ sich auf das königsblaue Samtsofa fallen.

»Willkommen zurück, Baby. Ihre Mutter hat mich heute Morgen telefonisch darüber informiert, dass ich gegen Nachmittag mit Ihnen rechnen könnte«, begann Mrs McLean und lehnte sich in ihrem ledernen Bürosessel zurück. Normalerweise trug sie mit Vorliebe knallfarbene Hosenanzüge von Talbots, aber heute hatte sie sich für ein schlichtes schwarzes Kostüm entschieden.

Baby nickte höflich. Mehr als alles andere wünschte sie sich auf die Ramblas zurück, um in einer der rund um die Uhr geöffneten Bars einen *trifásico* zu trinken – einen köstlichen, mit einem Schuss Rum versetzten Kaffee, den sie dort entdeckt hatte. Sie musste lächeln, als sie daran dachte, wie einer der niedlichen Kellner versucht hatte, ihr Katalanisch beizubringen. Es hatte so unglaublich sexy geklungen, auch wenn er die ganze Zeit nur über seine Vespa gesprochen hatte.

Ihre Reise war eine geradezu magische Erfahrung gewesen, und als sie in Barcelona ins Flugzeug gestiegen war, wäre sie am liebsten gleich an irgendeinen anderen Ort weitergereist, nur um nicht an die statusbesessene Upper East Side zurückkehren zu müssen, wo sie sich immer noch nicht wirklich heimisch fühlte.

»Ich mache mir ernsthafte Sorgen um Sie, Baby.« Mrs McLean stützte ihre fleischigen Unterarme auf der Schreibtischplatte auf und blickte sie nachdenklich an. »Machen *Sie* sich nicht auch Sorgen um sich?«

»Es tut mir leid«, sagte Baby zerknirscht. »Aber den versäumten Unterrichtsstoff werde ich bestimmt schnell nachholen, das verspreche ich Ihnen!« Sie zog entschuldigend die Schultern hoch. Dass sie einfach nach Barcelona abgehauen war, zeugte nicht gerade von einem ausgeprägten Verantwortungsbewusstsein, das war ihr klar. Andererseits wusste sie, dass manche ihrer Mitschülerinnen wochenlang vom Unterricht befreit wurden, wenn ihre Eltern sie außerhalb der Schulferien zum Skifahren nach Gstaad oder auf eine Safari nach Tansania mitnehmen wollten. Wo war also das Problem?

»Mit Ihren Noten hat das nichts zu tun, Baby«, sagte Mrs McLean in einem Ton, der deutlich machte, dass sie wünschte, es *hätte* etwas mit Babys Noten zu tun. Dann hätte sie einfach einen Nachhilfelehrer für sie organisieren können und die Sache wäre erledigt gewesen. »Offen gestanden geht es um Ihre Einstellung. Ich habe Ihnen mehrfach Gelegenheit gegeben, Ihr Fehlverhalten zu korrigieren, und wir haben alle unser Bestes getan, damit Sie sich auf der Constance wohler fühlen. Ich denke, es ist an der Zeit, dass Sie ernsthaft an sich arbeiten und uns beweisen, dass Sie wirklich ein Teil dieser Gemeinschaft sein möchten – und das auch verdienen. Sie beteuern dies zwar ständig, benehmen sich aber nicht dementsprechend.« Mrs McLean schürzte die Lippen. »Der einzige Grund, warum ich Sie nicht von der Schule verweise, ist Ihre – wenn auch kurze – Mitarbeit an *Rancor*.« Sie schob die letzte Ausgabe der schuleigenen Kunstzeitschrift über den Schreibtisch.

Baby sah sich das Cover an, auf dem in schwungvoller pinkfarbener Pop-Art-Schrift »FASHION-FOKUS« stand. Sie grinste. Sie und ihre Mitschülerin Sydney Miller, ein selbsternanntes Rrriot-Girl mit einer Schwäche für Piercings, hatten im *Rancor* eine Modestrecke veröffentlicht, in der Jungs Mädchenkleider und Mädchen Jungsklamotten trugen. Es war ein cooles und mutiges Projekt gewesen, und Baby bedauerte, dass sie nicht in der Schule gewesen war, als die Ausgabe rausgekommen war.

»Das Heft hat für ziemliche Aufregung gesorgt«, sagte Mrs McLean mit einem knappen Lächeln. »Obwohl ich einigen Diskussionsbedarf sehe, was Ihre, ähm, *künstlerische* Vision betrifft, schätze ich es dennoch, wie viel Arbeit Sie und Sydney in den Beitrag gesteckt haben.«

»Ich könnte einen kleinen Essay über meine Reise schreiben, wenn Sie wollen.« Baby fixierte den Punkt zwischen Mrs McLeans buschigen Augenbrauen, die sie an die von Ernies Freund Bert erinnerten. Erfahrungsgemäß reagierten alle Lehrer begeistert, wenn man anbot, sich außerlehrplanmäßig zu engagieren. In Nantucket hatte sie für ihren dauerbekifften Ex-Freund Tom mehrere Essays geschrieben, damit er nicht von der Schule flog.

»Das wird nicht nötig sein.« Mrs McLean blätterte durch ihr riesiges Rolodex.

Baby runzelte die Stirn. Zu welcher Strafaktion würde

sie jetzt wieder verdonnert werden? Die Pokale in der Vitrine neben dem Eingang polieren? Eingetrocknete zuckerfreie Kaugummis von der Unterseite der Birkentischplatten in der Cafeteria kratzen?

»Ich möchte Sie bitten, Ihren Entdeckergeist mehr nach *innen* zu richten«, psalmodierte Mrs McLean, entnahm dem Rolodex eine Visitenkarte und schob sie zusammen mit einem Blatt Papier über den Tisch. »Ich habe Ihre Mutter bereits darüber informiert, dass Sie zwanzig Therapiestunden nehmen werden. Sobald die Behandlung abgeschlossen ist, lassen Sie die Therapeutin dieses Formular unterzeichnen und geben es hier im Sekretariat ab. Ich war so frei, den ersten Termin für Sie zu arrangieren. Er findet heute Nachmittag um vier Uhr statt. Das ist in exakt …«, sie sah auf ihre Armbanduhr, »… fünfzehn Minuten.«

»Danke«, murmelte Baby und betrachtete misstrauisch die elfenbeinfarbene Visitenkarte. »Dr. Rebekah Janus, Psychotherapeutin« war alles, was außer einer Adresse auf der Fifth Avenue darauf stand. In einer Schule voller narzisstischer, einkaufssüchtiger Dramaqueens sollte ausgerechnet *sie* diejenige sein, die therapeutische Hilfe brauchte?

Mrs McLean lehnte sich zurück und verschränkte die Arme. »Ich habe Dr. Janus schon viele unserer Schülerinnen anvertraut, falls Sie jedoch bereits einen eigenen Therapeuten haben, sehe ich darin kein Problem. Sollten Sie die zwanzig Therapiestunden allerdings nicht bis zum Ende dieses Monats genommen haben, werden Sie sich eine Schule suchen müssen, die besser zu Ihnen passt.«

Baby nickte.

»Ich bin mir sicher, dass Sie die Reise in Ihr Innerstes

genießen werden.« Mrs McLean erhob sich und begleitete Baby lächelnd zur Tür.

»Ganz bestimmt«, pflichtete Baby ihr matt bei. Was blieb ihr auch anderes übrig?

Kurz darauf betrat sie ein Sandsteingebäude auf der Fifth Avenue und fand sich wenig später in einem Wartezimmer wieder, in dem geschmacklose Van-Gogh-Drucke an den Wänden hingen. Auf einem antiken Eichentischchen stapelten sich zerfledderte Ausgaben des *New Yorker* und des *Economist*. Kaum hatte sie sich gesetzt, riss eine elegant gekleidete, hochgewachsene blonde Frau die Tür auf.

»Sie sind zu spät«, sagte sie sanft.

»Tut mir leid.« Baby scharrte unbehaglich mit ihren Flip-Flops.

»Ob ein Patient pünktlich ist oder nicht, sagt oft etwas darüber aus, wie er der Therapie gegenübersteht«, sagte die Frau, als könne sie Babys Gedanken lesen. »Hallo, ich bin Dr. Janus.« Sie streckte ihr die Hand hin und Baby schüttelte sie verhalten.

»Wenn Sie mir bitte folgen würden.« Die Therapeutin führte Baby in ihr Behandlungszimmer. Die Wände und die Decke waren weiß gestrichen und vollkommen schmucklos, doch die riesigen, nach Westen ausgerichteten Erkerfenster verliehen dem ansonsten nüchternen Raum eine gewisse Freundlichkeit. »Hinlegen.« Dr. Janus zeigte auf eine niedrige Ledercouch, die in der Mitte des Raums stand. Es klang, als wolle sie einem Hund einen neuen Trick beibringen.

Platz, Baby. Platz!

»Danke. Ich sitze lieber.« Baby strich das hauchdünne

weinrote Kleid, das sie bei einem Straßenhändler in Barcelona gekauft hatte, über ihrer Jeans glatt.

»Hinlegen«, wiederholte Dr. Janus. »Das erleichtert den therapeutischen Prozess.«

Um nicht unhöflich zu erscheinen, legte Baby sich gehorsam auf die Couch und zog die Knie an. Sie blickte auf ein Regal, in dem eine Sammlung holzgeschnitzter Elefanten sowie mehrere Reihen Bücher von und über Freud standen. Sie fragte sich, welche Assoziationen die Elefanten in ihr auslösen sollten.

»Und jetzt erzählen Sie mir von sich«, forderte Dr. Janus sie mit einer Stimme auf, die um mindestens eine Oktave gesunken war.

Baby starrte an die Decke. »Ich heiße Baby Carlyle, bin sechzehn und ein Drilling. Ich habe einen Bruder, Owen, und eine Schwester, Avery. Wir sind in Nantucket aufgewachsen und vor Kurzem nach New York gezogen. Außerdem bin ich erst vor drei Stunden aus Barcelona zurückgekommen und sehr müde.« Vielleicht würde Dr. Janus Mitleid mit ihr haben, das Formular ausfüllen und sie nach Hause schicken und endlich schlafen lassen.

»Und?«, hakte Dr. Janus von ihrem Schreibtisch aus nach.

Baby drehte sich zur Seite und stützte den Kopf auf. Wie … *und*? Sie sah Dr. Janus an und hoffte, sie würde ihr eine andere, leichtere Frage stellen, so wie Madame Rogers in Französisch immer auf Englisch weitersprach, wenn sie merkte, dass niemand auch nur den leisesten Schimmer hatte, wovon sie eigentlich redete.

»Sehen Sie mich nicht an«, sagte Dr. Janus streng.

Baby drehte sich seufzend wieder auf den Rücken. Sie entdeckte einen hässlichen braunen Wasserfleck an der ansonsten makellos weißen Decke. Sollte das so eine Art Rorschach-Test sein?

»Was ist mit Ihren Eltern? Ihrer Mutter? Ihrem Vater?«, versuchte Dr. Janus ihr auf die Sprünge zu helfen.

»Ich lebe bei meiner Mutter. Sie ist toll. Unseren Vater kennen wir nicht. Wir waren nicht geplant. Uns gab es wohl als Zugabe auf dem Burning-Man-Festival.« Vor der Schwangerschaft mit den Drillingen war Edie ein Groupie gewesen, das in den Tourbussen von Rockstars durchs Land gereist war. Avery verdrängte diesen Teil ihrer Biographie gern, aber Baby fand ihn irgendwie cool.

»Und?«, drängte Dr. Janus wieder.

»Das war's«, sagte Baby bestimmt. Sie wollte nicht zu diesen Leuten gehören, die über ihre Eltern herzogen und sie beschuldigten, ihr Leben zerstört zu haben. Natürlich war ihre Mutter durchgeknallt, aber dafür konnte man ziemlich viel Spaß mit ihr haben.

»Gut.« Dr. Janus klang enttäuscht. »Erzählen Sie mir von Barcelona«, sagte sie schließlich.

»In Barcelona war es schön ...« Baby dachte an die vergangene Woche zurück. Es war tatsächlich schön gewesen, aber gleichzeitig hatte sie auch das Gefühl gehabt, dass irgendetwas fehlte. Sie begann gedankenverloren an einer Haarsträhne zu kauen. Früher hatte sie das nur gemacht, um Avery zu ärgern, die das total eklig fand, aber jetzt hatte es etwas Tröstliches.

»Ich dachte, dass es mir guttun würde, mal aus New York rauszukommen. Sie wissen schon, eine Auszeit von meiner Familie, weg vom Uniformzwang an der Schule. Ich hab mir überlegt, ob ich nicht Nudistin werden soll ...« Sie warf Dr. Janus einen kurzen prüfenden Blick zu, um festzustellen, ob sie ihr damit nicht wenigstens ein Lächeln entlocken konnte, aber die nickte nur, als würde sie Baby tatsächlich zutrauen, sich auf der Stelle nackt auszuziehen. Verlegen zupfte Baby am Ausschnitt ihres Kleides. »War nur ein Witz«, fügte sie lahm hinzu. Was wollte Dr. Janus eigentlich von ihr?

Abgesehen von zweihundertfünfzig Dollar pro Sitzung?

»Wonach haben Sie gesucht?«, fragte Dr. Janus nachdenklich. Aus unsichtbaren Lautsprechern plätscherten Töne, die an Meeresrauschen erinnerten.

Baby verschränkte die Arme und löste sie dann wieder. Die ganze Atmosphäre im Raum war so offensichtlich darauf angelegt, entspannend zu wirken, dass es genau den gegenteiligen Effekt hatte.

»Na ja, eigentlich wollte ich Mateo finden. Das ist so ein Typ, den ich vor Kurzem hier in New York kennengelernt habe.« Mateo hatte ihr erzählt, er und sein bester Freund seien aufgrund einer Art Wette spontan nach New York geflogen. Sie hatte einfach Lust gehabt, etwas genauso Abgefahrenes zu tun wie die beiden Jungs.

Sie verschränkte die Finger und reckte die Arme über den Kopf. Wenn sie es schaffte, Dr. Janus ganz vernünftig zu erklären, warum sie abgehauen war, würde sie vielleicht einsehen, dass ihr Verhalten völlig normal war und sie keine zwanzig Stunden Zwangstherapie brauchte. »Ich hab ihn zwar nicht gefunden, aber ich hatte auch allein eine gute Zeit. Es war toll, eine neue Stadt zu entdecken ...«

»Verstehe, aber wonach haben Sie *gesucht*?«, fragte Dr. Janus erneut, als würde sie in einer Wiederholungsschleife feststecken.

»Ein Abenteuer, glaube ich. Ich hatte einfach Lust, mal spontan zu verreisen.« Baby runzelte die Stirn. Das hörte sich irgendwie ziemlich unausgegoren an. »Ich glaube, ich will damit sagen, dass ich es für eine gute Möglichkeit hielt, mich selbst zu finden.« Na also! Das klang doch schon eher nach einem erfolgreichen Therapiegespräch.

»Ich habe da eine andere Theorie.« Dr. Janus' Stimme stieg vor Aufregung wieder um eine Oktave. »Ich glaube nämlich vielmehr, dass Sie nach Ihrem Vater gesucht haben!«

Baby blinzelte. *Wie bitte?* Manchmal hörte sie sich Edies selbst aufgenommene Uralt-Kassetten an, um herauszufinden, ob vielleicht einer der Songs darauf von ihrer Mutter handelte – nur für den Fall, dass ihr Vater irgendein superberühmter Rockstar aus der Hippieära war. Aber ansonsten fragte sie sich nur selten, wer er gewesen sein könnte.

»Nein. Ich habe Mateo gesucht«, widersprach sie bestimmt. Sie setzte sich kurz entschlossen auf und schwang die Beine von der Couch. Ließen gute Therapeuten ihre Patienten nicht *selbst* die Antworten finden?

Dr. Janus stieß einen schweren Seufzer aus und wie aufs Stichwort verwandelte sich das Meeresrauschen in grollende Gewitterklänge. Ein künstlicher Donnerschlag ertönte. »Mir scheint, Sie verbringen mehr Zeit mit der Jagd auf Jungs als damit, sich selbst zu entdecken. Welche Gefühle löst das in Ihnen aus?« Dr. Janus' Stift schwebte über ihrem Notizbuch, als wäre sie eine Protokollantin bei Gericht.

Baby seufzte frustriert.

»Sie blocken ab«, behauptete Dr. Janus mit sanfter Strenge. »Aber das ist in Ordnung. Sie sind hier in Sicherheit. Sie müssen nicht reden. Sie können auch einfach nur daliegen, bis die Stunde vorbei ist.« Sie betrachtete ihre im Nude-Look lackierten Fingernägel.

»Wäre das nicht verschwendete Zeit?«, fragte Baby irritiert. Wenn sie sowieso nur rumlag, würde sie das lieber zu Hause in ihrem eigenen Bett tun, vielen Dank auch.

»Ganz und gar nicht.« Dr. Janus riss ihre blauen Augen auf, und Baby bemerkte, dass sie leicht schielte. Das eine Auge verharrte auf Baby, während das andere auf die Notizen hinunterblickte. Es war ein extrem befremdlicher Anblick. »Sie müssen herausfinden, was Sie innerlich antreibt. Und das wird ein Weilchen dauern«, erklärte die Therapeutin sachlich. »Sie werden vermutlich jeden Tag kommen wollen«, schlussfolgerte sie und klappte ihr schmales, in Leder gebundenes Notizbuch zu.

»Jeden Tag?«, fragte Baby entsetzt. Worüber sollte sie denn jeden Tag mit dieser Frau reden?

»Wir werden gemeinsam eine Reise in Ihre Psyche unternehmen.« Dr. Janus klatschte begeistert in die Hände, als könnte sie es kaum erwarten. »Wer weiß? Eine meiner Patientinnen kommt schon seit zwanzig Jahren zu mir. Sie glauben ja gar nicht, wie viel wir gemeinsam schon erreicht haben.« Sie nickte vielsagend.

»Kann ich mir das vielleicht erst noch mal überlegen und Sie dann anrufen?« Baby stand abrupt auf, ohne die Antwort abzuwarten, und stürmte hinaus.

»Das Tor zur unterbewussten Erkenntnis lässt sich nicht so einfach öffnen!«, rief Dr. Janus ihr hinterher. Baby rannte den Gang entlang, fuhr mit dem Lift nach unten und stürzte an einem verdutzten Portier vorbei nach draußen.

Es lebe die Freiheit!

rien de rien

»Ich brauch dringend ein Brazilian Waxing – kommt jemand mit?«, fragte Sarah Jane Jenson ihre Mitschülerinnen Jiffy Bennett, Genevieve Coursy und Jack Laurent, als sie am Freitag aus dem Schulgebäude traten.

Jack hätte am liebsten die Augen verdreht. Wozu brauchte Sarah Jane, die seit dem Sommercamp in der Achten keinen Freund mehr gehabt hatte und auch nicht vorhatte, in nächster Zeit am Strand zu liegen, bitte ein Brazilian Waxing? Eine Gruppe Zehntklässlerinnen, die auf dem Treppenabsatz der Constance stand, schaute gespannt zu ihnen rüber, begierig darauf, Jacks Antwort zu hören.

»Ich kann leider nicht«, log Jack und wühlte in ihrer riesigen blauen Balenciaga-Tasche nach ihrem Päckchen Merits. Nachdem sie sich eine Zigarette angezündet hatte, reichte sie das Päckchen an Genevieve weiter und hielt verstohlen nach ihrem Freund Ausschau. J.P. Cashman konnte es nicht leiden, wenn sie rauchte, und sie wollte so kurz nach ihrer Versöhnung keinen Stress mit ihm. »Ich bin heute Nachmittag schon mit J.P. verabredet.«

»Aber davon hätte er doch auch was!«, mischte Jiffy sich altklug ein. Sie hatte zwar keine eigenen Erfahrungen mit Jungs, hielt sich aber, weil ihre Schwester schon dreimal verheiratet gewesen war, für eine Expertin in Beziehungsfragen.

»Hallo? Das ist ja wohl eine total männerfixierte Einstellung. Wenn, dann tut man es für sich selbst und nicht für irgendeinen Typen«, sagte Genevieve und blies Jiffy Rauch ins Gesicht. Jack wusste, dass sie kürzlich angefangen hatte, Simone de Beauvoir zu lesen, um eine Rolle in dem Sartre-Biopic zu bekommen, bei dem ihr Vater Regie führen würde. Anscheinend begann die Weltanschauung der französischen Feministin allmählich auf sie abzufärben. Nicht mehr lange und sie würde sich die Brustwarzen piercen und sich mit dieser schrägen potenziellen Lesbe Sydney anfreunden. Jack rümpfte die Nase. Gott, was war sie froh, dass sie einen Freund hatte.

»Was ist falsch daran, auf Männer fixiert zu sein?«, konterte Jiffy und pustete sich ihren herausgewachsenen Pony aus den Augen. Sie drehte sich zu Jack um. »Komm doch bitte mit, ja?«, bettelte sie. »Wir kriegen dich ja kaum noch zu Gesicht, seit du wieder mit J.P. zusammen bist!«

»Ich kann wirklich nicht. Außerdem ist ein Waxing nicht gerade gruppentauglich«, antwortete Jack gelangweilt, obwohl es gar keine so schlechte Idee war, sich im Elizabeth Arden Red Door Salon mal wieder einen Termin geben zu lassen – allein. Es lief nämlich tatsächlich ziemlich gut zwischen J.P. und ihr. Vielleicht war es langsam an der Zeit, sich so *richtig* nahezukommen. Jack drehte sich auf dem Absatz um und ging Richtung Fifth Avenue.

Und genau wie sie erwartet hatte, folgten ihr die anderen Mädchen wie Küken ihrer Entenmutter.

»Das Problem ist, dass Typen nicht wirklich auf männerfixierte Mädchen stehen. Die wollen Mädchen, denen sie scheißegal sind«, erklärte Genevieve und stieß wütend Zigarettenrauch aus. Sarah Jane nickte nachdenklich.

»Solche wie Baby Carlyle wahrscheinlich …«, überlegte Jiffy laut, während sie neben Jack herjoggte, um mit ihr Schritt halten zu können.

Jack blieb wie angewurzelt stehen und starrte sie finster an. Wie konnte Jiffy es wagen, in ihrem Beisein diese verfluchte Baby Carlyle zu erwähnen? Baby war kurz mit J.P. zusammen gewesen und dann nach Spanien oder in die Schweiz oder sonst wohin abgehauen, Genaueres wusste Jack nicht. Aber sie hatte nichts dagegen, dass Baby weg war. Im Gegenteil.

»Oh, tut mir leid, Jack!«, rief Jiffy, als sie Jacks Gesichtsausdruck sah. »Ich hab mich nur gerade gefragt, wo sie ist. Man verschwindet doch schließlich nicht einfach so, oder?«

»Ich hab gehört, dass sie eine Geschlechtsumwandlung machen lässt.« Genevieve zuckte mit den Schultern. »Aber wen interessiert schon, was diese Hippietussi macht? Die Hauptsache ist doch, dass Jack und J.P. wieder zusammen sind.«

Jack lächelte Genevieve dankbar an. Endlich kapierte mal jemand, worum es wirklich ging. Die anderen Mädchen unterhielten sich weiter, aber Jack blendete ihre Stimmen aus und ging ein paar Schritte vor ihnen her. Es gab Wichtigeres und vor allem auch Spannenderes, worüber sie nachdenken musste, als ausgerechnet Baby Carlyle – zum Beispiel das morgige Tagesprogramm. Nach einem ausgiebigen Termin bei Elizabeth Arden könnte sie zu J.P. nach Hause gehen, sich wie zufällig, aber verführerisch auf seinem Bett räkeln und …

»Hey, Ladys!«, rief J.P. von der anderen Straßenseite und riss sie aus ihren nicht ganz jugendfreien Fantasien. Hastig ließ sie ihre Merit fallen, die gefährlich nah neben Genevieves schwarzen Tory-Burch-Ballerinas landete, und klimperte ihm mit Dior-Black-Out-getuschten Wimpern unschuldig entgegen.

»Hey, mein Held!« Sie schlang die Arme um ihn, nachdem er die Straße überquert hatte, und registrierte genüsslich die neidischen Blicke ihrer Freundinnen. Er trug ein perfekt gebügeltes blaues Hemd und eine furchtbar peinliche Riverside-Prep-Baseballkappe, die kein bisschen zu seinen braunen Haaren passte.

»Hier, für dich, Prinzessin.« J.P. drückte ihr lächelnd einen dampfenden extragroßen Latte von Starbucks in die Hand. »Kann ich den Damen vielleicht auch irgendetwas Gutes tun?« Er bedachte Jacks Freundinnen mit seinem perfekten Gentlemanlächeln und Sarah Jane und Jiffy kicherten albern. Jack hätte ihnen am liebsten gegen ihre Wolford-bestrumpften Schienbeine getreten.

J.P. war zwar der Sohn des milliardenschweren Immobilienmoguls Dick Cashman, aber zum Glück ließ er trotzdem nie den reichen Schnösel raushängen. Er war großzügig, witzig und klug und sie waren schon eine gefühlte Ewigkeit zusammen. Okay – bis auf die kleine Unterbrechung, als er wegen Baby mit ihr Schluss gemacht hatte. Während dieser zwar kurzen, aber umso unglücklicheren Phase hatte Jack sämtliche Register der psychologischen Kriegsführung gezogen und so getan, als wäre sie mit Babys Bruder Owen zusammen – den sie am Ende allerdings dabei erwischt hatte, wie er mit irgendeiner Schlampe von der Seaton-Arms-Schule rumgemacht hatte. Mittlerweile waren sie und J.P. aber wieder glücklich vereint, und Baby war Gott-weiß-wo, ließ sich zum Mann umoperieren, und alle waren glücklich und zufrieden.

Eins unserer beliebten Upper-East-Side-Märchen …

»Na gut, dann bis bald, Mädels.« Jack zog J.P. eilig davon. Ihre Freundinnen blickten ihnen enttäuscht hinterher. Sollten sie sich doch endlich ihren eigenen Freund anschaffen!

Jack konzentrierte sich auf den angenehmen Druck von J.P.s Hand, die sie sanft nach Westen Richtung Central Park lenkte. Von ein paar einsam am Straßenrand stehenden Bäumen fielen Blätter, und der Himmel war bewölkt, aber sie liebte solche Tage. Sie hatten so etwas Europäisches an sich und bildeten die perfekte Kulisse für eine Liebesgeschichte. Jack nahm einen großen Schluck von ihrem Latte und spürte, wie die warme Flüssigkeit ihre Kehle hinunterrann. Es fühlte sich so *gut* an, mit jemandem zusammen zu sein, der ganz genau wusste, dass sie zwei Stück Süßstoff brauchte, damit der Kaffee für sie süß genug war.

»Du hast mir gefehlt.« J.P. drückte zärtlich ihren Arm und ihr Herz schlug schneller. Am liebsten hätte sie es jedem, der ihnen entgegenkam, ins Gesicht geschrien – von dem Kindermädchen mit dem Buggy bis zu dem älteren Mann im eleganten Oscar-de-la-Renta-Anzug, der sich mit seinem Gehstock über den Bürgersteig tastete: »Das ist mein *Freund*!«

Noch vor einem Monat war ihr Leben ein einziger Trümmerhaufen gewesen: Ihr Vater, ein Investmentbanker, hatte ihr und ihrer Mutter den Geldhahn zugedreht und sie gezwungen, aus dem unteren Teil ihrer luxuriösen Stadtvilla in die winzige heruntergekommene Mansardenwohnung umzuziehen; zudem verweigerte er ihnen bis auf Jacks Schulgeld jede finanzielle Unterstützung. Doch allmählich schien es wieder aufwärtszugehen. Während eines Abendessens im Le Cirque letzte Woche hatte ihr Vater etwas Milde gezeigt und ihr versprochen, ihr monatlich ein kleines Taschengeld auf ein eigens für sie eingerichtetes Konto zu überweisen. Die Summe entsprach zwar in etwa der, die ihre Stiefgeschwister bekamen, die noch in den Kindergarten gingen. Aber sie war froh, dass sie nicht mehr bei jeder Cola Light, die sie sich am Automaten zog, darüber nachdenken musste, ob sie sie sich überhaupt leisten konnte. Außerdem hatte sie für ein Stipendium vorgetanzt und wartete jetzt nur noch auf den Anruf, dass sie es in das Förderprogramm der School of American Ballet geschafft hatte. Aber das Allerwichtigste war, dass sie und J.P. wieder zusammen waren.

»Du siehst gut aus.« Jack nahm J.P. die hässliche Riverside-Prep-Kappe vom Kopf und stopfte sie in ihre Tasche. *So.* Jetzt sah er sogar noch besser aus.

»Gehen wir hoch oder hast du Lust auf was anderes?«, fragte J.P., als sie sich dem Cashman Complex näherten, auf dessen Fassade zwei gigantische, ineinander verschlungene Cs prangten. J.P. bewohnte mit seinem Vater und seiner Mutter, einem ehemaligen russischen Supermodel, das Penthouse des Gebäudes, das nur eines von vielen in Manhattan war, die Dick Cashman gehörten.

»Heute geht's leider nicht.« Jack lächelte geheimnisvoll. Sie hatte tatsächlich etwas anderes vor. Obwohl sie sich so gut wie sicher war, das Stipendium zu bekommen, hatte sie noch keine definitive Zusage erhalten. Ihr blieb also weiterhin nichts anderes übrig, als bei *Steps* auf der Upper West Side zu trainieren – einem Tanzstudio, in dem man die Stunden einzeln bezahlen konnte, das jedoch über einem Fairway-Supermarkt lag und in dem es immer widerlich nach gebratenem Speck roch. Obwohl sie überglücklich war, wieder mit J.P. zusammen zu sein, war sie nicht hundertprozentig sicher, dass er sie nicht wieder fallen lassen würde. Bei ihrem Glück würde Baby Carlyle vielleicht wirklich als Mann zurückkommen, und J.P. würde daraufhin entdecken, dass er in Wirklichkeit schwul war.

Na ja, gepflegt und gut gekleidet ist er ja schon mal …

»Okay.« J.P. nickte verständnisvoll. »Ich ruf dich nachher noch mal an, ja?« Er nahm ihr Gesicht zwischen beide Hände und gab ihr einen Kuss, der nach Eukalyptus und Pfefferminz schmeckte – ein Geschmack, den sie immer als sehr tröstlich empfand. »Bis später, Kleines«, rief er und winkte ihr noch zu, bevor er durch die gläserne Tür im Gebäude verschwand.

»Bis später«, murmelte Jack. Plötzlich fröstelte es sie und sie zog ihre lederne Bomberjacke von Marc by Marc Jacobs enger. Sie hatte sie im Ausverkauf auf einer dieser schäbigen Designer-Schnäppchen-Webseiten bestellt – ein absoluter Fehlkauf und nur eine weitere Mahnung daran, dass sich tatsächlich vieles in ihrem Leben verändert hatte, seit sie und J.P. sich getrennt und wieder zusammengefunden hatten.

Sie ging weiter die Fifth entlang und verlangsamte ihren Schritt erst, als sie an dem Gebäude vorbeikam, in dem die Carlyles wohnten. Sie blickte an der Fassade bis zum obersten Stockwerk empor, aber die Fenster waren alle unbeleuchtet und außerdem hätte sie von der Straße aus sowieso nichts erkennen können. Nicht dass es dort oben etwas Interessantes zu sehen gegeben hätte. Schließlich waren Owen und sie nicht *wirklich* zusammen gewesen.

Ein paar Minuten später stand sie vor ihrer Stadtvilla (sie betrachtete sie immer noch als ihre, obwohl mittlerweile eine andere Familie darin wohnte) auf der 63. Straße zwischen Fifth und Madison, wo sie sich umziehen wollte, bevor sie zum Tanztraining ging. Sie stahl sich durch den Hintereingang ins Haus, stieg schnell die Treppe zur Mansarde hoch und hoffte, dass ihre Mutter Vivienne, eine französische ehemalige Primaballerina mit ausgeprägtem Hang zur Dramatik, nicht zu Hause war.

»Ah, *chérie*! Da bist du ja endlich!« Vivienne stürzte aus dem Schlafzimmer in den winzigen Flur hinaus, wo sie vor lauter Hektik einen klapprigen Garderobenständer umwarf. Ihre roten Haare standen wild vom Kopf ab und umloderten ihr Gesicht wie ein außer Kontrolle geratenes Lagerfeuer.

»Hi, Mom.« Jacks Laune sackte in den Keller. Ihre Mutter trug ein Kleid, das sie auf einem Musterverkauf von Diane von Fürstenberg erstanden hatte und das an ein hawaiianisches Mu'umu'u erinnerte – ein Fehlkauf *par excellence*. Obwohl es an ihrem ausgemergelten Ex-Tänzerinnen-Körper hing wie ein Zelt, konnte man ihr eine gewisse Eleganz nicht absprechen; sie sah ein bisschen aus wie Norma Desmond, die verrückte alternde Schauspielerin aus dem Film »Sunset Boulevard«.

»Heute Paris – morgen die ganze Welt!«, jubelte sie. »Schon in wenigen Tagen werde ich bei Sonnenuntergang einen echten Sauvignon trinken.« Zwischen ihren dünnen Fingern hielt sie nachlässig eine Gitane. Eines Tages würde sie während eines ihrer theatralischen Anfälle noch das ganze Haus abfackeln.

Na und? Dann könnten sie wenigstens in eine etwas hübschere Wohnung umziehen.

»Gute Reise.« Jack zuckte gelangweilt die Achseln. Vivienne flog so oft wie möglich nach Paris, um sich mit ihren früheren Ballerina-Freundinnen zu treffen und die guten alten Zeiten durchzuhecheln, als sie alle noch mit steinreichen und steinalten Männern ausgegangen waren. Bei einer dieser Gelegenheiten hatte Vivienne Jacks Vater kennengelernt.

Sie schob sich an ihrer Mutter vorbei ins Wohnzimmer und warf ihre Tasche auf die scheußliche spinatgrüne Couch. Die Mansarde war mit Viviennes schlimmsten Inneneinrichtungs-Fehlgriffen eingerichtet und sah aus wie das Möbellager der Heilsarmee.

»›Gute Reise‹! Ha! Meine kleine *comedienne*!«, rief Vivienne glucksend und folgte Jack ins Wohnzimmer. »Wir reisen gemeinsam, *chérie*. Ich habe die Zusage für meine Show bekommen. Jetzt musst du nur noch deinen *bâtard* von Vater anrufen, damit er alles Nötige für deinen Schulwechsel veranlasst.« Sie fuchtelte wild mit der Zigarette in der Luft herum.

Jack erstarrte. Vor Kurzem hatte Vivienne ganz beiläufig erwähnt, dass sie eine Rolle in irgendeiner französischen Soap in Aussicht hätte, aber Jack war natürlich davon ausgegangen, dass sie das nur geträumt oder mit einem Theaterstück verwechselt hatte, das sie sich angeschaut hatte. Aber ihre Mutter schien es tatsächlich ernst zu meinen. Verflucht! Hieß das etwa, dass sie nach Paris umziehen sollte, damit ihre Mutter im französischen Fernsehen ihr vermeintliches Comeback feiern konnte?

»Ich bleibe hier«, sagte Jack schlicht.

»Aber das geht nicht, *chérie*. Du und ich, wir sind ein

Team. Du kannst mich jetzt unmöglich im Stich lassen. Außerdem ist das erst der Anfang für uns«, trällerte Vivienne mit leuchtenden Augen. Sie tänzelte zum Fenster und nahm ein Foto in einem silbernen Tiffany-Rahmen vom Sims, auf dem sie als Primaballerina an der Pariser Oper zu sehen war. Jack hätte ihr das Ding am liebsten aus der Hand gerissen und auf dem Boden zerschmettert. Konnte ihre Mutter vielleicht ein *bisschen* weniger von sich selbst besessen sein? Wenn sie auch nur eine Sekunde nachdenken würde, müsste sie doch begreifen, dass sie das Leben ihrer einzigen Tochter *ruinierte*!

»Das kannst du mir nicht antun!« Jack hatte Mühe, ihre Stimme ruhig zu halten. »Was ist mit mir?« Sie hörte sich wie eine drittklassige Schauspielerin in einem unterirdisch schlechten Reality-TV-Drama an. Wenn sie so weitermachte, würde man ihr womöglich noch anbieten, neben ihrer Mutter in dieser unsäglichen Show mitzuspielen, von der sie keine Ahnung hatte, wie sie überhaupt hieß.

Les completement Durchgeknallten?

»Es ist ganz natürlich, dass du rebellierst, *c'est la folie des jeunes*.« Vivienne vollführte eine überhebliche Geste, wobei die Asche ihrer Zigarette auf den abgewetzten Dielenboden rieselte. Dann stellte sie sich hinter ihre Tochter und schlang ihre dürren Arme um sie.

Jack versteifte sich und machte keine Anstalten, die Umarmung zu erwidern. Ihre Mutter sollte noch nicht einmal für eine Nanosekunde das Gefühl haben, sie würde der ganzen Sache zustimmen.

»Dein Leben fängt doch gerade erst an, *chérie*«, säuselte Vivienne ihr ins Ohr. »Wir fliegen am Sonntag – *nous devons preparer nos affaires*!« Um ihren Worten Nachdruck zu verleihen, eilte sie in den Flur, riss einen Chinchillamantel aus dem Schrank und hüllte ihren mageren Körper darin ein.

Jack stürmte in ihr Zimmer und schlug die Tür hinter sich zu. Tränen der Wut rannen über ihr Gesicht, die sie mit dem Handrücken wegwischte, bevor sie nach ihrem Treo griff und über die Kurzwahltaste 1 J.P.s Nummer wählte.

»Ich komme doch zu dir«, sagte sie kurz. Aufs Tanzen würde sie sich heute Nachmittag niemals konzentrieren können. Sie brauchte eine andere Art körperlicher Betätigung, um sich von allem abzulenken. Hektisch zog sie ihre Lieblings-Skinny-Jeans von Citizen und einen grauen Theory-Sweater aus dem Schrank und stopfte beides in ihre Tasche. Dann öffnete sie die Unterwäscheschublade ihrer Kommode und kramte ein rosa Spitzenhöschen von Cosabella und einen schwarzen La-Perla-BH heraus. Sie runzelte die Stirn. War die Farbkombination *zu* sehr »besorg's mir«? Sie kaufte sich immer sexy Unterwäsche, hatte sich aber bis jetzt noch nie für J.P. ausgezogen.

Es gibt für alles ein erstes Mal...

Die ersten Takte von »Non, je ne regrette rien« – Viviennes Lieblingslied von Edith Piaf – wehten durch die geschlossene Tür. Normalerweise hörte ihre Mutter dieses Chanson nur, wenn sie schon eine ganze Flasche Wein intus hatte. In diesem Zustand wollte Jack nichts mit ihr zu tun haben. Sie hatte keine Zeit, nachzudenken – sie musste dringend *raus* hier. Hastig steckte sie die Unterwäsche in die Tasche, stürmte aus dem Zimmer und raste, ohne sich von ihrer Mutter zu verabschieden, die Treppe hinunter. Sollte sie ruhig denken, dass sie davonlief. Vielleicht würde es ihr dann leidtun.

Während sie in der hereinbrechenden Dunkelheit Richtung Uptown eilte, dachte sie an Paris. Sie hatte den Sommerkurs an der Ecole de Danse der Pariser Oper besucht – und ja, es war eine wunderschöne Stadt, aber es war nicht *New York*. Wütend kramte sie nach ihren Merits und ihrem Tiffany-Zippo. Das hier war schließlich ein Notfall. Außerdem – warum sollte sie ausgerechnet jetzt mit dem Rauchen aufhören? In Frankreich rauchte verdammt noch mal jeder.

Es gibt immer einen Silberstreif am Horizont. Und wenn er noch so verqualmt ist.

auf liebeskummer folgt oft legasthenie

Rhys Sterling stand etwas abseits vom Becken in der Schwimmhalle des YMCA auf der 92. Straße. Er trug immer noch seine St.-Jude-Schuluniform samt Blazer, konnte keinen klaren Gedanken fassen und fürchtete, jeden Moment zusammenzubrechen. Eigentlich hätte er jetzt bei seinen Teamkollegen im Umkleideraum sein sollen, aber er wusste genau, dass er es nicht aushalten würde, Owen zu begegnen. Überhaupt konnte er gerade keine Menschen um sich herum ertragen. Am liebsten hätte er die gesamte restliche Schulzeit bis zur Uni in einem abgedunkelten Raum gelegen und durchgeschlafen.

Er blinzelte verstört in die grellen Scheinwerfer am Rand des Beckens, neben dem sich die Ersatzschwimmer und ein paar Jungs aus der Mannschaft um Coach Siegel drängten und ihn mit angstgeweiteten Augen anstarrten. Der Coach war auf der Stanford University nicht nur Meisterschwimmer, sondern auch Weltmeister im Feiern und Mädchenklarmachen gewesen und erteilte seinen

Schwimmern gern gut gemeinte, aber selten realisierbare Ratschläge. Während des Trainings, und ganz besonders während eines Wettkampfs, war er allerdings knallhart. Und in diesem Augenblick sah er alles andere als gut gelaunt aus. Sein wie aus Stein gemeißeltes Gesicht hatte sich tiefrot verfärbt und er mahlte wütend mit dem Kiefer. Vorsichtig näherte Rhys sich seinem Team.

»Sterling, es gibt ein Problem!«, knurrte der Coach, sobald er in Hörweite war. Er zog eine Speedo aus einem großen Karton zu seinen Füßen und warf sie Rhys zu. Der streckte halbherzig die Hand aus, um sie aufzufangen, verfehlte sie jedoch, sodass sie auf den nassen Fliesen landete. Als er auf die Badehose hinunterschaute, sprang ihm der aufgestickte Schriftzug »ST. DUDES« entgegen.

Er schüttelte fassungslos den Kopf. Es grenzte beinahe an ein Wunder, dass er letzte Woche überhaupt daran gedacht hatte, die neuen Badehosen zu bestellen, immerhin hatte er erst kurz davor Kelsey und Owen *in flagranti* erwischt. Und ja, er war wahrscheinlich ziemlich mit den Nerven am Ende und verwirrt gewesen – aber St. *Dudes*? Hätte dem Hersteller oder verdammt noch mal wenigstens der *Stickerin* nicht auffallen müssen, wie absurd das war? Er vergrub aufstöhnend das Gesicht in den Händen. Vielleicht war es nur ein grauenhafter Albtraum und alles war gut, wenn er das nächste Mal hinschaute?

Nein, da stand ganz eindeutig St. *Dudes*.

»Tut mir echt leid, Coach«, murmelte er zerknirscht. Was hätte er auch sonst sagen sollen?

Coach Siegel winkte ab. »Ist jetzt nicht mehr zu ändern. Ab in die Umkleide mit euch, Jungs, und dann geht's ans Aufwärmen. Versucht einfach, die ganze Zeit im Wasser zu bleiben, damit niemand eure Höschen sieht. Und wir beide unterhalten uns mal kurz.« Während die anderen murrend abzogen, bedeutete er Rhys, ihm zu folgen.

Er setzte sich mit ihm in eine ruhige Ecke der blau lackierten Stahltribüne und sah ihn ernst an. »Sterling, mein Freund, so langsam musst du mal wieder in Form kommen!«

In Rhys' Ohren begann es zu rauschen, als wären sie mit Wasser gefüllt. Er wusste, was jetzt auf ihn zukam: der unvermeidliche »Ein Mannschaftskapitän darf sich keine Schwächen erlauben«-Vortrag. Und das Schlimmste daran war: Er erlaubte sich eine Schwäche nach der anderen. Er schaffte es ja nicht mal mehr, die richtigen Badehosen zu ordern, verdammte Scheiße!

»Ich werd uns neue bestellen, Coach. Tut mir leid«, sagte er tonlos und blickte starr auf den Boden. Währenddessen kamen seine Teamkollegen einer nach dem anderen aus dem Umkleideraum und begannen mit dem Aufwärmtraining. Rhys konnte es nicht mit ansehen, wie Owen ins Becken sprang und so geschmeidig wie eh und je durchs Wasser pflügte, und schirmte die Augen mit der Hand ab.

»Vergiss doch mal einen Moment lang die Hosen.« Der Coach tätschelte ihm unbeholfen den Rücken. »Ich hab mitbekommen, dass deine Freundin dich abserviert hat. Weißt du was? Du wirst es vielleicht nicht glauben, aber das ist selbst mir schon passiert.« Er schmunzelte in sich hinein. Rhys nickte und hielt den Blick weiterhin krampfhaft auf den Boden gerichtet. Als würde ihn die Tatsache, dass sein ganzes Leben ein beschissener Trümmerhaufen war, weniger schmerzen, nur weil sein Trainer auch schon mal die Rote Karte gezeigt bekommen hatte.

»Du darfst dich von so etwas nicht unterkriegen lassen,

Junge!« Coach Siegel rammte sich voller Kampfgeist die rechte Faust in die linke Hand. »Du bist der Mannschaftskapitän! Und wenn es dir schlecht geht, geht es auch dem Team schlecht! Wodurch es wiederum mir schlecht geht.« Seine rotbraunen Augenbrauen zogen sich besorgt zusammen. »Von mir aus könnt ihr Jungs machen, was ihr wollt, solange ihr hier eure Leistung bringt. Du bist mein Mannschaftskapitän, Rhys, und ich muss mich auf dich verlassen können. Also – gibt es irgendetwas, das du mir sagen möchtest?«

»Es ist … ziemlich kompliziert«, murmelte Rhys schließlich. Wenn er Kelseys Namen auch nur aussprach, würde er sofort in Tränen ausbrechen. Und wenn er Owens Namen aussprach, würde er …

In noch mehr Tränen ausbrechen?

»Ja, ja, die Liebe ist kompliziert!«, dröhnte der Coach. »Aber du darfst solche düsteren Gedanken auf keinen Fall mit in den Wettkampf nehmen! Ich weiß noch genau, wie ich in der Zehnten auf diese wahnsinnig heiße Volleyballerin abgefahren bin. Sie hieß Sunny und war eine Stufe über mir … meine Herren, war das ein Gerät …«

»Äh, Coach?«, unterbrach Rhys ihn und warf einen Blick auf die zerkratzte goldene Rolex an seinem Handgelenk. Der Wettkampf ging in fünf Minuten los. »Sollte ich mich nicht lieber davon überzeugen, dass alle startklar sind?«

»Was?« Coach Siegel kehrte nur widerwillig in die Gegenwart zurück und sprang auf. »Äh, klar. Aber weißt du was? Ich bin wirklich froh, dass wir diese Unterhaltung geführt haben. Wir dürfen uns von den Ladys nicht an den Eiern packen lassen.« Er strich sich nachdenklich übers Kinn. »Also so gefühlsmäßig, meine ich.«

Rhys nickte benommen und spielte mit dem Reißverschluss an seiner Sporttasche.

»Na los, geh dich aufwärmen. Und vergiss nicht, dass wir das Ding heute gewinnen wollen, Sterling.« Der Coach schlug ihm auf den Rücken. »Das wird ein harter Kampf, aber ich verlass mich drauf, dass du und Carlyle die hundert Meter Freistil einsackt, verstanden?«

In diesem Moment blies der Schiedsrichter am Kopfende der Schwimmbahn in seine Trillerpfeife und verkündete damit das Ende der Aufwärmphase. Rhys schleppte sich in den Umkleidraum. Er war sich nicht sicher, ob er heute auch nur einen einzigen Schwimmzug hinbekommen würde.

»Kannst du mir mal verraten, was der Scheiß soll?« Ken Williams rempelte Rhys hart an, als er an ihm vorbeilief. Er erinnerte eher an einen Footballer als an einen Langstreckenschwimmer, und es war ein offenes Geheimnis, dass seine Eltern ihn immer noch jeden Sommer in ein Abnehm-Camp für dicke Kinder schickten. Sein blasser Bauch quoll über den Rand seiner Speedo. Kein schöner Anblick. »St. *Dudes*, hallo? Wie sieht das denn aus? So krieg ich ja nie eine ab!«

»Tut mir leid, Mann.« Rhys ging einfach weiter, während seine Gedanken immer wieder zu Kelsey und Owen zurückwanderten, wie sie vorhin vor dem YMCA quasi übereinander hergefallen waren. Wenn sie sich schon in aller Öffentlichkeit *so* nah kamen, wollte er gar nicht wissen, was sie hinter verschlossenen Türen trieben …

Nämlich Dinge, die er und Kelsey in den drei Jahren, die sie zusammen gewesen waren, nie getrieben hatten.

Bis Rhys sich wieder einigermaßen gesammelt, umgezogen und zurück in die Schwimmhalle geschlichen hatte, war der Wettkampf bereits in vollem Gang. Auf der Tribüne feuerten die Fans der Orioles – Schüler einer Privatschule auf Long Island – ihre Mannschaft an.

»Sterling!« Coach Siegel packte ihn von hinten an der Schulter. »Wir liegen hinten und du treibst dich stundenlang in der Umkleidekabine rum! Carlyle und du, ihr müsst das Ding jetzt reißen. Ab ins Wasser mit dir, und zwar dalli«, fauchte er, als hätte ihr vertrauliches Gespräch von Mann zu Mann nie stattgefunden.

Rhys stieg auf den Startblock und versuchte sich auf die hundert Meter Freistil vorzubereiten – seine Paradedisziplin. Er sah, wie Owen konzentriert Schultern und Kopf kreisen ließ, um die Muskeln zu lockern.

»Auf die Plätze …«, rief der am Beckenrand stehende Schiedsrichter, und Rhys beugte den Oberkörper vor und nahm die Startposition ein. »Fertig …« Das Startzeichen ertönte und er sprang kopfüber ins Wasser. Als er wieder auftauchte, wusste er sofort, dass nichts rundlief. Seine Arme waren schwer wie Blei, und das Einzige, worauf er sich konzentrieren konnte, war Owen, der vor ihm lag. Rhys drosch sich verbissen durchs Wasser, aber spätestens bei der Rollwende wusste er, dass es vergeblich war. Owen würde gewinnen. So wie er Kelsey gewonnen hatte. So wie er über Rhys' ganzes gottverdammtes Leben gewonnen hatte.

Rhys legte die letzten paar Meter bis zum Ziel ganz gemächlich zurück und beobachtete ungerührt, wie ein Orioles-Schwimmer nach dem anderen den Beckenrand erreichte, während er selbst auf den letzten Platz zuschwamm. Einer der Orioles beugte sich zu ihm, um ihn hochzuziehen, aber Rhys schüttelte den Kopf und kletterte ohne Hilfe aus dem Wasser. Tropfend trottete er zur Tribüne, schnappte sich seine Schwimmtasche und hängte sie sich über die Schulter, ohne seine Mannschaftskollegen zu beachten, die sich um ihn versammelten. Als er kurz aufblickte, sah er, dass Coach Siegels Gesicht vor Wut gefährlich rot angelaufen war, aber es war ihm egal.

»St. *Duuuuudes*!«, grölte das Team der Orioles hämisch von ihrer Seite der Tribüne. »Ihr seid echte Kumpels, Dudes!!! Danke für den Sieg!«

Rhys schaute mit zusammengekniffenen Augen in das blaue Wasser im Becken. Es erinnerte ihn an Kelseys Augen. Er konnte keine Sekunde länger hierbleiben.

Coach Siegel kam auf ihn zugestürmt. »Verdammt noch mal, was sollte das, Sterling?«

»Ich steig aus«, sagte er. Seine Stimme hallte brüchig von den gefliesten Wänden wider, und er merkte, dass alle ihn anstarrten. Aber auch das war ihm egal. Owens Anblick war einfach zu viel. Seine Brust schnürte sich zusammen und heiße Wut schoss durch seine Adern. Begleitet vom schmatzenden Geräusch seiner Flip-Flops auf den nassen Fliesen und dem immer noch anhaltenden Jubelgesang der gegnerischen Mannschaft marschierte er Richtung Umkleidekabine.

»Jungs. Teambesprechung in meinem Büro! Sofort!«, dröhnte Coach Siegels Stimme durch die Halle.

»Coach?«, fragte Owen, der neben dem Trainer stand und immer noch tropfnass war, zaghaft. Er spürte, wie ihm ein kalter Schauer über den Rücken lief. Dass Rhys kurz vor dem Nervenzusammenbruch stand, war in erster Linie seine Schuld.

»In mein Büro, hab ich gesagt«, knurrte Coach Siegel wütend. Die Jungs drängten sich einer nach dem anderen in das winzige, feuchte Behelfsbüro neben der Umkleidekabine. Niemand schien zu wissen, was eigentlich los war oder ob vielleicht einer von ihnen rausgehen und nach Rhys schauen sollte. Owen sah sich unter seinen Teamkollegen um, aber keiner ließ sich auf einen direkten Blickkontakt mit ihm ein. Er verschränkte die Arme und starrte auf den Boden.

Der Coach kam hereingestürmt und schlug die Tür zu. Die Raumtemperatur schien schlagartig noch um zwanzig Grad höher zu klettern. »Das ist nicht die Mannschaft, wie ich sie zusammengestellt habe. Wenn ich Drama gewollt hätte, dann wäre ich verdammt noch mal Schauspiellehrer geworden.« Er schlug mit der Faust auf die rissige Resopalplatte des Schreibtischs und fing an, hektisch auf und ab zu gehen. Seine Adiletten gaben bei jedem Schritt schlürfende Sauggeräusche von sich. »Kann mir vielleicht irgendjemand von euch erklären, was zur Hölle mit Rhys los ist?« Er schaute jedem einzelnen Mannschaftsmitglied in die Augen. Owen hielt den Atem an. Würde einer von ihnen mit der ganzen Wahrheit über Rhys' Ausstieg herausrücken? Wenn der Coach wüsste, dass er ihm Kelsey ausgespannt hatte … Owen seufzte schwer.

»Carlyle?«, bellte Coach Siegel und durchbohrte ihn mit Blicken. Owen spürte, wie er rot wurde.

»Nein, Coach. Aber machen Sie sich keine Sorgen, wir holen den Rückstand wieder auf.« Was sollte er auch sonst sagen?

»Das will ich euch auch geraten haben«, knurrte der Coach und riss die Tür auf. »Carlyle ist euer neuer Mannschaftskapitän. Und für nächste Woche könnt ihr euch schon mal auf ein beinhartes Training gefasst machen.« Er stürmte aus dem Büro und streckte kurz darauf noch mal den Kopf herein. »Den Rest des Wettkampfs könnt ihr übrigens allein verlieren. Ich hab keine Lust, euch dabei zuzuschauen. Ach ja, und sorgt dafür, dass diese verdammten Badehosen umgetauscht sind, wenn ich euch das nächste Mal sehe.«

Owen sah seine Mannschaftskollegen an, die alle sichtlich unter Schock standen. In Chadwicks und Ians Blick lag blankes Entsetzen. Er ging auf die Tür zu, aber keiner von ihnen folgte ihm. »Jungs?« Seine Stimme bebte unsicher. Chadwick richtete seinen panischen Blick auf Hugh.

»Na los! Raus mit euch, ihr Schwuchteln! Noch ist nichts verloren!«, rief Hugh und klang viel selbstsicherer als Owen. Er nahm eine von Coach Siegels orangenen Trillerpfeifen vom Schreibtisch und blies kräftig hinein. Einer nach dem anderen setzten sich die Jungs in Bewegung.

»So gefallt ihr mir schon viel besser!«, rief Owen mit gespieltem Enthusiasmus, als sie in die Schwimmhalle zurückschlurften. Sie mussten als Team nur zusammenhalten, dann würden sie es schon schaffen. »Denen zeigen wir's!«

Aye-aye, Captain!

o nimmt das ruder in die hand

Von: Owen.Carlyle@StJudes.edu
An: SwimTeam_All@StJudes.edu
Datum: Freitag, 15. Oktober, 18:00 Uhr
Betreff: St. Dudes

Hey, Leute!

Ich hab eine Eilbestellung für neue Badehosen in Auftrag gegeben – und die Schreibweise zweimal gegengecheckt! Ich kann sie am Sonntag um fünf bei Paragon auf der 18. abholen. Was haltet ihr davon, wenn wir daraus einen Mannschaftsausflug machen und mit ein paar Bier unsere »Kondition« trainieren? Zeit, die Orioles-Schlappe hinter uns zu lassen und uns ganz auf die vor uns liegende Saison zu konzentrieren, was meint ihr?
Peace,
Owen

ein drilling ist selten allein …

»Mein Leben ist zum Kotzen«, stöhnte Avery laut, als sie am Freitagabend nach Hause kam. Sie knallte die Tür hinter sich zu und warf ihren beigen Miu-Miu-Trenchcoat über den blauen Samtfauteuil, der in der Eingangshalle stand und hauptsächlich als überteuerter Kleiderbügel diente.

»Hallo?«, rief sie, als niemand antwortete. Irgendjemand musste doch zu Hause sein! Sie hatte nur einen Wunsch … so viel fetttriefende Pizza wie möglich bestellen, sich damit vollstopfen und den Rest des Wochenendes keinen Gedanken mehr an die *Metropolitan*, Lippenstifte und gehässige Assistentinnen verschwenden.

»Hi!« Über der Lehne der metallgrauen Jonathan-Adler-Couch, die in der Mitte des riesigen Wohnzimmers stand, erschien Babys Kopf. »Willkommen im Club – mein Leben ist nämlich auch zum Kotzen«, rief sie.

»Sagt eine, die gerade erst aus dem *Urlaub* zurückgekommen ist«, erwiderte Avery gereizt und ging auf ihre

Schwester zu. Babys Haare waren zu einer wilden Beehive-Frisur à la Amy Winehouse aufgetürmt, und sie trug eine schlabberige Shorts und ein ausgeleiertes, viel zu großes T-Shirt, aber statt wie ein drogensüchtiges Wrack auszusehen, erinnerte sie an ein Supermodel.

Um sie herum verstreut lagen die kleinen ledergebundenen Fotoalben, die sie aus Nantucket mitgebracht hatten. Avery griff nach dem, das neben Babys Füßen lag, und blätterte darin. Die Bilder stammten aus dem Sommer zwischen der achten und neunten Klasse, in dem sie jeden Nachmittag am Strand verbracht hatten. Baby lächelte auf allen Fotos glücklich und war meistens von mehreren schmachtenden Jungs umgeben. Avery nahm ein anderes Album, diesmal stammte es aus der Zeit, als sie noch klein gewesen waren. Eines der Fotos, auf dem sie erst drei Jahre waren, zeigte, wie Baby gerade davonrannte. Typisch. Avery war immer die Vorausschauende, Planende gewesen, während Baby sich schon seit jeher von ihren Launen durchs Leben hatte treiben lassen.

»Mrs McLean ist ziemlich schlecht auf mich zu sprechen.« Baby lächelte zerknirscht. »Ich muss zwanzig Stunden bei einer Psychotherapeutin nehmen, sonst wirft sie mich von der Schule.« Sie zuckte mit den Achseln. »Heute hatte ich meine erste Sitzung.«

Avery setzte sich auf die Armlehne der Couch, woraufhin Kater Rothko empört miauend zu Boden sprang. Sollte sie jetzt Mitleid mit Baby haben? Hatte sie aber nicht. Im Gegenteil – sie war sogar richtig sauer auf sie. Ihr Fräulein Schwester schwänzte einfach so eine Woche die Schule und kam natürlich mal wieder mit einem blauen Auge und ein paar Stunden Therapie davon.

»Und was hat die Therapeutin gesagt?«, fragte sie, als ihre Neugier schließlich doch die Oberhand gewann.

»Anscheinend mache ich mich zu sehr von Männern abhängig und hab mich noch nicht vollständig von unserem Vater abgenabelt – wer immer er auch ist.« Baby verdrehte die braunen Augen, legte sich wieder auf den Rücken und starrte an die Decke. War eine Therapie nicht dazu da, dass man sich *besser* fühlte?

»Oh«, machte Avery verblüfft. »Und wie willst du das Problem lösen?«

»Keine Ahnung.« Baby zwang sich zu einem Lächeln. Sie nahm eins der Alben und suchte darin verzweifelt nach irgendeinem Hinweis auf ihr Seelenleben. Bis jetzt hatte sie noch nichts gefunden. Vielleicht war das ja ihr Problem: Sie dachte nie nach, bevor sie etwas machte – ob es nun darum ging, nach Nantucket abzuhauen oder nach Barcelona zu fliegen –, sie machte es einfach. Und fast immer hatten ihre Spontanaktionen mit irgendeinem Typen zu tun. Hatte Dr. Janus womöglich recht? Benutzte sie Jungs, um sich vor sich selbst zu verstecken? Sie schob das Album so heftig zur Seite, dass es mit einem dumpfen Aufprall auf dem Boden landete.

»Hallooo-hoooo?«, hallte die hohe Singsangstimme ihrer Mutter aus dem Eingangsbereich zu ihnen. Edie Carlyle war Mitte vierzig, und wenn die Lachfältchen in ihrem gebräunten Gesicht nicht gewesen wären, hätte sie problemlos als ältere Schwester der Drillinge durchgehen können. Sie trug ihre dunkelblonden, normalerweise zu einem Bob geschnittenen Haare derzeit zu etlichen kleinen Zöpfchen geflochten und hatte einen hellrosa, handgebatikten Stufenrock und einen flauschigen braunen Pulli an, der aussah, als wäre er aus Gorillafell gewebt. »Ah!

Schön, dass ihr da seid!« Sie klatschte begeistert in die Hände.

Ja, äh, jippie…!

»Ich habe gleich eine Verabredung mit Remington. Ihr wisst schon – *der* Remington. Ich habe euch ja sicher von ihm erzählt.«

Avery und Baby sahen sich an. Als sie noch in Nantucket gewohnt hatten, hatte ihre Mutter sich nie mit Männern getroffen, sondern sich ganz ihrer *Kunst* gewidmet – womit entweder ihre Kinder gemeint waren oder die eigenartigen, aus Draht gefertigten Hühnerskulpturen in ihrem Garten.

»Erinnert ihr euch denn nicht mehr, meine Süßen?«, fuhr Edie fort, als sie den verwirrten Ausdruck auf den Gesichtern ihrer Töchter sah. »Remington – meine große Highschool-Liebe? Oh, es war einfach herrlich! Stellt euch vor, er ist letzte Woche wie aus heiterem Himmel auf der Gemeinschaftsausstellung in Red Hook aufgetaucht. Ich dachte, ich traue meinen Augen nicht! Natürlich sieht er mittlerweile ganz anders aus, aber er ist immer noch genauso attraktiv wie früher…« Edies blaue Augen nahmen bei der Erinnerung an ihre Highschool-Romanze einen verträumten Glanz an. »Ich hatte mich damals schon der Kunst verschrieben, er wollte Wirtschaftswissenschaften studieren, tja, und am Ende haben sich unsere Wege dann getrennt. Er war jahrelang in der Finanzbranche tätig, aber jetzt investiert er in Kunst, und so haben wir uns wiedergetroffen! Ist das nicht *unglaublich*?«

Avery starrte ihre Mutter wortlos an. *Unglaublich* war genau das richtige Wort.

»Wir wollen einen Spaziergang nach Brooklyn machen. Wie seh ich aus?« Edie drehte sich einmal im Kreis und schaute ihre Töchter erwartungsvoll an.

»Ähem … sehr *farbenfroh*«, fasste Avery den Anblick schließlich grinsend zusammen und zwinkerte Baby zu. Genau genommen sah ihre Mutter großartig aus. Avery konnte sich nicht erinnern, wann sie das letzte Mal so … geleuchtet hatte.

»Ihr seid unmöglich!« Edies silbernen schildkrötenpanzerartigen Ohrringe schwangen wild vor und zurück. »Ich finde, dass ich fabelhaft aussehe«, schmollte sie, drehte sich dann um und schwebte davon. »Wartet nicht auf mich!«, rief sie noch, bevor die Tür ins Schloss fiel.

»Rutsch mal ein Stück.« Avery ließ sich von der Armlehne in die Kissen gleiten. War es jetzt wirklich schon so weit, dass ihre Mutter ein Date hatte und sie einsam und allein hier rumsitzen musste? Keiner interessierte sich für sie. Sie war ein Laufbursche. Ein *Niemand*. »Bei der Arbeit nennen sie mich ›Praktikantin‹«, sagte sie mit tonloser Stimme und stupste ihre Schwester am Arm, um sicherzustellen, dass sie ihr auch zuhörte. Schließlich wollte sie ausgiebig in Selbstmitleid baden und erwartete von Baby, dass sie genügend Taschentücher bereithielt.

»Na ja, du bist da doch auch Praktikantin, oder?«, entgegnete Baby.

»Trotzdem.« Avery seufzte. Den Rest des Schuljahres konnte sie jetzt damit verbringen, endlose Wochen undankbarer Arbeit abzuleisten. Sie fühlte sich wie Aschenputtel, nur dass weit und breit kein Prinz in Sicht war.

»Hey – ich hab eine Idee! Sollen wir Kekse backen?« Baby schwang die Beine von der Couch und stürmte in die Küche. Avery stapfte missmutig hinter ihr her. Als ob Kekse irgendwas besser machen könnten.

Abgesehen natürlich von den Jumbokeksen mit Schokosplittern von der City Bakery.

Baby riss den Vorratsschrank auf und holte Dinkelmehl, braunen Zucker, Haferflocken, geriebene Mandeln, Honig und Kokosflocken heraus, die Edie in ihrem Lieblingsbioladen gekauft hatte. Den kleinen Feinkostsupermärkten auf der Madison Avenue traute sie nicht. Avery betrachtete stirnrunzelnd die Zutaten, die Baby auf der riesigen, blitzenden Kücheninsel aufgebaut hatte.

»Wir backen uns unsere Dämonen und befreien uns dadurch von ihnen!«, sagte Baby mit der Stimme, mit der ihre Mutter immer ihre albernen Weiße-Magie-Beschwörungsformeln murmelte, und zwinkerte Avery zu. Avery musste lächeln. Baby hatte keinen Funken Verantwortungsbewusstsein und konnte einen in den Wahnsinn treiben, aber sie war auch ihre Schwester und tat immer alles Menschenmögliche, um sie aufzumuntern. Avery nahm ein abgelaufenes Päckchen Leinsamen aus dem Schrank und warf es in den Müll.

»Ich brauche aber auch noch Schokolade.« Sie kletterte auf die Granitarbeitsplatte, öffnete einen der Hängeschränke und warf Baby die Packung mit den Schokosplittern zu.

Während sie sich an die Arbeit machten, musste Avery lächeln. Vielleicht war ihr Leben ja doch nicht so zum Kotzen. Den Freitagabend mit Backen zu verbringen war gar nicht so übel … oder?

Ähm, sagen wir mal so: Man kann sich viel einreden.

Eine Stunde später duftete die Küche köstlich nach den Keksen, die langsam im Ofen bräunten. Avery und Baby saßen einträchtig nebeneinander auf der Kücheninsel und ließen die Beine baumeln, während sie sich die Flasche Biowein teilten, die schon seit einer Ewigkeit offen in der

Küche herumstand. Avery nahm einen großen Schluck und ließ die Flüssigkeit nachdenklich im Mund kreisen. Als sie noch in Nantucket gelebt hatten, hatte sie sich immer vorgestellt, wie sie in New York auf rauschenden Partys Champagner schlürfen würde, und jetzt schlürfte sie in der Küche abgestandenen Biowein. Toll! Und dieses Praktikum entwickelte sich zu einer weiteren Katastrophe, die sie der langen Liste ihrer Upper-East-Side-Niederlagen hinzufügen konnte. Dabei war sie erst seit ein paar Monaten hier.

»Mach dir wegen dem blöden Praktikum nicht so einen Kopf. War doch erst dein erster Tag«, tröstete Baby sie, als hätte sie ihre Gedanken gelesen. »Außerdem ist es doch irgendwie cool, dass niemand dort weiß, wie du heißt. Dadurch bist du praktisch unsichtbar und… na ja, man weiß nie, wofür das gut ist.«

»Danke«, sagte Avery und meinte es auch so. »Ich krieg langsam Hunger. Komm, lass uns was Richtiges essen!« Sie sprang von der Kücheninsel und wühlte in einem Korb, in dem sich wild durcheinander Lieferservice-Flyer, wichtig aussehende Briefe, Werbeprospekte und New-Age-Zeitschriften stapelten. Edie öffnete ihre Post grundsätzlich nie. Zum Glück kümmerte sich ihr Steuerberater darum, dass die Rechnungen pünktlich bezahlt wurden, sonst würden längst wütende Gläubiger vor ihrer Tür stehen.

»Ich nehm lieber die.« Baby hielt eine Zeitschrift namens *Innere Heilung* in die Höhe. Auf der Titelseite war ein Herz abgebildet, das aussah, als wäre es von einer Vierjährigen gezeichnet worden.

»Was willst du denn damit?«, fragte Avery skeptisch. »Du machst doch schon Therapie.« Sie zog die Speisekarte von John's Pizza aus dem Stapel und wählte die darauf angegebene Nummer. Das John's war ein absoluter Touristenmagnet auf dem Times Square, hatte aber auch noch ein paar andere Filialen, und in der an der Ecke York und 63. machten sie die beste Holzofen-Pizza der ganzen Stadt.

»Ich glaub, Therapie ist nichts für mich«, gestand Baby ihrer Schwester, nachdem Avery die Bestellung aufgegeben hatte. Im hinteren Teil der Zeitschrift waren mehrere Seiten voller seltsamer Inserate von irgendwelchen alternativen Heilern.

Raus aus dem Grau der Depression! Male Deine Welt mit Wachsmalkreiden wieder bunt! Nein danke. *Werden Sie als Ihr Wahres Ich wiedergeboren.* Lieber nicht. *Urschreitherapie.* Uaaah! *Den inneren Ozean finden.* Schon eher. *Möchten Sie Ihr naturgegebenes Selbst entdecken?*, lautete der Text darunter. Das klang nicht ganz so übergeschnappt. Und es war um Längen besser als Dr. Janus' Fixierung auf ihren angeblichen Ödipuskomplex.

»Was ist das?«, fragte Avery neugierig. Baby klappte die Zeitschrift hastig zu. Sie wollte Avery nicht erzählen, dass sie allen Ernstes daran dachte, sich auf die Suche nach ihrem inneren Ozean zu begeben.

»Dann eben nicht.« Avery verlor das Interesse und öffnete die chromglänzende Tür des Ofens, den sie heute zum ersten Mal benutzten.

»Hey! Backt ihr etwa Kekse?« Owen kam in die Küche gestürmt. Ihr Bruder schien eine Art Radar zu besitzen, das ihn immer unfehlbar dorthin führte, wo es etwas zu essen gab. »Lecker!« Er stibitzte sich drei Kekse direkt vom Blech und schob sich alle auf einmal in den Mund.

»Wo ist deine Freundin?«, fragte Baby, während sie verstohlen die Seite mit der *Innerer-Ozean*-Anzeige aus der Zeitschrift riss, sie zusammenfaltete und in die Tasche ihrer Shorts stopfte.

»Die hatte heute ein … Spiel.« Owen zögerte. Welche Sportart machte Kelsey noch mal? Feldhockey? Tennis? Er erinnerte sich vage daran, dass sie ihm erklärt hatte, warum sie sich heute Abend nicht sehen konnten, aber er wusste nicht mehr, was sie genau gesagt hatte. Immer wenn sie zusammen waren, fiel es ihm unglaublich schwer, sich zu konzentrieren.

Tja, warum nur?

»Ich glaube, es war ein Tennismatch.« Owen nahm sich noch zwei Kekse. »Habt ihr schon was bestellt?«, fragte er und blätterte die Speisekarten durch.

»Ja, du bekommst die Peperoni-Würstchen-Herzinfarkt-Spezial«, neckte Avery ihn. »Aber warte mal, hattest du heute nicht auch einen Wettkampf?«

»Jep.« Owen nickte. »Der Coach hat mich sogar zum Mannschaftskapitän ernannt.« Laut ausgesprochen hörte sich das ziemlich cool an, selbst wenn sie den Wettkampf verloren hatten.

»Toll!« Avery drückte ihrem Bruder liebevoll den Arm. »Herzlichen Glückwunsch! Was hat Kelsey dazu gesagt?«

»Ich hab es ihr noch gar nicht erzählt«, gestand Owen. Wenn er ehrlich war, wusste er auch nicht, wie sie die Nachricht aufnehmen würde. Immerhin hatte er Rhys von seinem angestammten Platz verdrängt.

Und das nicht zum ersten Mal.

»Was?«, rief Avery, für die es nur eins gab, das sie noch lieber machte, als ihre Nase in die Angelegenheiten ihrer Schwester zu stecken – nämlich sie in die ihres Bruders zu stecken. »Du hast es ihr noch nicht erzählt? Sag mal, was treibt ihr beiden eigentlich, wenn ihr zusammen seid?«

Owens Ohren wurden knallrot.

»Igiiiitt!« Avery schüttelte sich.

Owen grinste. Er konnte nichts dagegen tun. Es machte ihn schon glücklich, wenn er nur an Kelsey dachte.

Geil trifft es wohl besser.

»Höchste Zeit, dass du sie mal so richtig groß ausführst«, befand Avery und betrachtete ihren wie ein Vollidiot dreinblickenden Bruder kopfschüttelnd. Wann kapierte Owen endlich, dass die Mädchen in New York viel anspruchsvoller, viel reifer, viel … ach, *überhaupt* ganz anders waren als die Mädchen in Nantucket?

Viel verklemmter?

Sie zog ihr Treo heraus und tippte mit einem bordeauxrot lackierten Fingernagel fachmännisch eine Nummer ein. Owen schob sich währenddessen zwei weitere Kekse in den Mund. Groß ausgehen war vielleicht gar keine so schlechte Idee.

»Ich reserviere euch für morgen Abend einen Tisch im One if by Land, Two if by Sea. Du wirst sehen, das ist superromantisch da.« Avery nickte streng, jede Widerrede war zwecklos. »Du holst sie in einer Limousine ab, und vergiss bloß nicht, ihr Blumen mitzubringen.«

Owen setzte sich lächelnd auf einen der Barhocker an der Kücheninsel. Es war süß von seiner Schwester, diesen Abend für ihn zu organisieren, aber irgendwie hatte er das Gefühl, dass *sie* diejenige war, die dringend ein Date brauchte. Er wollte ihr gerade vorschlagen, sie mit einem seiner Mannschaftskollegen zu verkuppeln, als es an der Tür klingelte – die Pizzas!

Puh. Noch mal Glück gehabt.

vergiss paris

»Guten Morgen, meine Schöne.«

Jack spürte eine Hand, die ihre nackte Schulter streichelte. Sie schlug die Augen auf und starrte an eine ihr unvertraute meerschaumkronengrüne Decke. Wo zum Teufel war sie hier?

Als sie sich umdrehte, sah sie J.P. über sich stehen. Er hielt eine große goldene Tasse in der Hand, auf der zwei ineinander verschlungene Cs prangten, und trug einen Kaschmirmorgenmantel. »Kaffee?«, fragte er.

»Danke.« Jack nahm die Tasse entgegen und versuchte, sich daran zu erinnern, wie sie bei J.P. zu Hause gelandet war. Sie hatte immer noch die Jeans und das hauchzarte Tanktop von C&C California von gestern Abend an. Schließlich fiel ihr wieder ein, dass sie zu ihm gegangen war, um sich über ihre Mutter, deren lächerliches TV-Comeback und den Umzug nach Paris auszuheulen. Währenddessen hatte sie reichlich Wodka auf Eis gekippt und war danach wohl einfach eingeschlafen.

Plötzlich schlug ihr der Haselnussgeschmack des Kaffees extrem auf den Magen.

»Alles in Ordnung?«, fragte J.P. besorgt. »Mein Vater würde sich freuen, wenn wir gemeinsam mit ihm und meiner Mutter frühstücken. Wär das okay für dich?«

Jack nickte, obwohl ihr Magen bei dem Gedanken an Essen noch mehr rebellierte. »Ich brauch vorher bloß eine Dusche«, stöhnte sie und legte einen angewinkelten Arm über ihren hämmernden Kopf.

»Soll ich mitkommen?«, fragte J.P. hoffnungsvoll.

Als sie gestern Abend wütend von zu Hause losgezogen war, war sie noch fest davon überzeugt gewesen, dass es eine großartige Idee wäre, die Nacht mit J.P zu verbringen und *ES* endlich zu tun. Aber als sie dann bei ihm gewesen war, hatte es sich gar nicht mehr toll angefühlt, ihre Unschuld ausgerechnet an dem Abend zu verlieren, an dem sie herausgefunden hatte, dass sie entweder das Land verlassen musste oder obdachlos werden würde. Also hatte sie sich volllaufen lassen und war komplett angezogen eingeschlafen.

Hey, das nenne ich mal einen wirklich perfekten Plan B.

Als Jack nicht antwortete, setzte J.P. sich auf die Bettkante und strich ihr über die langen kastanienbraunen Haare. Es war irgendwie seltsam, am frühen Morgen – nur mit einem Morgenmantel bekleidet – hier neben ihr zu sitzen. Fast so, als wären sie ein Ehepaar. Jack hatte zwar schon früher bei ihm übernachtet, aber das war immer nach irgendwelchen Partys gewesen, wenn seine Eltern nicht in der Stadt gewesen waren und auch noch andere Freunde im Apartment geschlafen hatten.

»Ich brauch eine Dusche«, stöhnte Jack noch mal und drehte sich weg. Sie brauchte eine Menge Dinge: eine normale Familie, ein hübsches Dach überm Kopf und eine Tiefengewebemassage. Aber fürs Erste würde es auch eine Dusche tun.

Ein paar Minuten später fühlte Jack sich wieder rundum sauber und wiederhergestellt, obwohl es ihr ein bisschen peinlich war, die extrem sexy Unterwäsche anzuziehen, die sie eigentlich gestern Nacht hatte tragen wollen. Sie betrachtete sich prüfend im Badezimmerspiegel. Konnte es sein, dass sie wegen der ganzen Aufregung ein bisschen abgenommen hatte? Ihr Gesicht wirkte schmaler und sie sah älter und irgendwie mondäner aus. Sie strich sich die Haare zurück und putzte sich mit J.P.s Zahnbürste die Zähne. Das war zwar total unhygienisch und eklig – aber saurer Morgenatem war noch viel ekliger.

Als sie fertig war, ging sie nach unten und suchte nach J.P. Er saß mit einer großen Tasse Kaffee in der Hand im Arbeitszimmer und war in den *Economist* vertieft. Mein Gott, manchmal war er so was von *spießig*!

»Lang-wei-ler!« Jack zog ihm die Zeitschrift weg und ließ sich in den ledernen Clubsessel fallen, der neben seinem stand. An den Wänden hing Kunst neben präparierten Tierköpfen – ein erbärmlicher Versuch, dem Raum das Ambiente eines englischen Jagdschlosses zu geben. Früher hatte Jack den zwar teuren, aber völlig geschmacklosen Einrichtungsstil der Cashmans verabscheut. Es war eine haarsträubende Mischung aus modernen und antiken Möbeln, gepaart mit superteurem Schnickschnack, für den Dick Cashman ein besonderes Faible hatte. Aber mittlerweile hatte sie sich daran gewöhnt und empfand den wilden Stilmix fast schon als heimelig.

Roger, der englische Butler, glitt lautlos in den Raum

und bot ihr ein eisgekühltes Zitronenwasser an. Jack nahm es dankbar entgegen und seufzte tief, als ihr wieder einfiel, wie schlimm es um ihr Leben stand. Wenn nicht irgendein Wunder geschah, würde sie ab nächster Woche in einem widerlichen, stockfleckigen Pariser Apartment leben. Allein der Gedanke daran löste tiefe Depression in ihr aus.

»Ja, wen haben wir denn da!«, dröhnte Dick Cashman, der in Begleitung von zwei mit Klemmbrettern bewaffneten Blondinen in Prada-Kostümen durch die Flügeltür am anderen Ende des Arbeitszimmers trat.

»Jeannette, Candice – darf ich vorstellen? Das ist meine Jack«, röhrte Dick und schlug ihr kräftig auf den Rücken. Jack unterdrückte ein Husten. »Jeannette und Candice rühren mit mir die Werbetrommel für unser neuestes Projekt in Tribeca.« Dick zwinkerte. Mit seinem geröteten Gesicht, dem kleinen Cowboyhut und der engen Hose hätte man ihn leicht für den gemütlichen Besitzer irgendeines Steakhouses in Texas halten können, aber bestimmt nicht für den reichsten Immobilienmogul New Yorks. Bei seinem neuesten Deal, den Cashman Lofts, handelte es sich um eine Luxusapartmentanlage im politisch korrekten Öko-Chic.

»Ach? Ich wusste gar nicht, dass Sie auch noch eine Tochter haben«, sagte eine der Frauen höflich und streckte Jack ihre gepflegte, perfekt manikürte Rechte entgegen. Jack schüttelte sie nur widerwillig. Sie hatte keine Lust, Konversation mit Dicks Angestellten zu machen, sondern wollte so schnell wie möglich wieder unter J.P.s Asprey-Decke schlüpfen und schlafen.

»Oh nein, sie ist nicht meine Tochter, obwohl sie es in ein paar Jahren sein wird – meine Schwiegertochter, um genau zu sein: Das hübsche Ding ist die Freundin von meinem Sohn«, erklärte Dick. »So, und jetzt gehen wir alle erst mal schön Happihappi machen!« Er winkte ihnen, ihm zu folgen, und führte sie in die riesige Küche mit italienischem Marmorboden, in der man sich fühlte wie in einem luftigen Strandhaus in Santa Monica – krasser hätte der Kontrast zu dem düsteren Jagdschloss-Arbeitszimmer nicht ausfallen können. Wie konnte ein so erfolgreicher Immobilieninvestor einen so unterirdischen Geschmack haben? »Setzt euch, setzt euch!«, befahl er.

»Vielen Dank für die Einladung, Dick.« Jack lächelte zwischen zusammengebissenen Zähnen. Sein Name kam ihr selbst nach all den Jahren nur schwer über die Lippen. Warum musste jemand, der so feist war, auch noch ausgerechnet *Dick* heißen?

»Wie geht's dir, Schätzchen? Lassen sie dich in deinem Tutu-Unterricht tanzen, bis die Zehen bluten?«, erkundigte sich Dick besorgt, als alle um den riesigen Holztisch Platz genommen hatten. »Oder kümmert sich mein Sohn nicht gut genug um dich? Du siehst ziemlich mitgenommen aus!« Er betrachtete Jack mit zusammengekniffenen Schweinsäuglein.

»Nein, nein. Alles bestens«, murmelte Jack. Wie hatte sie nur so blöd sein können, sich auf dieses Frühstück mit J.P.s Familie einzulassen?

»Jack geht es nicht so gut. Ihre Mutter hat ihr gestern erzählt, dass sie wieder nach Paris ziehen will«, erklärte J.P. arglos. Jack warf ihm einen finsteren Blick zu. Ganz sicher hatte sie keine Lust, ihr verkorkstes Leben vor all diesen Leuten auszubreiten. Es war schon schwer genug, ohne neugierige Mitwisser damit fertig zu werden. Roger schenkte Kaffee ein und stellte einen Korb mit Scones in die Tischmitte. Jack dachte fieberhaft darüber nach, wie sie so schnell wie möglich aufstehen und sich entschuldigen könnte, ohne völlig unhöflich zu wirken.

»Ach ja? Sie will nach Paris ziehen?«, dröhnte Dick, als seine Frau Tatiana mit zwei winzigen Puggles im Arm in die Küche kam. Tatiana war ein Ex-Supermodel aus Russland und hatte seit ihrer Glanzzeit ungefähr fünfundzwanzig Kilo zugenommen, wobei sich ihre Körbchengröße wahrscheinlich vervierfacht hatte. Sie trug zwar noch einen roten Seidenkimono, aber ihre Haare waren bereits zu einem kunstvollen Turm hochgesteckt, und sie hatte so viel Lippenstift aufgelegt, als wäre es noch 1988 und sie würde gleich auf den Catwalk treten.

»Wer zieht nach Paris?«, fragte sie mit ihrem schweren russischen Akzent, nahm ein Scone aus dem Körbchen und schob es sich in einem Stück in den Mund. Ein paar Krümel blieben auf ihrem knallroten Lippenstift kleben, und einer der Hunde fing an, bettelnd zu winseln.

»Meine Mutter. Sie muss beruflich hin und will, dass ich mitkomme«, erklärte Jack knapp und hätte J.P. dafür, dass er nicht die Klappe gehalten hatte, am liebsten mit einer Gabel erstochen.

»Aber Jackie-Schätzchen, du kannst unmöglich aus New York weggehen. Du *bist* New York.« Dick zwinkerte ihr ungefähr zum zwanzigsten Mal in zehn Minuten zu. Plötzlich nahm sein Gesicht einen noch satteren Rotton an und er klatschte in die Hände. »Ich hab die perfekte Lösung! Du weißt ja, dass wir das Penthouse der Cashman-Lofts im Moment als Showroom benutzen – und was würde der Hütte zu mehr Glamour verhelfen als eine hübsche kleine Lady, die darin lebt?«

»Sie ist perfekt.« Tatiana beugte sich vor und taxierte

Jacks Gesicht, als sei sie eine Rennstute. Jack stieg ihr großzügig aufgesprühtes süßes Parfum in die Nase, und sie presste sich verstohlen eine Hand auf den Mund, um ein Würgen zu unterdrücken. »Sie kann das Gesicht der Cashman-Lofts werden. Eleganz und Moderne. Darum geht es doch, oder? Sie ist die Richtige dafür!«

Jack blinzelte. Wovon redeten die beiden? Wozu sollte ein Gebäude ein Gesicht brauchen?

»Stimmt... das könnte funktionieren«, schaltete sich nun auch Candice ein und nickte Jeannette zu. Oder war es vielleicht Jeannette, die Candice zunickte? Egal. Mit ihren schulterlangen Fönfrisuren, den gebotoxten Stirnen und den knochig hervorstehenden Schlüsselbeinen sahen die beiden wie eineiige Zwillinge aus. Sie zogen synchron ihre BlackBerrys heraus und begannen wild zu tippen.

»Was sagst du dazu, Jackielein? Möchtest du ins Penthouse der Cashman-Lofts ziehen und das Gesicht für ›Grünes Wohnen‹ werden?«

Jack starrte Dick ungläubig an. Er wollte, dass sie in die Cashman-Lofts zog? Sie würde nicht mit ihrer hysterischen Mutter nach Paris gehen müssen?

»Äh... liebend gern«, hauchte sie vollkommen überwältigt. Am liebsten wäre sie allen um den Hals gefallen, sogar J.P.s abgeschmackter Mutter und Dicks Robo-Assistentinnen.

»Sehr schön, sehr schön. Das wird großartig. Wir rufen gleich die bei der *New York Post*, bei *Harper's und Metropolitan* an und machen einen Termin fest, um so bald wie möglich das neue Gesicht des ›Grünen Wohnens‹ in New York vorzustellen. Das wird *die* Story.« Jeannette (oder Candice) rieb sich die Hände und Jack nickte benommen.

»Gutes Mädchen!« Dick hieb zustimmend die Faust auf

den Tisch. »So. Und jetzt her mit dem Essen!« Fast in derselben Sekunde kamen Roger und eine Schar weiterer Bediensteter mit auf Silberplatten angerichteten Bergen von Rührei, Pfannkuchen und frischem Obst in die Küche geschwebt. Jack strahlte. Daran konnte sie sich *definitiv* gewöhnen.

»Rate, was wir tun werden, sobald ich eingezogen bin«, raunte sie J.P. verführerisch zu, als Tatiana und Dick damit beschäftigt waren, Rührei auf ihre Teller zu häufen. Candice und Jeannette kauerten über ihren BlackBerrys und bekamen sowieso nichts mit. Jetzt war Jack sehr froh, dass sie gestern Abend zu betrunken gewesen war, um *überhaupt irgendetwas* zu tun. Die Cashman-Lofts waren ein so viel würdigeres Ambiente für ihr erstes Mal! Gab es eine perfektere Art, um ihr perfektes neues Leben zu feiern? Und das Beste daran war: Es würde sie nicht *einen* Cent kosten.

Aber Herzchen, du weißt es doch so gut wie wir: Alles hat seinen Preis …

schlimmer geht immer

»Rhys, Liebling, alles in Ordnung?«, fragte Lady Sterling besorgt, als sie am Samstagnachmittag den Kopf ins Zimmer ihres Sohnes steckte. Mit ihrer kerzengeraden Haltung, den elegant frisierten weißen Haaren und dem faltenlosen Gesicht sah sie aus wie Nicole Kidman mit Perücke.

»Jep«, murmelte Rhys. In Wirklichkeit war er erst vor einer Stunde aufgewacht und wünschte sich nichts sehnlicher, als so schnell wie möglich wieder einzuschlafen. Die meisten anderen Jugendlichen hätten in so einer Situation die Valium-Vorräte ihrer Eltern geplündert, aber die meisten anderen Jugendlichen hatten auch nicht Lady Sterling als Mutter, die energiegeladene Moderatorin der erfolgreichen Benimm- und Kultursendung »Lady Sterling bittet zum Tee«. Heiterkeit und Optimismus waren ihre Religion und Valium suchte man in ihrem Haus vergeblich.

»Bist du sicher?« Sie hob die Nase in die Luft wie ein Hütehund, der Gefahr wittert. Rhys nickte kraftlos. Sich aufzusetzen hätte ihn zu viel Energie gekostet. Auf seinem Flatscreen in der Ecke lief ein Baseballspiel – die Yankees gegen die Red Sox. Allerdings interessierte es ihn einen feuchten Dreck, wer gewann.

Klar, weil auf »Kanal Rhys« nämlich die ganze Zeit nur ein Programm läuft: Sterling gegen Carlyle.

»Ja doch.« Er hievte sich mit letzter Kraft aus dem Bett, trottete wortlos an seiner Mutter vorbei, setzte sich an seinen unordentlichen, von Büchern übersäten Schreibtisch und schaltete sein MacBook Air an, um seiner Mutter vorzutäuschen, er würde Hausaufgaben machen. Vielleicht würde sie ihn dann in Ruhe lassen. »Ich glaube, ich kriege eine Erkältung«, log er. »Komm mir lieber nicht zu nah, sonst steckst du dich noch an.«

»Rhys, Liebling, dir geht es nicht gut. Es ist nicht zu übersehen, dass du in einer Krise steckst. Du bist aus dem Schwimmteam ausgestiegen!«

Rhys schüttelte seufzend den Kopf und wünschte sich zum ungefähr millionsten Mal, seine Eltern wären wie die von Hugh, die ständig irgendwo mit ihrer Luxusyacht herumschipperten. Für seine Mutter dagegen gab es nichts Schöneres, als ständig in jedem einzelnen Winkel seines Lebens herumzuschnüffeln, immer auf der Jagd nach einem guten Aufhänger für ihre Show – am besten noch mit ihm als Gast. Früher hatte ihm das nicht so viel ausgemacht, weil Kelsey ihn meistens begleitet hatte. Einmal hatten sie für eine Sendung Unterricht bei einem Trapezakrobaten auf der West Side genommen und ein anderes Mal im hauseigenen Pool der Sterlings lebensrettende Sofortmaßnahmen bei Schwimmunfällen demonstriert. In seinem momentanen Zustand wäre er allerdings höchstens für Sendungen zum Thema »Wie fühlt man sich so als Loser?« oder »Ich habe meinen besten Freund in flagranti mit meiner Freundin erwischt« geeignet gewesen.

»Dein Vater und ich haben uns beraten«, verkündete Lady Sterling, die Stirn sorgenvoll in Falten gelegt. »Du brauchst nach der unschönen Geschichte mit Kelsey etwas Erholung. Wir fliegen nächstes Wochenende zur Hochzeit von Cousine Elfie nach London und sind der Meinung, dass du uns begleiten solltest. Es werden ein paar sehr hübsche junge Damen dort sein.« Sie nickte bedächtig und dachte dabei zweifellos an die weit verzweigten Äste ihres Familienstammbaums.

Ähm, ab dem wievielten Grad spricht man eigentlich nicht mehr von Inzest?

In Wirklichkeit stammte Lady Sterling trotz ihres perfekten britischen Akzents aus Greenwich, *Connecticut*, und nicht Greenwich, Großbritannien, aber diese Tatsache hatte offenbar jeder in ihrem Umfeld, einschließlich einiger ihrer entfernteren Cousins und Cousinen, vergessen. Die meisten glaubten, es sei Lady Sterling – und nicht ihr Mann, der schlanke, bescheidene Lord Algernon Sterling –, die in direkter Linie mit dem britischen Königshaus verwandt war. »Deine Cousine Jemimah müsste jetzt fünfzehn oder sechzehn sein. Soweit ich gehört habe, trägt sie seit Kurzem keine Zahnspange mehr, ich bin mir sicher, dass sie ganz zauberhaft aussieht«, säuselte sie weiter.

»Wie bitte?« Rhys warf ihr einen angewiderten Blick zu. Welche Mutter schlägt ihrem Sohn denn bitte vor, mit der eigenen Cousine rumzumachen? »Und woher weißt du das mit Kelsey überhaupt?« Er hatte ihr kein Wort davon erzählt – und zwar aus exakt diesem Grund.

»Sie hat mich angerufen und mir alles erzählt. Aber was wäre die Liebe ohne Dramen? Ohne Intrigen? Ohne Rivalidität? Ich verstehe, dass das eine sehr harte Zeit für dich ist, Rhys.« Lady Sterling strahlte, als sie zum Fenster ging und die Vorhänge zur Seite zog. »Aber du musst jetzt um Kelsey kämpfen, Liebling, und ich werde dir dabei helfen. Als Erstes werden wir gemeinsam einen Schlachtplan entwerfen.«

Rhys vergrub den Kopf in den Händen und seufzte. Kelsey schlief also nicht nur mit seinem ehemals besten Freund, sondern war jetzt auch noch die neue Busenfreundin seiner Mutter?

Lady Sterling setzte sich auf Rhys' Bett und hob sein Englischheft vom Boden auf. »Sollen wir gleich mal ein paar Ideen sammeln?«, fragte sie erwartungsvoll und schlug eine leere Seite auf.

Rhys hatte auf einmal das Gefühl, als würde sein riesiges Zimmer zu einer winzigen Kammer schrumpfen, und alles darin – von den gerahmten Fotos an den Wänden (er und Kelsey küssend im Central Park) bis hin zu dem Haufen verstaubter Wettkampfmedaillen in seinen Regalen – sei nur dazu da, um ihn an sein früheres glückliches Selbst zu erinnern. Wer war er jetzt? Er hatte keine Ahnung.

»Ich geh lieber… eine Runde spazieren«, murmelte er, schob sich sein schwarzes Lacroix-Portemonnaie in die Hosentasche und schnappte sich seinen iPod. Beziehungstipps von seiner Mutter waren das Letzte, was er jetzt gebrauchen konnte.

»Sehr gut. Ein strammer Spaziergang kurbelt den Kreislauf an.« Lady Sterling stand auf und ging auf die Tür zu. Dabei nickte sie bekräftigend, als wäre der Spaziergang ihre Idee gewesen. »Möchtest du, dass ich mitkomme? Das könnte eine wunderbare Auftaktszene für die nächste Sendung sein. ›Wie man es schafft, an einer zerbrochenen

Beziehung nicht zu zerbrechen‹. Ich könnte David anrufen und versuchen, die Crew zusammenzutrommeln.«

»Nein danke«, winkte Rhys ab. Sein Leben war schon erbärmlich genug, er musste es sich nicht auch noch im Fernsehen anschauen.

Als er auf der Straße stand, hatte er das Gefühl, endlich wieder durchatmen zu können. Er bog ab und ging die Madison Avenue hinunter. Normalerweise hätte er die Fifth genommen – der direkteste Weg zum Park –, aber er wollte auf keinen Fall riskieren, Kelsey in die Arme zu laufen, die Ecke 77. und Fifth wohnte.

Rhys schob die Hände in die Taschen seiner Hose. Es war unübersehbar Herbst geworden. Letztes Jahr hatten Kelsey und er stundenlange Spaziergänge unternommen, waren den Blättern nachgejagt, die von den Bäumen am Straßenrand fielen, und hatten zwischendurch in kleinen Cafés Halt gemacht, Cappuccino getrunken und Blätterteigtaschen gegessen. Kelsey war immer so spontan und voller Ideen gewesen. Er versuchte, sich ein Leben ohne sie vorzustellen. Kein Schwimmen mehr. Keine Kelsey mehr. Was würde er in Zukunft den ganzen Tag tun?

Oh bitte. Wir sind in Manhattan. Hier gibt es immer irgendwas, das man – oder mit dem man es – tun kann!

Im östlichen Teil des Parks angekommen, setzte er sich am Rand einer Wiese, auf der ein paar Typen Hacky Sack spielten, auf eine Bank. Hier hatten er und Kelsey im Sommer oft gepicknickt. Den Rest des Nachmittags hatte sie dann immer auf dem Bauch gelegen und Henry James gelesen oder gezeichnet. Obwohl er meistens den »Ulysses« oder »Söhne und Liebhaber« oder irgendeinen anderen dicken Wälzer mitgeschleppt hatte, um Kelsey zu beeindrucken, hatte er den Großteil der Zeit damit verbracht, sie anzusehen und ab und zu mit einer Strähne ihrer honigblonden Haare zu spielen.

Rhys schaute den Jungs dabei zu, wie sie selbstvergessen in der Nachmittagssonne den Hacky Sack durch die Luft kickten. Was fanden sie bloß daran? Wo lag bei diesem Spiel der Reiz? Hacky Sack war total öde. Das war keine Sportart, sondern eine Alibi-Freizeitbeschäftigung für Kiffer, denen die Konzentrationsfähigkeit und die Muskeln für einen *echten* Sport fehlten. Andererseits sahen sie so … glücklich aus. Rhys wusste, dass er nie glücklich aussah, wenn er schwamm. Er sah nur angestrengt und verbissen aus.

Plötzlich zogen sich die Jungs wie auf ein geheimes Stichwort hin in den Schutz einer großen Eiche zurück, und Rhys beobachtete, wie einer von ihnen eine lange Zigarette aus der Tasche zog, sie anzündete, einen tiefen Zug nahm und dann an die anderen weiterreichte. Sie kifften ganz offensichtlich, aber niemand um sie herum schien sich dafür zu interessieren. Nach einer Weile kehrten sie auf die Wiese zurück, und ein paar von ihnen fingen wieder an, Hacky Sack zu spielen, die anderen streckten sich im Gras aus und schauten in den Himmel.

Rhys rutschte verstohlen von seiner Bank und legte sich ebenfalls ins Gras. Er kam sich dabei zwar irgendwie schwul vor, aber er wollte unbedingt sehen, was die Kiffer da oben *sahen*. Der Himmel war von einem wunderschönen Kobaltblau, aber genau über ihm klebte eine große graufleckige Wolke. War ja klar.

Er stand auf und klopfte sich ein paar Grashalme vom Hintern seiner Hugo-Boss-Hose, als etwas auf ihn zuschwirrte und ihn am Kopf traf.

»Autsch!« Er rieb sich die Stelle, an der ihn der Hacky Sack getroffen hatte. Vor lauter Herzschmerz hatte er schon beinahe vergessen, wie sich echter körperlicher Schmerz anfühlte.

»Hey, tut mir leid, Mann!«, entschuldigte sich einer der Kiffer. »Wirfst du ihn mir zurück?« Er streckte fangbereit die Hand aus. Rhys hob achselzuckend den komischen kleinen Hanfball auf, warf ihn in die Luft und kickte ihn mit der Innenseite seines nur in limitierter Auflage hergestellten John-Varvato-Converse-Sneakers zu dem Typen zurück. Der Hacky Sack beschrieb einen schlingernden Bogen – und Rhys verlor das Gleichgewicht und landete hart auf dem Rücken.

Er blinzelte in den Himmel, sah die gleiche unheilbringende Wolke über sich wie vorher und biss vor Schmerz die Zähne zusammen. Vorsichtig richtete er sich in eine sitzende Position auf. Zum Glück schien er sich nichts gebrochen zu haben, obwohl … dann hätte er wenigstens im Krankenhaus liegen und sich scheiße fühlen können, ohne dass ihn irgendjemand dafür verurteilt hätte.

»Hey, Mann, bist du okay? Alter, das war echt der mieseste Hacky-Sack-Wipeout, den ich je gesehen hab.«

Rhys blinzelte erneut. Über ihm stand ein Typ in Birkenstock-Schlappen und schaute stirnrunzelnd auf ihn herunter. Er trug ein eng anliegendes gelbes T-Shirt, auf dem ein bluttropfendes Messer und der Spruch »ICH HATTE EINE MÖRDERISCH GUTE ZEIT IN WASHINGTON« aufgedruckt waren. Seine schmutzigbraunen Haare waren zu völlig verfilzten Dreadlocks gezwirbelt und in seinem rechten Nasenloch steckte ein silberner kleiner Ring, der in der Sonne glitzerte.

»Geht schon, danke«, knurrte Rhys gereizt. Er spürte,

wie er rot wurde. Der verkackte Hacky-Sack-Schuss war nur ein weiterer Beweis dafür, dass er nichts, aber auch gar nichts auf die Reihe kriegte. Er rappelte sich mühsam auf und murmelte ein »Man sieht sich«, woraufhin ihm der Typ freundschaftlich die Hand zum Abklatschen hinstreckte, die er, natürlich, knapp verfehlte. Falls es einen »Dämlichste Dumpfbacke des Jahres«-Preis gab, würde er auf der Nominiertenliste garantiert ganz oben stehen.

»Entspann dich, Bruder!«, rief der Typ ihm hinterher, als er Richtung Parkausgang schlurfte.

Rhys hob kurz die Hand, ohne sich umzudrehen, und rieb sich dann über die immer noch schmerzende Stelle am Kopf. Vielleicht würde er es in seinem schwerverletzten Zustand gerade noch bis zur 77. Straße schaffen, bevor er unter dem grünen Baldachin vor dem Eingang des Apartmenthauses, in dem Kelsey wohnte, zusammenbrach. Wenn sie dann nach Hause kam, würde sie ihn dort finden, ihn mit nach oben nehmen, aufopferungsvoll wieder gesund pflegen und diesen verfickten Owen Carlyle auf der Stelle vergessen.

Vielleicht sollte er lieber schleunigst das nächste Krankenhaus aufsuchen und sich auf Gehirnerschütterung untersuchen lassen …

seebarsch vs. luft und liebe

Das One if by Land, Two if by Sea war im ehemaligen Kutscherhaus eines kolonialen Herrenhauses aus dem siebzehnten Jahrhundert untergebracht, das einst Aaron Burr gehört hatte, der unter Thomas Jefferson Vizepräsident der Vereinigten Staaten gewesen war. Es lag in der Barrow Street, einer verwinkelten kleinen kopfsteingepflasterten Straße im Village, und obwohl es schon zu alt war, um zu den angesagten Trendläden zu zählen, war es immer noch ein Hotspot für Verliebte. Und leider ganz und gar nicht seine Kragenweite, wie Owen feststellen musste, als er Kelsey aus dem Taxi half und sie galant in den schmalen Eingangsbereich führte. Er bevorzugte stickige Spelunken, in denen es Happy Hours, Bier in Pitchern und Burger-Menüs für unter fünf Dollar gab. Es war ihm ein absolutes Rätsel, warum so viele Leute etwas gegen Fast-Food-Ketten hatten. War denn von denen keiner jemals in einem In-N-Out in Kalifornien gewesen? Die Hamburger dort waren so verdammt gut, dass er sich hätte reinsetzen können.

Klar, da sitzt es sich bestimmt schön weich …

»Oh, das ist so süß von dir, mich zum Essen hierher einzuladen!«, rief Kelsey, als sie an der eichengetäfelten Empfangstheke standen. Sie schob den heruntergerutschten Träger ihres schokoladenbraunen Kleids wieder über die Schulter und schlang Owen dann beide Arme um den Hals, um ihn zu küssen.

»Dürfte ich um Ihren Namen bitten?«, fragte der klapperdürre Greis, der im selben Moment hinter der Theke auftauchte und sich lautstark räusperte. Ganz offensichtlich war man in diesem noblen Restaurant nicht an knutschende Teenager gewöhnt. Genauso wenig wie Owen an noble Restaurants gewöhnt war – oder überhaupt daran, mit einem Mädchen schick auszugehen. Nackt mit einem Mädchen im Bett zu liegen kam ihm irgendwie viel natürlicher vor.

»Carlyle.« Owen räusperte sich ebenfalls und lockerte verstohlen seine blaue Armani-Krawatte. Avery hatte ihn genötigt, ein Jackett anzuziehen, und er kam sich *extrem* zugeknöpft vor. »Owen Carlyle.«

»Wenn Sie mir bitte folgen wollen …« Der Empfangschef geleitete sie über eine urige Treppe in einen in gediegenem dunklen Holz eingerichteten Speiseraum mit roten Backsteinwänden und verblichenen Orientteppichen. Gedämpftes Gemurmel lag in der Luft. Kelsey stupste Owen an und deutete kichernd auf einen Mann, der über seinem Schokoladensoufflé ein kleines Nickerchen hielt, während seine spindeldürre Frau nichts davon mitzukriegen schien und sich angeregt mit einem Pärchen unterhielt, das mit ihnen am Tisch saß.

Owen schüttelte grinsend den Kopf. Typisch, dass Avery ihm ein Restaurant empfahl, das ideal für Eiserne Hoch-

zeiten oder 75. Geburtstage war. Er konnte nur hoffen, dass die Portionen hier nicht auch seniorengerecht waren.
»So. Bitte sehr«, sagte der Empfangschef, nachdem er sie an einen kleinen, mit einer weißen Leinendecke bedeckten Tisch in einer Ecke geführt hatte. Bevor er ging, nahm er mit hochgezogenen Brauen die Weinkarte an sich; er wusste also offenbar genau, dass sie noch minderjährig waren. Als Tischschmuck verblieben eine Rose und eine schon leicht heruntergebrannte rote Kerze.

»Vielen Dank, Owen. Das war eine tolle Idee.« Kelsey lächelte und enthüllte dabei ihren reizenden, leicht schräg stehenden linken Schneidezahn. Owen hätte sie am liebsten auf der Stelle geküsst. Warum konnten sie nicht in ihrem antiken Schlittenbett liegen? Oder auf seiner Dachterrasse? Oder an ihrem geheimen Plätzchen im Central Park …?

»Wie läuft es denn so beim Schwimmen?« Kelsey lächelte etwas verlegen, als müsste sie dieselben erotischen Fantasien verdrängen wie er.

»Ganz gut.« Owens Blick wurde wie magisch vom Ausschnitt ihres Kleids angezogen, das einen zarten, verführerisch schimmernden Brustansatz enthüllte. Früher hatte er immer geglaubt, Mädchenbrüste würden von Natur aus so schimmern – bis er dann eines Tages auf Averys Kosmetikablage im Bad das »Kitten goes to Paris«-Glanzpuder entdeckt hatte.

»Erzähl doch mal genauer! Ich will einfach *alles* über dich wissen!« Kelsey sah ihn mit einer vielsagend hochgezogenen Augenbraue erwartungsvoll an, als ein gebeugter weißhaariger Kellner, der aussah, als würde er schon seit mindestens hundert Jahren hier arbeiten, an ihren Tisch trat und ihnen die Speisekarten reichte.

»Guten Abend, die Herrschaften. Darf ich Sie auf die besonderen Genüsse hinweisen, die unser Chefkoch für den heutigen Abend zubereitet hat?«, leierte er gelangweilt herunter.

»Natürlich! Für besondere Genüsse sind wir immer zu haben.« Kelsey kicherte und biss sich auf ihre hinreißende korallenrote Unterlippe. Owen spürte, wie ihre Fingerspitzen spielerisch über seinen Oberschenkel wanderten.

»Seebarsch ... auf Holzkohle gegrillter Wildlachs ...« Während der Kellner die Gerichte herunterrasselte, versuchte Owen mühsam Haltung zu bewahren, obwohl Kelseys Fingerspitzen ihm kalte und heiße Schauer über den Rücken jagten. Wenn das so weiterging, konnte er nicht dafür garantieren, es bis zum Nachtisch auszuhalten.

Ruhig Blut, Casanova! Geduld ist eine Tugend.

»Ich nehme den Barsch«, entschied sich Kelsey mit einem strahlenden Lächeln. Der Kellner zwinkerte ihr verwegen zu und schien auf einmal um fünfzig Jahre verjüngt.

»Für mich bitte auch«, schob Owen hastig hinterher, ohne überhaupt zu wissen, was sie bestellt hatte. Wer interessierte sich schon für Essen?

»Also ... wo waren wir stehen geblieben?« Kelsey zog ihre Hand von Owens Bein, was dieser mit Enttäuschung registrierte. »Ach ja, beim Schwimmen ...«

»Genau.« Owen nickte. Er war sich immer noch nicht sicher, ob er ihr erzählen sollte, dass er zum Kapitän ernannt worden war. Das würde sie nur an Rhys erinnern und dann würden sie sich beide wieder total mies fühlen. Aber irgendwann würde sie es sowieso erfahren. »Ich bin jetzt Mannschaftskapitän. Rhys ist aus dem Team ausgestiegen.«

»Rhys ist ausgestiegen?« Kelsey runzelte kurz die Stirn,

lächelte dann aber sofort wieder ihr strahlendes Lächeln. »Hey, das ist ja toll für dich! Herzlichen Glückwunsch!«

»Ja«, stimmte Owen unsicher zu. In diesem Moment wurde ihm wieder einmal bewusst, wie wenig er sie eigentlich kannte. Okay, sie ging auf die Seaton-Arms-Schule, konnte fantastisch küssen, hatte ein traumhaftes antikes Schlittenbett und einen noch traumhafteren Körper… aber das war auch schon so ungefähr alles, was er über sie wusste. Ach ja, und dass sie irgendeinen Sport machte. Welcher war das noch mal? »Ähm, und wie lief's beim Hockeyspiel?«, fragte er lahm.

»Ich spiele Tennis, schon vergessen?«, neckte sie ihn.

»Nein, natürlich nicht!« Owen grinste verlegen. *Richtig*. Als er vor ein paar Tagen spontan bei ihr geklingelt hatte, war sie in einem sexy weißen Tenniskleidchen und einer supersüßen Schirmmütze an die Tür gekommen.

»Ich wollte eigentlich…«, stammelte er. »Eigentlich wollte ich fragen, was du sonst noch so machst, also außer Sport.«

»Du zuerst!«, sagte Kelsey mit einem Grinsen. »Es war schließlich deine Idee, dass wir mal an einem richtigen Tisch essen statt halbnackt aus Pizzakartons. Erzähl mir etwas von dir, das ich noch nicht weiß.« Sie verschränkte die Arme und sah ihn erwartungsvoll lächelnd an.

Zu Owens Glück wurden in diesem Moment ihre Salate serviert. Er blickte auf die grünen Blätter und durchforstete sein Hirn nach einer interessanten Anekdote, aber alles, was ihm einfiel, war ein Zeitungsartikel über die sinkende Eisbärenpopulation in den nördlichen Polarregionen, den er neulich gelesen hatte. Um Zeit zu gewinnen, spießte er mit der Gabel ein besonders großes Salatblatt auf und schob es sich in den Mund.

»Sag mal, weißt du, wo hier die Toiletten sind? Oder vielleicht könntest du ja kurz mitkommen und mir beim Suchen helfen?« Kelseys Augen funkelten schelmisch, als sie ihren Stuhl zurückschob.

»Äh, natürlich.« Meinte Kelsey das so, wie er *glaubte*, dass sie es meinte? Er stand so hastig auf, dass sein Stuhl beinahe nach hinten gekippt wäre. Ohne auf die neugierigen Blicke der anderen Gäste zu achten, schlängelten sie sich zwischen den Tischen hindurch und gingen die Treppe hinunter.

»Ich glaube, wir müssen da lang.« Kelsey griff nach seiner Hand und führte ihn auf eine Tür neben der Küche zu. Owen erwiderte den sanften Druck ihrer Finger. Sein Herz raste.

»Komm mit!«, hauchte sie, und das ließ er sich nicht zweimal sagen. Er drängte sie durch die Tür und zog sie hastig hinter ihnen zu. Der Vorraum zu den Toiletten war in flackerndes Kerzenlicht getaucht, was ihm eine fast romantische Atmosphäre verlieh. Und er war abschließbar. Owen drehte den Schlüssel um, drückte Kelsey sanft gegen die Wand neben der Tür und küsste sie fordernd. Es war so aufregend und berauschend wie das erste Mal, als sie sich getroffen hatten. Kelsey erwiderte seine Küsse hungrig und biss ihn spielerisch ins Ohrläppchen.

Plötzlich wurde ihr atemloses Keuchen von einem lauten Klopfen übertönt. Sie erstarrten, sahen sich mit fieberglänzendem Blick an – und küssten sich dann leidenschaftlicher denn je.

»Kommen Sie sofort da raus!«, rief eine strenge Frauenstimme, während am Türknauf gerüttelt wurde. Erwischt! Aber das steigerte Owens Lust nur noch mehr. Er streifte einen Träger von Kelseys seidig schimmernder Schulter und knabberte an ihrem Hals.

»Gleich!«, stöhnte sie heiser.

»Nein, jetzt!«, rief die Stimme ungeduldig.

»Lass uns hier abhauen.« Owen löste sich widerstrebend von ihr und öffnete die Tür.

»Äh, wir haben nur…« Ihm blieben die Worte im Hals stecken, als er sich der halben Restaurantbelegschaft gegenübersah, die sich vor der Toilettentür versammelt hatte. Vermutlich wollten sie den greisen Stammgästen den Anblick der unzüchtigen Jugend von heute ersparen.

»Ich fürchte, ich habe mir den Magen verdorben«, erklärte Kelsey entschuldigend, während sie sich an einer hageren Kellnerin um die fünfzig vorbeischob.

»*Sie* sind verdorben.« Die Kellnerin funkelte sie missbilligend an.

»Bitte verlassen Sie auf der Stelle unser Lokal«, rief der Empfangschef empört, nachdem er sich zu ihnen durchgearbeitet hatte. Owen nickte und blickte zu Boden, um nicht Kelsey ansehen zu müssen. Er wusste, dass sie es sonst beide nicht geschafft hätten, ihren Lachanfall zurückzuhalten.

Oder wieder übereinander herzufallen?

»Folgen Sie mir bitte zum Hinterausgang«, befahl der Empfangschef und reichte Kelsey ihre große blaue Marc-Jacobs-Tasche mit so spitzen Fingern, als wäre sie verseucht. »Sofort!«, fügte er hinzu und gab Owen einen kleinen Schubs.

»Entschuldigung«, murmelten Kelsey und Owen gleichzeitig. Der Empfangschef führte sie am tuschelnden Küchenpersonal vorbei zum Hinterausgang und hielt ihnen die Tür auf.

»Raus!«, knurrte er.

»Natürlich, Sir!« Owen ließ im Vorbeigehen eine der Rosen mitgehen, die neben der Tür in einem Pflanzenkübel steckten und wahrscheinlich von der Tischdeko übrig geblieben waren.

Sobald sie draußen in der kleinen Seitenstraße standen und die Tür mit einem lauten Knall hinter ihnen ins Schloss gefallen war, brachen sie in prustendes Lachen aus.

»Mylady?« Owen deutete eine kleine Verbeugung an und reichte Kelsey die leicht angewelkte Rose.

»Mein Prinz!« Kelsey kicherte albern und machte einen Knicks, als sie die Rose entgegennahm. Dann stellte sie sich auf die Zehenspitzen und hauchte ihm einen Kuss auf die Lippen. Owen seufzte glücklich. Es war vielleicht nicht unbedingt stilvoll, aus einem Restaurant geworfen zu werden, aber es machte definitiv Spaß.

»Sollen wir noch irgendwohin gehen, wo es gemütlicher ist?«, fragte Kelsey mit hoffnungsvoller Stimme.

Owen nickte selig und hob die Hand, um ein Taxi anzuhalten. Avery hatte recht gehabt. Es war eine Spitzenidee gewesen, Kelsey zum Essen auszuführen. Ein Wagen hielt am Straßenrand und Kelsey kletterte kichernd auf die Rückbank. Owen setzte sich dicht neben sie und presste seinen Oberschenkel an ihren.

»72., Ecke Fifth«, gab er dem Taxifahrer durch und schob seine Hand in Kelseys, der in diesem Moment gewollt-ungewollt wieder mal der Träger ihres Kleids von der schimmernden Schulter rutschte.

Wir lernen: Die Rückbänke von Taxis sind nicht nur für verzweifelte Praktikantinnen gut.

gossipgirl.net

themen ◀ gesichtet ▶ eure fragen antworten

erklärung: sämtliche namen und bezeichnungen von personen, orten und veranstaltungen wurden geändert bzw. abgekürzt, um unschuldige zu schützen. mit anderen worten: mich.

ihr lieben!

newsflash

werbeplakate mit unaussprechlichen körperteilen auf öffentlichen verkehrsmitteln? ein alter hut. das neueste vom neuen ist eine kampagne in überlebensgroßem megaformat für die fabelhaften cashman-lofts in tribeca. und das makellose gesicht, das diese kampagne ziert, gehört keiner geringeren als unserer teuren **J**. überrascht? also ich nicht. dieses mädchen ist einfach unübertroffen new-yorkesk und weiß immer ganz genau, was sie will: hoch hinaus. apropos …

sozialer aufstieg

ist es ein wunder, dass eine im gitterförmig angelegten straßennetz manhattans lebende new yorkerin immer ganz *genau* wissen will, wo sie gerade steht? und ich rede hier nicht von dem bedürfnis, jeden einzelnen ihrer schritte dem kompletten adressverzeichnis ihres blackberrys mitzuteilen, egal ob sie nun gerade im eat einen kaffee bestellt oder bei bergdorf's ein kleid von thakoon anprobiert. nein, ich spreche davon, genau wissen zu wollen, an welcher stelle im gesellschaftlichen ranking ihrer freunde, feinde und jedem anderen, der etwas zählt, sie rangiert. es liegt nun mal in der natur des menschen, wissen zu wollen, wo man steht. woher soll man schließlich sonst wissen, wie weit es noch bis zum gipfel ist? wer jedoch schon zu zittern beginnt, sobald er einen rot besohlten fuß auf die nächste sprosse der sozialen leiter stellt, sollte folgendes nicht vergessen: lieber auf halber höhe einer leiter stehen, die man gern erklimmt, als ganz oben auf einer, die man eigentlich nie hochklettern wollte.

gesichtet

O, der mutterseelenallein vor paragon sports stand. och – ist da etwa jemand von seinen *dudes* versetzt worden? aber dann tauchte **K** auf und zerrte ihn im laden in eine umkleidekabine. was für ein, ähem, ausdauerndes paar. und noch eine umkleidekabine: nämlich die, in die sich **A** nach einer fünfundsiebzigminütigen ganzkörpermassage im bliss spa verstohlen zurückzog. wem will sie denn dieses mal aus dem weg gehen? **B**, die neben einer der ramschkisten vor dem strand bookstore stand und selbstvergessen in einem buch mit dem titel »ich bin okay, du bist okay« las. wie ich das finde? *überhaupt nicht okay!* **R**, der in einem touriladen am st. marks place nach hacky sacks suchte. neues hobby? **J**, die sich am jfk von ihrer maman verabschiedete, um anschließend in einer luxuslimousine zu einem fotoshoot für die cashman-lofts in die industria studios auf der jane street zu fahren. und jetzt bitte recht freundlich …

eure mails

f: sehr geehrtes gossip girl,
ich bin psychotherapeutin und habe angst, den anschluss an meine jüngeren patienten zu verlieren. sie scheinen sich außerordentlich gut mit den bedürfnissen und nöten der heutigen jugend auszukennen – könnten sie mir etwas über die träume, wünsche und ziele ihrer generation verraten? sie würden damit millionen desorientierter junger menschen helfen!
seelenmüllentsorgerin

a: sehr geehrte sme,
dass sie mich zu rate ziehen, schmeichelt mir, ich denke jedoch, dass sie das problem direkt an der wurzel packen sollten – lesen sie die blogs ihrer jungen patienten oder hören sie ihnen einfach *richtig* zu. und vergessen sie vor allem nicht, auch ihren eigenen seelenmüll von zeit zu zeit zu entsorgen …
gg

erlaubt mir noch ein letztes wort zum thema aufstieg: je höher ihr klettert, desto tiefer könnt ihr fallen. und das meist ganz ohne netz und doppelten boden.

ihr wisst genau, dass ihr mich liebt

eine wohnung verrät viel über den charakter

»Perfekt«, murmelte Jack zufrieden, nachdem sie das A0-große gerahmte Bild, das neben ihrem neuen Kingsize-Bett an der Wand hing, geradegerückt hatte. Es zeigte einen kunstvoll fotografierten Spitzenschuh, dessen lieblich roséfarbener Satinstoff in krassem Gegensatz zu den abgewetzten Stellen an der Spitze stand, die von schweißtreibenden Bühneneinsätzen zeugten. Er brachte genau das zum Ausdruck, was sie am Ballett liebte: die Balance von anmutiger Schönheit und gnadenloser Härte.

An wen erinnert uns das nur?

Die Klingelanlage gab einen melodischen Dreiklangton von sich und auf dem Videomonitor erschien das grobkörnige Gesicht des Portiers der Cashman-Lofts.

»Ja bitte?« Jack hielt den Gegensprechknopf gedrückt und blickte sich prüfend in ihrem neuen Zuhause um. Ein Märchenschloss im Vergleich zu der heruntergekommenen Mansarde, in der sie die vergangenen Wochen gehaust hatte. Das Penthouse war als Showroom gedacht und daher so eingerichtet, dass es die Ästhetik der gesamten Anlage repräsentierte: Der loftartige Raum war in gedämpften Grautönen gestrichen und von dem bekannten Innenarchitekten Gavin Palmer gestaltet worden, der umweltbewusstem Wohnen ein cooles neues Image verlieh. Über einem langen Tisch aus Bambusholz hing ein aus recycelten Flugzeugteilen hergestellter Kronleuchter, auf dem glänzenden Korkboden (aus natürlichem Anbau) lag ein bunter Teppich aus Seide und Wolle, und durch die bodentiefen Fenster strömte warmes Tageslicht auf ihr mit Biobaumwolllaken bezogenes Bett am anderen Ende des riesigen Raums.

»Ihre Gäste sind da, Miss Jack«, meldete der Portier.

»Schicken Sie sie nach oben!«, befahl Jack hoheitsvoll. Sie band ihre Haare zu einem lässig-unordentlichen Pferdeschwanz zusammen und rollte den Bund ihrer schwarzen Yogahose von Stella McCartney for Adidas ein Stück hinunter. Endlich verlief ihr Leben wieder in geordneten Bahnen. Heute Morgen hatte sie ihre Mutter zum Flughafen gebracht, und Vivienne hatte beim Abschied ihre übliche theatralische Show abgezogen – ein unglaublich peinlicher Moment, aber Jack hätte im Tausch für ihre Freiheit noch ganz andere Dinge in Kauf genommen. Jedes Mal wenn sie sich in dem Apartment umsah und sich bewusst machte, dass es von jetzt an *ihres* war, wollte sie am liebsten jauchzend auf ihrem herrlichen neuen Bett auf und ab hüpfen. Was sie einmal sogar gemacht hatte, aber nur ganz kurz, weil ihr gerade noch rechtzeitig eingefallen war, dass ökologisch behandelter Bambus solchen Belastungsproben vielleicht gar nicht gewachsen war.

Hauptsache er ist einer ganz *anderen* Form der Belastungsprobe gewachsen …

Als Jack nach einem kurzen Fotoshooting für die neue

Werbekampagne der Lofts hierhergekommen war, hatte sie das Apartment bereits komplett eingerichtet vorgefunden. Natürlich hatte sie als Erstes Sarah Jane, Genevieve und Jiffy angerufen und zu sich eingeladen, damit sie ihre neue Bleibe gebührend bewundern konnten. Schließlich hatten die drei treu zu ihr gehalten, als sie vorübergehend völlig mittellos gewesen war. Aber jetzt wollte sie ihnen zeigen, dass sie wieder ganz oben war. Sie eilte zur Tür, kickte im Vorbeigehen noch schnell ihren Louis-Vuitton-Koffer aus dem Weg – sie war noch gar nicht dazu gekommen, ihn auszupacken, aber gab es dafür nicht Hausmädchen? – und riss voller Vorfreude die Tür auf.

»*Ohmeingott!*«, kreischte Jiffy, nachdem sie gefolgt von Genevieve und Sarah Jane ins Apartment getreten war und sich umschaute. Jedes der Mädchen war mit Schachteln und Einkaufstüten beladen. »Das ist ja unfassbar cool! Und so erwachsen! Hier ist es sogar schöner als bei Beatrice.« Jiffy ging ehrfurchtsvoll auf die riesigen Panoramafenster zu.

»Danke.« Jack schaute sich bescheiden im Loft um, als wäre es nichts Besonderes. Dabei war es *sensationell*. »Was schleppt ihr da eigentlich alles an?« Stirnrunzelnd betrachtete sie die vielen Taschen, die Sarah Jane und Genevieve auf dem Esstisch abstellten.

»Keine Ahnung.« Genevieve zuckte mit den Achseln und warf ihre gewellten blonden Haare über die Schulter zurück. »Der Portier hat uns die Sachen in die Hand gedrückt und gebeten, sie mit hochzunehmen.«

Liebe Jack,
nur eine winzige Aufmerksamkeit zu Ihrem Einzug. Denken Sie an uns, wenn Sie in nächster Zeit mal wie-

der in der Nähe sind – es wäre uns eine unglaubliche Freude, Ihnen in jeder nur erdenklichen Weise behilflich zu sein.
Alles Liebe,
Jane und der Rest des Tender-Heart-Teams.

Jack lächelte. Tender Heart war eine coole Boutique in NoLita, wo sie vor ihrem kurzzeitigen gesellschaftlichen Absturz Stammkundin gewesen war. Offensichtlich hatte man dort von den positiven Veränderungen in ihrem Leben gehört. Ihr Blick wanderte zu den Schachtelbergen auf dem Tisch zurück. Waren das etwa *alles* Geschenke?

Dabei hat sie noch nicht mal Geburtstag!

»Oh mein Gott.« Genevieve riss Jack die aus feinstem handgeschöpften Papier hergestellte Karte aus der Hand. »Ich fasse es einfach nicht, dass J.P. dich so verwöhnt. Als ich mit Breckin zusammen war, hat er es noch nicht mal geschafft, uns ins Area reinzubringen – an einem *Dienstag*.« Sie seufzte schwer. Offenbar war sie immer noch nicht über das Fünf-Minuten-Techtelmechtel hinweg, das sie in L.A. während der Sommerferien mit einem Schauspieler gehabt hatte, der im aktuellen Film ihres Vaters mitspielte.

»Nicht J.P. verwöhnt mich so, sondern sein Vater«, korrigierte Jack sie. Oops … das klang irgendwie komisch. »Ich meine, das PR-Team seines Vaters. Die wollten mich unbedingt als Gesicht für die Werbekampagne der Lofts haben«, präzisierte sie, nahm Genevieve die Karte aus der Hand und warf sie auf den Tisch.

»Aber wenn du nicht J.P.s Freundin wärst, hätten sie dich wahrscheinlich niemals ausgesucht, oder?«, fragte Jiffy und warf einen neugierigen Blick in den riesigen dreitürigen

Edelstahlkühlschrank, der von einem umsichtigen Cashman-Angestellten mit Einkäufen von Whole Foods gefüllt worden war.

»Du stehst gerade so praktisch. Machst du mir bitte einen Cranberry-Wodka, Jif?«, fragte Jack und überging ihre dämliche Frage einfach. Es hatte sicher nichts *geschadet*, dass J.P.s Mutter sie vorgeschlagen hatte, aber das war natürlich nicht der einzige Grund dafür gewesen, dass sie das Gesicht der Loft-Werbekampagne geworden war.

Jiffy nickte abwesend, holte eine Flasche Wodka aus dem Eisfach, nahm vier brandneue Riedel-Gläser aus einem der Schränke und begann auf der Schieferarbeitsplatte die Drinks zu mixen.

»Wenn ihr wollt, könnt ihr ein paar von den Päckchen aufmachen«, bot Jack Sarah Jane und Genevieve großzügig an, die gerade jeden Winkel des Apartments taxierten, als wäre es eine zum Verkauf stehende Immobilie. Sarah Jane nahm eine Soja-Kerze in die Hand, roch an ihr und rümpfte die Nase.

»Herzlichsten Dank.« Genevieves Stimme troff vor Sarkasmus.

Jack tat so, als hätte sie es nicht bemerkt, stellte sich an die Fensterfront und blickte zum millionsten Mal auf das frisch enthüllte Riesenplakat auf der anderen Straßenseite. Es zeigte sie in einem fließenden grünen Kleid von Oscar de la Renta mit verträumtem Blick und einem Gänseblümchen in der Hand, als wollte sie gleich dessen Blütenblätter abzupfen und »Er liebt mich, er liebt mich nicht« spielen. Sie sah glücklich und verliebt aus. Die Bildunterschrift lautete: »LEBEN UND LIEBEN IN GRÜN«. Das klang zwar irgendwie ziemlich idiotisch, aber das kümmerte sie nicht. Warum sollte es auch? Sie sah von der gigantischen Werbetafel auf Manhattan herab wie eine überlebensgroße Königin, die mit gütigem Blick ihre Untertanen betrachtet.

Sie war *zurück*.

Sarah Jane stellte sich neben sie. »Absolut umwerfend.« Sie hatte immer noch eine dieser seltsam riechenden Kerzen in der Hand, die sie von einem Sideboard genommen hatte. »Und das ist alles aus nachwachsenden Rohstoffen hergestellt?« Sie betrachtete skeptisch einen Lederclubsessel, der am Fenster stand. Ihre Mutter war die Chefredakteurin des Mode- und Einrichtungsmagazins *Bella*, weshalb sie sich für eine Expertin auf dem Gebiet der neuesten Designtrends hielt.

»Glaub schon.« Jack zuckte die Achseln. Wen interessierte das schon? »Was hab ich sonst noch bekommen?« Sie ließ sich neben Genevieve auf einen der Stühle fallen und sah einen Stapel bunter Einladungen durch.

Wir freuen uns, Sie und Ihre Gäste bei der Premiere von … begrüßen zu dürfen … Bitte besuchen Sie das Dinner im Daniel zu Ehren von … Das Whitney Museum und die Vogue *hoffen, Sie bei der Gala …*

»Dann zückt mal eure Timeplaner, Ladys!« Jack hob grinsend einen der Drinks, die Jiffy gemixt hatte, und nahm einen tiefen Schluck. Den hatte sie sich verdient. »Es warten jede Menge Events auf uns.«

Eine wahrhaft gütige Königin, die sich ihren Untertaninnen gegenüber als überaus großzügig erweist!

Plötzlich hörte Jack Schritte vor der Tür. Sie warf Jiffy einen finsteren Blick zu. Wahrscheinlich hatte sie es sich nicht verkneifen können, eine ihrer langweiligen Freundinnen aus der Zehnten einzuladen.

Die Tür schwang auf und J.P. kam herein. Er trug perfekt gebügelte Khakis, ein blaues Hemd von Thomas Pink und ein breites Grinsen im Gesicht.

»Was willst du denn hier?«, fragte Jack und zuckte im gleichen Moment innerlich zusammen. Sie hatte nicht so zickig und anklagend klingen wollen, aber sie hatte nun mal geplant, den Nachmittag mit ihren Freundinnen zu verbringen und ein bisschen – oder auch ein bisschen mehr – mit ihrer tollen neuen Wohnung anzugeben. Wenn J.P. dabei war, konnte sie sich das abschminken.

»Das Poster sieht großartig aus. Mein Vater hat mir schon erzählt, wie begeistert alle von der Kampagne sind.« J.P. gab ihr einen Kuss.

»Hat dein Vater dir einen Schlüssel gegeben?«, fragte Jack irritiert.

Bevor J.P. antworten konnte, erschien Henry, der Portier, mit zwei Matchbeuteln von Tumi über der Schulter in der Tür.

»Ihr Gepäck, Sir«, sagte er höflich und stellte es zu J.P.s Füßen ab.

»Du ziehst hier ein?«, fragte Jack fassungslos.

»Was schaust du mich so an? Willst du mich etwa nicht hier haben?«, neckte er sie lachend und stellte die beiden Beutel neben das Bett. »Ich dachte nur, dass ich ja ein paar Sachen hierlassen könnte. Besser als jedes Mal Taxi zu fahren. Ist schlecht für die Umwelt.« J.P. zwinkerte.

Jack nickte skeptisch, obwohl sie nicht so recht wusste, was sie davon halten sollte. Allein und ohne elterliche Aufsicht in einem coolen und edel eingerichteten Apartment zu wohnen war eine Sache – mit ihrem Freund, mit dem sie erst vor Kurzem wieder zusammengekommen war, die Wohnung zu teilen, eine völlig andere. Sie hatte das

Gefühl, noch nicht wirklich bereit dafür zu sein, sich vor seinen Augen Kuchenteig aus der Tube in den Mund zu spritzen oder grottenschlechte Unterschichts-Talkshows im Fernsehen anzuschauen. Außerdem müssten sie sich dann das Klo teilen, was keine besonders romantische Vorstellung war.

»Was macht ihr?«, fragte J.P. in die Runde und setzte sich auf einen der Barhocker an der Theke.

»Auf das neue Apartment anstoßen.« Genevieve nahm einen ordentlichen Schluck von ihrem Cranberry-Wodka. »Das hat sie alles nur dir zu verdanken!« Sie deutete mit dem Glas in seine Richtung, schaute dabei aber lächelnd zu Jack, die Lippen schon leicht gerötet von dem Drink.

Jack erdolchte sie mit Blicken. Hatte sie Genevieve nicht *eben* noch erklärt, dass es *nicht* J.P.s Verdienst war, dass sie für die Loft-Kampagne ausgesucht worden war? Litt sie vielleicht unter einer Wodka-ausgelösten Amnesie?

»Danke!« J.P. nahm lächelnd das Glas entgegen, das Jiffy ihm anbot. Jack riss es ihm schmollend aus der Hand und leerte es in einem Zug. Wenigstens musste sie nicht reden, wenn sie trank. Obwohl es einiges gab, das sie mit J.P. gern besprochen hätte. Zum Beispiel warum er nicht sofort klargestellt hatte, dass man sie nur aus einem einzigen Grund für die Kampagne ausgewählt hatte: nämlich weil sie absolut fabelhaft und unglaublich talentiert war.

»Alles in Ordnung, Jack?« J.P. glitt vom Hocker und öffnete den Kühlschrank, um sich Eis zu holen. Er schien sich in dem Penthouse und mit ihren Freundinnen wie zu Hause zu fühlen und das ärgerte sie maßlos.

»Alles bestens«, entgegnete sie knapp. Es wäre ihr am

liebsten gewesen, die ganze Bande wäre auf der Stelle abgehauen, damit sie sich in Ruhe ans Panoramafenster stellen und ihr Plakat bewundern konnte.

So hat eben jeder sein Hobby.

Als es erneut an der Tür klopfte, stieß Jack einen genervten Seufzer aus und ging öffnen. Wahrscheinlich J.P.s Eltern, die ebenfalls mit Sack und Pack hier einziehen wollten.

Stattdessen stand Henry vor ihr, der einen kleinen, schmuddelig aussehenden Hund im Arm hatte. Er zappelte verzweifelt und war offensichtlich völlig in Panik darüber, mit seinen vier Pfoten so weit vom Boden entfernt zu sein.

»So, da wären wir.« Henry setzte das Tier ab und machte sich eilig wieder davon, als der Hund mit klackernden Krallen auf Jack zurannte, sich auf ihr Bein stürzte und anfing, es zu begatten.

»Oh nein, wie süüüüüüß!«, riefen Jiffy und Sarah Jane wie aus einem Mund. Jack schüttelte den Hund unsanft ab.

»Schau nur!« Jiffy löste eine rosa Geschenkschleife, die um den Hals des Tiers gebunden war.

»Ein Geschenk von meiner Mutter«, erklärte J.P. und nahm Jiffy die Schleife, an der ein Umschlag hing, aus der Hand. Er reichte ihn an Jack weiter, die ihn mit schmalem Lächeln entgegennahm und fassungslos den weinroten Kussmund betrachtete, den Tatiana auf die Vorderseite gedrückt hatte. Dann öffnete sie ihn mit spitzen Fingern, als könne sich Tatianas Geschmacklosigkeit allein durch eine Berührung mit ihrem matten Achtzigerjahre-Lippenstift auf sie übertragen.

»Ein Hund so schön wie die Frau von meinem Sohn! Eine Million Küsse in deinem neuen Zuhause«, stand auf der

darin liegenden Karte. Okay, Englisch war nicht Tatianas Muttersprache, aber es klang trotzdem so, als würde sie Jack absichtlich mit diesem ekelhaften und offensichtlich sexbesessenen kleinen Monster vergleichen.

»Es ist ein Maltipoo«, erklärte J.P. hilfsbereit.

Jiffy stieß ein debiles Gurren aus und kauerte sich hin, um den Hund zu streicheln.

»Komm, wir überlegen uns einen Namen für ihn«, schlug J.P. vor und griff nach Jacks Hand. Ihre Stimmung besserte sich ein bisschen. Zwar empfand sie die Situation gerade als völlig absurd, aber die Hauptsache war doch, dass J.P. sie liebte. Vielleicht war es ja gar nicht so furchtbar, mit ihm zusammenzuleben. Sie konnten zum Beispiel wo immer und wann immer sie wollten Sex haben und das wäre eigentlich fantastisch. Nein, sogar perfekt.

»Lass uns das auf später verschieben, ja?« Jack lächelte und versuchte ihre innere Unruhe zu ignorieren. Es war schließlich ein ziemlich langer Tag gewesen.

»In Ordnung. Vielleicht sollten wir ein bisschen mit ihm rausgehen, damit er seine neue Umgebung kennenlernt. Und ich würde mich auch gern ein bisschen umschauen«, sagte J.P. unternehmungslustig.

Jack nickte. Der Anflug von besserer Laune verpuffte so schnell, wie er gekommen war. Am liebsten wäre es ihr gewesen, er hätte Genevieve, Sarah Jane und Jiffy zum Gassigehen mitgenommen.

Ach ja? Und am besten den kleinen Hund noch irgendwo unterwegs ausgesetzt?

straße der träume

»Da ist sie! Ich seh sie!« Die Stimme einer kichernden Zehntklässlerin wehte am Montagmittag durch die Tür in Mr Beckhams abgedunkeltes Klassenzimmer. Avery schaute genervt zu dem kleinen Fenster in der Tür. Es war bereits das vierte Mal, dass die Stunde vom Gackern irgendwelcher Unterstufenhühner gestört wurde, die unbedingt einen Blick auf Jack Laurent erhaschen wollten, als wäre sie eine *echte* Berühmtheit und nicht bloß irgendeine Mitschülerin, die zufällig auf dem Werbeplakat einer dämlichen Immobilienwerbekampagne zu sehen war.

Avery warf Mr Beckham einen hoffnungsvollen Blick zu – vielleicht würde er die Nervensägen ja von der Tür wegjagen. Aber seine Augen waren hochkonzentriert auf die Leinwand geheftet. Eigentlich sollten sie sich alle »Die Träumer« anschauen, einen ziemlich versauten Film des italienischen Regisseurs Bertolucci über ein Geschwisterpaar und dessen gemeinsamem Freund, die es im Paris der Sechzigerjahre praktisch überall miteinander trieben.

Aber Jack Laurent und ihre miststückigen Freundinnen taten noch nicht einmal so, als würden sie sich den Film anschauen, sondern steckten kichernd die Köpfe über der aktuellen Ausgabe der *New York Post* zusammen, in der ein Foto von Jack war. Es war einfach unfair.

Jacks sommersprossiges Gesicht war heute Morgen auf sämtlichen Promi-Websites im Netz und in allen Zeitungen zu sehen gewesen, und jeder wollte nur noch über das blöde Werbeposter reden – das, dem Himmel sei Dank, nur in Downtown zu sehen war. Aber selbst das winzige Schwarz-Weiß-Foto, das in der Klatschspalte der *Post* veröffentlicht wurde, war noch zu viel. Jack sah aus wie ein verdammtes *Supermodel*. Und das wusste sie auch.

Als es endlich gongte, rauschte Jack an Averys Tisch vorbei und stieß ihn dabei wie aus Versehen an, sodass Averys leere Evian-Flasche zu Boden kullerte.

»Oops. Tut mir leid«, sagte Jack in einem Ton, der deutlich machte, dass es ihr ganz und gar nicht leidtat. »Wir sehen uns ja gleich noch …«, fügte sie hinzu und ließ es wie eine Drohung klingen. Avery starrte unglücklich auf die leere Wasserflasche am Boden. Vor ihren Mitschülerinnen tat Jack zwar so, als könnte sie kein Wässerchen trüben, aber sie hielt ganz offensichtlich weiter an ihrem Plan fest, Avery das Leben auf jede nur erdenkliche Weise zur Hölle zu machen. Der Rest der Klasse strömte in Jacks Windschatten aus dem Raum.

Avery packte ihre Sachen zusammen und schaute sich im leeren Klassenzimmer um. Das Letzte, worauf sie jetzt Lust hatte, war eine Begegnung mit Jack und ihrem Gefolge in der Cafeteria. »Kann ich Ihnen vielleicht noch bei irgendetwas behilflich sein, Sir?«, fragte sie Mr Beckham.

»Mmpf«, grunzte der nur und setzte seine vergeblichen Bemühungen fort, die DVD aus dem Player zu nesteln. Aber wie die meisten Lehrer über fünfunddreißig hatte er von technischen Geräten keine Ahnung.

»Sir?«, drängte Avery. Sie fasste es nicht, dass Mr Beckham sie tatsächlich ignorierte. Dabei hätte er froh sein sollen, schließlich konnte sie sich weitaus Besseres vorstellen, als die Mittagspause mit ihrem abstoßenden Filmlehrer zu verbringen.

»Es geht schon, Ms Carlyle, danke«, murmelte er, ohne aufzusehen.

»Bitte?«, flehte Avery. »Ich meine, ich würde Ihnen wirklich unglaublich gerne helfen ... egal, wobei«, ergänzte sie und hoffte, damit nicht *zu* verzweifelt zu klingen. Jack nutzte in der Cafeteria erfahrungsgemäß jede Gelegenheit, um Avery öffentlich bloßzustellen, und sie wollte gar nicht wissen, was sie sich jetzt einfallen lassen würde, seit alle an der Schule sie wie einen Popstar behandelten. Avery hatte letzte Woche in *jeder* Mittagspause an dem Lesekränzchen teilgenommen, das Mrs McLean mit ein paar Damen aus dem Verein der Ehemaligen abhielt. Aber diese Woche wollten sie mit »Anna Karenina« anfangen und Avery hatte dankend abgelehnt. Mittlerweile fragte sie sich, ob das so klug gewesen war. Im Vergleich zu den Gehässigkeiten, die sie von Jack und ihren Speichelleckerinnen zu erwarten hatte, war es wahrscheinlich extrem entspannend, mit der Schulleiterin russische Literatur zu lesen.

»Also, wenn Sie mich *so* fragen ...« Mr Beckham hob den Kopf und zwinkerte Avery schmierig zu, als hätte der halbpornografische Film ihn auf eine Idee gebracht. »Vielleicht könnten Sie mir in der Dunkelkammer behilflich sein? Ich muss für die Foto-AG heute Nachmittag noch ein paar Bilder entwickeln.«

»Um ehrlich zu sein, kenne ich mich damit überhaupt nicht aus«, log Avery und floh hastig aus dem Zimmer. Auf dem Flur schaute sie nachdenklich aus einem der Fenster auf die von Bäumen gesäumte Straße hinunter. Es war gar nicht so kalt heute. Vielleicht könnte sie sich einfach schnell einen Joghurt kaufen und sich irgendwo draußen hinsetzen.

Sie fasste sich ein Herz und marschierte nach unten in die in hellem Holz eingerichtete Cafeteria, wo sie sich verstohlen nach einem freundlichen Gesicht umschaute. Aber alle Mädchen senkten entweder den Kopf über ihren Teller oder unterhielten sich angeregt mit ihren Freundinnen. Avery hätte sich sogar freiwillig bereit erklärt, die Mittagspause mit Baby zu verbringen, obwohl dann für alle offensichtlich gewesen wäre, dass sie keine anderen Freundinnen hatten, aber sie konnte die zerzausten Haare ihrer Schwester nirgends entdecken.

»Ich hab gehört, dass sie Mr Beckham Geld geboten hat, wenn er mal mit ihr ausgeht. Er hat natürlich abgelehnt«, flüsterte Sarah Jane Jiffy gelangweilt zu, während sie mit abgespreiztem kleinen Finger in ihrem Magerjoghurt rührte.

»Ich weiß! Sie soll ja auch schon bei sämtlichen New Yorker Begleitagenturen angerufen haben, um einen Typen abzukriegen, aber die haben alle Nein gesagt, weil sie noch minderjährig ist. Vielleicht sollte sie einfach lesbisch werden.« Jiffy schob ihren zu lang gewordenen braunen Pony aus der Stirn.

»Falls sie es nicht schon längst ist. Immerhin hat sie mit dieser Kampflesbe Sydney schon einschlägige Erfahrungen gesammelt«, sagte Sarah Jane laut genug, dass Avery es hören konnte. Avery fühlte sich, als hätte ihr jemand ein Messer ins Herz gerammt. Dabei waren diese Mädchen einmal ihre Freundinnen gewesen und sahen eigentlich auch überhaupt nicht so aus, als wären sie zu solchen Gemeinheiten fähig. Vor allem Jiffy mit ihrem herzförmigen Gesicht war immer so freundlich gewesen.

Tja, wie der äußere Schein doch trügen kann.

»Hi, Avery«, rief Genevieve und tat so, als hätte sie sie erst jetzt bemerkt, weil sie in eine Nachricht auf ihrem Treo vertieft gewesen war. Sarah Jane und Jiffy brachen in Kichern aus, als wäre die Begrüßung das Witzigste, das sie je gehört hatten. Avery zwang sich, nicht zu ihnen rüberzusehen, als sie sich in der Schlange vor der Essensausgabe anstellte.

»Und, wie läuft das Erpressungsgeschäft?«

Avery drehte sich um. Jack stand vor ihr und blickte spöttisch auf sie hinunter. In ihrem einfachen Schulrock und dem schwarzen Pulli mit U-Boot-Ausschnitt von Loro Piana sah sie sogar noch perfekter aus als auf diesem dämlichen Werbeplakat. Avery spürte, wie sich auf ihrem Dekolleté hektische Flecken ausbreiteten. Das passierte immer, wenn sie sich aufregte.

»Hi«, murmelte sie und versuchte, sich an Jack vorbeizuschieben, aber die machte einen Ausfallschritt in die gleiche Richtung. Avery runzelte die Stirn. Was wollte Jack von ihr?

Sich prügeln?

»Ignorier die Plakatwand-Tussi doch einfach.«

Avery spürte, wie sie jemand von hinten am Ellbogen fasste. Sie drehte sich um und sah sich Sydney Miller gegenüber, Babys brustwarzengepiercter Hardcore-Freundin. Heute trug sie ein völlig ausgewaschenes Third-Rail-T-Shirt unter ihrem zerknitterten Schulblazer und dazu Chucks, die aussahen, als hätten sie in den Achtzigern einem total ungepflegten Typen gehört.

»Hi.« Avery wusste nicht, ob sie froh sein sollte, vor Jacks verbaler Giftattacke gerettet worden zu sein, oder sauer, weil ausgerechnet Sydney die Retterin war.

»Avery und ich haben dringende Termine. Du weißt schon … ein paar Werbeplakate beschmieren …« Sydney grinste Jack süffisant an. »Schönen Tag noch, du gekauftes Konzernflittchen«, zischte sie und zog Avery am Ärmel mit sich.

Avery ließ sich von Sydney aus der Cafeteria und durch die königsblauen Flügeltüren auf die Straße hinausführen.

»Danke«, murmelte sie, als sie vor der Schule standen.

»Geht schon klar.« Sydney winkte ab. »Gott, was für eine Oberzicke. Sollen wir uns irgendwo was zu essen besorgen? Mir ist irgendwie nach Falafel.«

Ohne eine Antwort abzuwarten, marschierte Sydney auf einen Imbissstand an der Ecke zu. Essen von der Straße? Avery rümpfte die Nase. Aber hatte sie eine Wahl? In die Cafeteria konnte sie auf keinen Fall zurückgehen und ihr Magen knurrte erbärmlich. Wenn sie jetzt nichts aß, würde sie im Englischkurs nach der Pause zusammenbrechen, und dann würden alle sie auch noch für magersüchtig halten.

Sydney kam mit einem triumphierenden Lächeln und zwei in Folie gewickelten Falafelsandwiches zurück.

»Hier – fang!« Sie warf Avery eines davon zu.

»Danke.« Avery wickelte das dampfende Sandwich aus der Folie. Die beiden Falafelbällchen, die zwischen welken

Eisbergsalatblättern in dem Stück Pita steckten, sahen aus wie zwei frittierte Dreckklumpen.

»Sydney, das eben war echt ...«, versuchte sie sich unbeholfen zu bedanken. Vermutlich brach sie sich keinen Zacken aus der Krone, wenn sie Sydney wissen ließ, dass sie ihre Hilfe zu schätzen wusste.

»Bloß weil du gemerkt hast, dass du hier keine Freundinnen hast, musst du dich jetzt nicht bei mir einschleimen.« Sydney grinste breit und Avery konnte ihr Zungenpiercing in der Mittagssonne glitzern sehen. »Spar dir den Scheiß. Ich hab's gemacht, weil ich deine Schwester mag und glaube, dass unter deinem Zweihundert-Dollar-Haarreif ein gewisses Potenzial steckt.« Sie zuckte mit den Schultern und biss hungrig in ihren Falafel.

»Danke«, sagte Avery verwirrt. Sydney gab ihr das Gefühl, genauso hohl und fies zu sein wie Jack.

»Schon okay.« Sydney hielt mitten im Kauen inne und schaute mit zusammengekniffenen Augen zur Eingangstür der Constance Billard. »Ist das nicht deine Schwester?«, fragte sie und rief dann fröhlich: »Hey, du Miststück!«

»Oh mein Gott! Dich hab ich ja schon eine Ewigkeit nicht mehr gesehen!« Baby sprang die Treppe herunter und fiel Sydney um den Hals. »Du hast mir mit dem *Rancor*-Projekt so was von den Arsch gerettet. Dafür hast du was gut bei mir. Du kriegst, was du willst! Brauchst du ein neues Piercing? Oder ein Tattoo?« Plötzlich fiel Babys Blick auf Averys noch unberührtes Falafelsandwich. »Mhmm, lecker!« Sie nahm es ihrer Schwester aus der Hand und biss gierig hinein.

»Noch ein Tattoo wär vielleicht ganz cool.« Sydney schien ernsthaft über Babys Angebot nachzudenken. »Sollen wir gleich losgehen?«

»Geht nicht. Ich muss zu meiner Therapie.« Baby zuckte lustlos die Achseln. »Ich versuch's heute mal mit einer neuen Therapeutin. Aber wie wär's mit nachher?«, fragte sie. »Ich wollte schon immer einen kleinen Fisch auf dem Knöchel.«

Avery sagte nichts und schaute nur finster. Seit wann wollte Baby ein Tattoo?

Vielleicht seit sie sich auf die Reise zu ihrem Innersten aufgemacht hat?

»Genial!« Sydney nickte zustimmend. »Ein Fisch ist ein Supersymbol, das auf ganz vielen Ebenen funktioniert. Und die Therapie wird dir bestimmt guttun. Meine Mutter ist Therapeutin und liegt Mrs McLean schon seit einer halben Ewigkeit in den Ohren, weil sie diese lahmen Waldwanderungen, die den Gemeinschaftsgeist und die Teamfähigkeit fördern sollen, gern ein bisschen aufpeppen würde.«

»Okay. Ich sollte langsam mal los. Ich will nicht zu spät kommen.« Baby hielt nach einem freien Taxi Ausschau und biss noch einmal von Averys Sandwich ab.

»Vielleicht legst du es ja gerade darauf an, zu spät zu kommen ...«, sagte Sydney mit vollem Mund. »Meine Mutter sagt immer, dass unser Unterbewusstsein ein kleines manipulatives Arschloch ist.« Sie sah Avery an. »Genau deshalb willst du nämlich auch Jack Laurents beste Freundin werden, obwohl du dich dafür hasst. Wahrscheinlich wirst du eines Tages sogar ihre Brautjungfer und träumst von einer heißen Affäre mit ihrem Angetrauten ... was du in Wirklichkeit natürlich *niemals* machen würdest.« Sydney grinste zufrieden, als sie sah, wie Averys Gesichtszüge erstarrten.

»Tja dann ... ich muss wieder rein.« Avery ging mit steifen Schritten ins Schulgebäude zurück.

»Hey, jetzt sei doch nicht sauer! Tut mir leid!«, rief Sydney hinter ihr her, klang aber überhaupt nicht so, als würde es ihr leidtun. Sie drehte sich zu Baby um. »Gott, ich liebe es, deine Schwester fertigzumachen! Es ist so leicht!«, staunte sie.

Baby nickte grinsend. Sydneys kompromisslose und direkte Art erinnerte sie an die Zeit, als ihr eigenes Leben noch nicht so kompliziert gewesen war. Als sie noch nicht jede Woche ins Büro der Rektorin zitiert worden war, sich niemand über ihren Klamottenstil lustig gemacht hatte und es noch kein Verbrechen gewesen war, abenteuerlustig und spontan zu sein. Sie seufzte und spürte, wie ihre Laune in den Keller sackte.

»Du musst los«, sagte Sydney, als hätte sie Babys Stimmungsumschwung bemerkt, und winkte ein Taxi heran. »Ruf mich an, wenn du fertig bist. Ich kann es kaum erwarten, die Tattoonadel in der Haut zu spüren!«

Baby lächelte und öffnete die Tür des Wagens. Vielleicht würde sie sich wirklich einen Fisch stechen lassen. Die Schmerzen könnten durchaus eine kathartische Erfahrung sein.

Hm, dafür bräuchte es dann aber schon einen Wal, kein kleines Fischlein …

b wird eins mit der natur

Baby kletterte auf die rissige schwarze Kunstlederrückbank des Taxis und merkte erst in dem Moment, in dem der Wagen quietschend anfuhr, dass sie immer noch Averys Sandwich in der Hand hielt.

»Wohin soll's gehen?« Der Fahrer, der ekelhaft fettige Haare hatte, steckte den Kopf durch die Öffnung der Plexiglastrennwand und schaute so böse, als wollte er Baby ordentlich anpfeifen, weil sie im Taxi aß, entschied sich dann aber dagegen, als er ihre Constance-Schuluniform sah. »Schwänzt wohl die Schule, was?«, fragte er grinsend.

Baby zog die zerknitterte Zeitungsanzeige aus ihrer limettengrünen Kuriertasche von Brooklyn Industries und glättete sie auf ihrem Schenkel. »In die Jane Street Nummer acht.« Sie ignorierte die Tatsache, dass der Taxifahrer ihr im Rückspiegel zuzwinkerte, ließ sich ins Polster sinken und schaute auf den winzigen Fernsehbildschirm des Taxis, auf dem eine idiotische Sendung über die Wunder New Yorks lief. Der Beitrag wurde von einer weißhaarigen

Frau mit britischem Akzent moderiert, die sich schwärmerisch über die idyllischen New Yorker Dachgärten ausließ. Baby schaltete den Ton auf lautlos und las sich noch einmal die Anzeige durch. »Ophelia Ravenfeather, Heilerin« stand dort in geschwungener lila Schrift, und statt eines Fotos war die abstrakte Darstellung eines friedlichen Teichs abgebildet, in dem lächelnde Goldfische herumschwammen.

Sie blickte aus dem Fenster. Die prächtigen Gebäude auf der Fifth Avenue wurden in Midtown von überwältigenden Wolkenkratzern abgelöst und schließlich im West Village von hübschen Brownstones. Dafür dass es erst früher Nachmittag war, waren die Gehwege erstaunlich belebt. Ganze Heerscharen von Menschen genossen den sonnigen Herbsttag.

Ihr Herz begann schneller zu klopfen, als das Taxi in die Jane Street einbog – eine gewundene Kopfsteinpflasterstraße, die man eher in Barcelona als in Manhattan vermutet hätte. Wehmütig dachte sie an Spanien zurück. Vielleicht hätte sie einfach dort bleiben sollen. Die Spanier waren viel offener und netter als die Menschen hier. Sie könnte tagsüber in einem Café im Tausch gegen Essen und Getränke Englisch unterrichten und nachts würde sie einfach am Strand schlafen. Es wäre herrlich.

Klar, bis sie sich nach zwei Wochen zu Tode langweilen und in den nächsten Flieger nach Marokko springen würde.

»Da wären wir!« Der Taxifahrer hielt vor einem unscheinbaren vierstöckigen Sandsteingebäude.

»Danke!« Baby zog einen Zwanzig-Dollar-Schein aus ihrem aus Gewebeklebeband gebastelten Portemonnaie – ein Geschenk ihres Kiffer-Ex-Freunds aus Nantucket, das im

Gegensatz zu ihrer Beziehung unkaputtbar war. »Stimmt so«, fügte sie hinzu.

Sie betete, dass ihre Entscheidung, hierherzukommen, richtig gewesen war, während sie die abgetretenen Stufen hinauflief und die Klingel des Apartments mit der Nummer zweiundzwanzig drückte. Nichts tat sich. Sie klingelte noch mal.

»Ich komme runter«, tönte es laut und hektisch aus dem Lautsprecher. Auf dem Gehweg standen zwei gepflegte Männer in Anzügen mit winzigen Pudeln, die neugierig zu ihr rüberschauten. »Bleiben Sie, wo Sie sind!«, befahl die Stimme.

»Okay!«, rief Baby in die Gegensprechanlage und trat unsicher von einem Fuß auf den anderen. Das Haus lag nur einen Block vom Hudson River Park entfernt und sie konnte in der Ferne das gräulich blaue Wasser des Flusses glitzern sehen. Sie atmete tief ein. Der Anblick von Wasser hatte immer eine beruhigende Wirkung auf sie.

Plötzlich legte sich von hinten eine schwere Hand auf ihre Schulter.

Sie zuckte erschrocken zusammen, fuhr herum und rechnete damit, ein blitzendes Messer vor dem Gesicht zu sehen oder in die Mündung einer Pistole zu schauen ... stattdessen stand sie einer grauhaarigen Frau gegenüber, die eine Yogahose und eine rote Fleecejacke von North Face trug und ihr gerade mal bis zum Kinn reichte.

Was ja fast genauso schlimm ist – der Anblick einer Fleecejacke *kann* einem Angst einjagen.

»Entschuldige bitte«, sagte die Frau und legte jetzt beide Hände auf Babys Schultern. »Ich bin deine Heilerin.« Sie musterte sie aus brackwasserbraunen Augen. Wie eine Heilerin sah sie nicht gerade aus. Mit ihren aufgesprungenen Lippen, den fliegenden grauen Haaren und den geröteten Händen erinnerte sie Baby an eine Freundin ihrer Mutter, die in Vermont auf einer Farm in einer Kommune lebte und biologische Landwirtschaft betrieb. Früher hatten sie und ihre Geschwister dort jedes Jahr bei der Apfelernte mitgeholfen.

»Mein Name ist Ophelia Ravenfeather, aber da wir miteinander arbeiten werden, ist es mir wichtig, dass du mich erstens duzt und zweitens so nennst, wie du mich gern nennen möchtest«, erklärte Ophelia ihr und stellte sich neben sie, sodass sie nun auf derselben schmalen Stufe standen.

Baby lächelte unsicher. Das Ganze ließ sich noch seltsamer an, als sie erwartet hatte; andererseits kannte sie sich mit alternativen Heilmethoden nicht aus und konnte nicht beurteilen, was normal war und was nicht. Jedenfalls fand sie es jetzt schon definitiv besser, als in einem ganz in Weiß gehaltenen, sterilen Behandlungszimmer auf einer Couch zu liegen.

»Ich soll mir einen Namen für Sie ... äh dich ... überlegen ...?«, wiederholte sie nachdenklich. Ein Pärchen mit einem Golden Retriever schlenderte vorbei. Vielleicht hatte sie ja eine verschobene Wahrnehmung, aber in letzter Zeit begegneten ihr *ständig* irgendwelche Hunde. Ihr Anblick erinnerte sie jedes Mal daran, wie viel Spaß es ihr gemacht hatte, mit J.P.s Hunden spazieren zu gehen. Das war, bevor sie beide ein Paar geworden waren – und sich dann wieder getrennt hatten. Sie seufzte frustriert. Vielleicht sollte sie die Jungs ein für alle Mal aufgeben und sich stattdessen lieber einen Hund zulegen.

Es gibt da einen sehr pflegeintensiven Maltipoo, der vielleicht schon bald ein neues Zuhause braucht ...

»Also? Wie möchtest du mich gerne nennen? Eine meiner Klientinnen nennt mich *Freundin*, ein anderer *Die große H*, die nächste *Omi* – jeder sieht etwas anderes in mir.« Ophelia lächelte ermutigend.

»Ähm, ich weiß nicht.« Baby versuchte sich krampfhaft einen Namen auszudenken, der nicht komplett daneben klang. War das Ganze vielleicht so eine Art Psychotest?

Müsste die Frage nicht eher lauten: Besitzt diese Frau überhaupt eine Zulassung als Therapeutin?

»Kann ich fürs Erste nicht einfach Ophelia sagen?«, fragte sie schließlich zögernd.

»Fürs Erste schon. Aber sobald wir uns ein bisschen besser kennengelernt haben, solltest du dir einen eigenen Namen für mich suchen«, sagte Ophelia streng. »Und ich kann deine Aura sehen. Sie ist …« Ein dunkler Schatten schien über ihr runzliges, wettergegerbtes Gesicht zu huschen. Sie schüttelte den Kopf. »Ach, vergessen wir das. Wenigstens funktionieren deine Chakren. Größtenteils jedenfalls«, fügte sie kryptisch hinzu.

»Äh, danke.« Baby lächelte verhalten und zog dann das zerknitterte Formular heraus, das Mrs McLean ihr mitgegeben hatte. »Mir wurde empfohlen, insgesamt zwanzig Therapiestunden zu nehmen. Ihre … deine Anzeige hat mir gefallen, und ich glaube, dass wir auf einer Wellenlänge sind, aber ich fände es super, wenn du mir vorher ein bisschen erzählen könntest, was wir in deinen Sitzungen machen werden. Und dann müsstest du das hier noch unterschreiben.«

Ophelia nahm das Formular in die Hand, betrachtete es stirnrunzelnd und gab es Baby wieder zurück. »Darum kümmern wir uns später. Jetzt gehen wir erst einmal in den Park. Es liegt eine Menge Arbeit vor uns«, sagte sie in unheilschwangerem Ton und rannte dann mit einer für eine Frau ihres Alters erstaunlichen Energie die Stufen hinunter. Baby folgte ihr. Was hatte das alles zu bedeuten? Wollte Ophelia das Formular nicht unterschreiben? Und warum gingen sie in den Park?

Ophelia hetzte die Straße hinunter und scheuchte Baby über einen befestigten Fahrradweg, bis sie schließlich einen schmalen, grasbedeckten Streifen erreicht hatten – den Hudson River Park, in dem sich etliche Familien und Pärchen auf Picknickdecken, Radfahrer und Jogger tummelten, die die Nachmittagssonne genossen. Auf dem Fluss schaukelten Boote, als wären sie nur dafür da, den Parkbesuchern eine hübsche Kulisse zu bieten. Baby lächelte. War doch eigentlich ganz nett hier.

»Okay.« Ophelia klatschte in die Hände und blieb neben einem jungen Pärchen stehen, das sich gerade ein Feinschmecker-Picknick von Dean&Deluca gönnte. »Hier ist die Energie gut. Wir beginnen mit dem abwärtsgerichteten Hund.« Sie begab sich augenblicklich in den Vierfüßlerstand und reckte den Hintern in die Luft.

»Ähm, ich dachte, wir würden reden«, sagte Baby. Dass Ophelia mit *so* einer Joga-Übung anfing, fand selbst sie ein bisschen extrem. Was sollte das hier werden?

Happy-Hippie-Heilung?

»Um zu heilen, bedarf es nicht zu reden«, sagte Ophelia orakelhaft und rappelte sich mit hochrotem Gesicht vom Boden auf. »So. Du bist dran.« Sie wies Baby an, ihrem Beispiel zu folgen. Baby zog vorsichtshalber ihren Schulrock tiefer und platzierte dann beide Hände vor sich auf dem Boden.

»Hmm.« Ophelia musterte sie kritisch. »Ich glaube, wir müssen woandershin. Deine Energie verträgt sich nicht mit diesem Ort. Sie richtet sich gegen mich.« Sie rieb sich nachdenklich über ihr fliehendes Kinn, auf dem ein Muttermal prangte, aus dem kurze borstige Haare wuchsen. »Ich sag dir, wie wir's machen, Baby.« Ophelia legte ihre knorrige Hand auf ihre Schulter. »Du suchst jetzt mit geschlossenen Augen einen Ort, der sich für dich richtig anfühlt.«

Baby machte die Augen zu und ging los. Sie kam sich vor, als wäre sie in einer Waldorfkindergartengruppe gelandet. Nach ein paar Metern blieb sie stehen und atmete tief ein. Sie spürte die Wärme der Sonne durch ihr dünnes weißes Tanktop und konnte in der Ferne den Duft von verbranntem Laub riechen. Vielleicht musste sie sich nur auf Ophelias Methode einlassen. Vorsichtig tastete sie sich ein paar Schritte weiter, als sie plötzlich etwas schlittern hörte, gefolgt von einem lauten Krachen.

»He! Pass doch auf, wo du hinläufst, dämliche Kuh!«

Erschrocken riss sie die Augen auf. Vor ihr auf dem Fahrradweg lag ein Mann in einer neongelben Radlerhose und einem hautengen schwarzen Trikot unter einem leuchtend roten Rennrad. »Ich hätte dich verflucht noch mal fast umgenietet! Was zur Hölle machst du da?«, schrie er und rappelte sich mit schmerzverzerrtem Gesicht auf.

Okay, diese Stelle kann sie schon mal von der Liste der Orte mit positiver Energie streichen.

»Tut mir schrecklich leid!« Baby hob die Ray Ban, die der Mann bei seinem Sturz verloren hatte, vom Boden auf. »Kommen Sie, ich helfe Ihnen.«

»Zuerst hilfst du dir selbst!«, befahl Ophelia und zog Baby davon.

»Tut mir echt leid!«, rief Baby dem fassungslosen Radfahrer noch einmal zu.

»Das war gerade sehr aufschlussreich. Du hast dich offensichtlich von ihm angezogen gefühlt. Ist dir bewusst, was da gerade passiert ist?«

»Hallo? Ich bin mit geschlossenen Augen durch die Gegend gelatscht, *das* ist passiert!« Baby verlor einen Moment lang die Beherrschung.

»Nein, du bist deinem Herzen gefolgt. Und dein Herz hat dich den Pfad dieses Mannes kreuzen lassen.« Ophelia nickte weise. »Du musst dich endlich auf dich selbst einlassen und aufhören, dem anderen Geschlecht hinterherzulaufen.«

Baby erstarrte und ihr rieselte trotz des sonnigen Wetters ein kalter Schauer über den Rücken. Das war genau die gleiche Schlussfolgerung, die Dr. Janus auch schon gezogen hatte – nur eine Spur esoterischer ausgedrückt: Sie war zu sehr auf Jungs fixiert.

»Und was kann ich dagegen tun?«, fragte sie und suchte in Ophelias trübbraunen Augen nach einer Antwort.

»Als Erstes müssen wir ein paar passende Rituale für dich schaffen. Gesänge, ätherische Öle, Handauflegungen, die dich von ungesunden inneren Säften reinigen und dergleichen. Wir müssen dir beibringen, dass du dich auf dich selbst verlassen kannst. Ich schlage vor, wir fangen gleich damit an!« Ophelia rieb sich freudig erregt die Hände. »Ich suche uns einen sicheren Heilungsort«, bot sie zuvorkommend an.

Sie führte Baby zu einem Abhang am Ufer, der weit genug vom Radweg entfernt war. Im Gras spielten ein paar kleine Jungs, deren Kindermädchen auf einer Parkbank saßen und sich angeregt unterhielten.

»Gut, schließe die Augen und denke dir ein Wort aus«, sagte Ophelia. Sie musterte Baby kritisch und verzog dann den Mund, als hätte sie in eine Zitrone gebissen. »Ich habe das Gefühl, dass du noch nicht bereit bist, mit geschlossenen Augen zu arbeiten. Lass sie also offen, aber halte den Blick zu Boden gerichtet, konzentriere dich auf einen einzelnen Grashalm und denke dir ein Wort aus.«

Baby senkte pflichtbewusst den Kopf, aber die einzigen Wörter, die ihr durch den Kopf spukten, waren *perzeptiv* und *fungibel*. Sie kam sich vor wie beim Wortschatztest der Uni-Eignungsprüfung. Diese Worte hatten zwar überhaupt nichts mit ihr zu tun, aber ihr wollten einfach keine einfallen, die zu ihr gepasst hätten.

»Sagst du mir, an welches Wort du denkst?«

Babys Blick wanderte zum träge fließenden Flusswasser. »Meer?«, schlug sie matt vor und hoffte, dass die Antwort bei der Heilerin Anklang finden würde. Denn genau darum ging es doch, oder? *Finde deinen inneren Ozean*.

»Falsch!«, bellte Ophelia und glich plötzlich nicht mehr einer freundlichen Oma, sondern einer sadistischen Quizshow-Moderatorin. Die Kindermädchen schauten auf und runzelten irritiert die Stirn. Baby lächelte entschuldigend.

»Versuch es noch mal. Ich kann förmlich sehen, wie das Wort in deiner Aura *pulsiert*«, drängte Ophelia.

Baby machte die Augen zu. Das Wort *pulsieren* ließ sie an *Puls* denken, was sie wiederum an *Herz* denken ließ, und das ließ sie an …

»Liebe?«, fragte sie, dann wiederholte sie entschlossener: »Liebe.«

Ophelia schüttelte traurig den Kopf. »Nein, das ist es auch nicht. Wörter sind anscheinend auch noch nicht das Richtige für dich. Wir müssen es mit etwas versuchen, das davon losgelöst ist. Ich werde dir jetzt eine Melodie vorgeben. Bist du bereit?«

Baby nickte, obwohl es ganz offensichtlich egal war, ob

sie bereit war oder nicht. Ophelia stellte sich aufrecht hin, schloss die Augen, faltete die Hände vor dem Körper, als wollte sie beten, und winkelte dann wie ein Flamingo ein Bein an.

Ich bin hier, um geheilt zu werden, ermahnte Baby sich, obwohl sie am liebsten in den Fluss gesprungen und bis nach New Jersey geschwommen wäre.

»Und jetzt sing mir nach: Ahm-aah-nom!« Ophelias Stimme hallte durch den Park und das *m* summte noch ettliche Sekunden lang in der Luft.

»Ähm, ja. Ich glaube, jetzt hab ich verstanden, worauf – äh, du hinauswillst«, sagte Baby und hoffte, sie käme drum herum, die Silben tatsächlich laut nachsingen zu müssen. Ein Dampfer der Circle-Line fuhr majestätisch den Fluss entlang, und Baby war sich sicher, dass sogar die Passagiere an Bord Ophelias Stimme gehört hatten. Was war das überhaupt für ein Gesang? Sie hatte schon ein paar Joga-Kurse besucht, aber wenn dort gesungen worden war, hatte sich das nie so angehört, als würde ein Elefant eine Nilpferdkuh decken.

»Ich möchte, dass du eins wirst mit diesem Wort. Ich möchte, dass du es siebzehnmal am Tag singst, und außerdem möchte ich, dass du dich ab sofort nur noch strikt vegetarisch ernährst. Wir müssen dich dringend entgiften und ich werde dir dabei helfen. Gemeinsam werden wir dich heilen!«

Sie nickte ermutigend und Baby rang sich ein gequältes Lächeln ab. Vielleicht wurde die Therapie ja irgendwann noch besser.

Oh ja, ganz bestimmt. *Viel* besser!

o lernt, wie's läuft

»Kann mir vielleicht mal jemand beim Tragen helfen?«, ächzte Owen, während er zwei riesige mit Speedo-Badehosen gefüllte Kartons in den Umkleideraum des YMCA schleppte, die ihm komplett die Sicht nahmen. Wahrscheinlich würde er gleich über ein Dutzend Kickboards oder eine der Holzbänke in der Kabine stolpern. Als ihm niemand zu Hilfe kam, ließ er die Kartons frustriert auf die nassen Fliesen fallen.

»Da habt ihr eure Badehosen!«, knurrte er. Er war immer noch leicht sauer darüber, dass keiner seiner Mannschaftskollegen mitgekommen war, als er die Hosen gestern bei Paragon Sports abgeholt hatte. Weil er es allein nicht geschafft hätte, die Kartons zu tragen, hatte er irgendwann Kelsey eine SMS geschickt. Sie war zu ihm in den Laden gekommen, und sie hatten in der Umkleidekabine neben den Tennisschlägern miteinander rumgemacht, während einer der Mitarbeiter die frisch bedruckten St.-Judes-Badehosen bewachte.

Keiner der Jungs im Umkleideraum schien ihn zu bemerken. Alle scharten sich um Hugh Moore, der einen albernen Piratenhut mit Feder aufhatte. Owen zog die Brauen zusammen. Normalerweise fand er Hughs Scherze immer ganz witzig, aber jetzt war einfach nicht der richtige Zeitpunkt dafür. Nach der Niederlage von letzter Woche musste sich das Team auf den Wettkampf gegen die Unity School von der Upper East Side konzentrieren, die zu ihren größten Konkurrenten zählte. Wenn sie den auch in den Sand setzten, waren sie für den Rest der Saison so gut wie geliefert.

»Jungs?« Owen kletterte auf eine der klapprigen Holzbänke, um sich Aufmerksamkeit zu verschaffen. Keiner seiner Teamkollegen schaute auch nur in seine Richtung. Sie drängelten sich alle weiter um Hugh, als würde er das Evangelium verkünden.

»Mann, ich sag's euch: Wenn ihr in die Unterwäscheabteilung von Barneys geht, seid ihr im *Paradies*! Ihr müsst nur so tun, als würdet ihr was für eure Freundin kaufen wollen. Kein Scherz, Leute, ich hab's selbst ausprobiert. Einmal hat mir eine von den Verkäuferinnen sogar einen Body vorgeführt. Wisst ihr überhaupt, was ein Body ist, ihr Luschen?«, hörte Owen ihn prahlen.

»Ihr schnappt euch jetzt sofort eure verdammten Badehosen!«, brüllte Owen genervt.

»Hey, ihr Schwuchteln, Carlyle versucht euch was zu sagen.« Coach Siegel steckte den Kopf aus seinem winzigen Büro, das an den Umkleideraum angrenzte. Owen wurde feuerrot. Na spitze. Jetzt wusste der Coach also, dass er sich bei seinen Teamkollegen noch nicht einmal Gehör verschaffen konnte.

»Alles klar, Coach!«, rief Hugh zurück. Er beugte sich

verschwörerisch zu den Jungs vor, die einen engen Kreis um ihn gebildet hatten. »Alles Weitere erzähl ich euch nach dem Training. Wenn ihr euch ins Zeug legt, mach ich mit euch zur Belohnung vielleicht eine Exkursion ins süße Reich der heißen Höschen«, schloss er und scheuchte die Mannschaft anschließend zu den Kartons rüber.

»Na? Hast du dir eine Badehose besorgt, auf der *St. Judas* steht?«, zischte Ian McDaniel, ein hobbitartiger Zehntklässler, und sah Owen mit finsterem Blick an, während er eine winzige weinrote Badehose aus dem Karton zog. Owen warf ihm einen verwirrten Blick zu. Er konnte sich nicht daran erinnern, jemals mit Ian geredet, geschweige denn irgendetwas getan zu haben, das ihn beleidigt haben könnte.

»Haha, sehr witzig«, murmelte er und versuchte sich seine Wut nicht anmerken zu lassen. »Wie auch immer, Jungs, ich wollte mit euch über …«

»Echt, Alter, spar dir den Vortrag. Wir sollten lieber rausgehen und unsere Ärsche ins Wasser bewegen, bevor der Coach kommt«, unterbrach Hugh ihn.

Owen sah den breitschultrigen Elftklässler mit zusammengekniffenen Augen an. »Gibt es hier irgendein Problem, von dem ich noch nichts weiß?« Er schüttelte sich die blonden Haare aus den Augen und blickte seine Mannschaftskollegen fragend an. Ken Williams hatte die Arme abweisend über seinem enormen Bauch verschränkt, und selbst Chadwick Jenkins, ein schmächtiger Neuntklässler, der normalerweise den Boden küsste, auf dem Owen wandelte, schaute ihn an, als wäre er zutiefst enttäuscht von ihm.

»Jep.« Hugh nahm einen Schluck von seinem blauen Gatorade und sah zu Owen auf. Seine Augen waren unter dem Piratenhut kaum zu erkennen.

Owen war sich nicht sicher, ob es daran lag, dass die Bank nicht stabil stand, aber er hatte plötzlich ziemlich zittrige Beine. Er sprang herunter und stellte sich vor Hugh.

»Ich sag dir jetzt mal was, okay? Und hör lieber genau zu, das ist nämlich ein altehrwürdiger Spruch, der für alle Zeiten Gültigkeit hat.« Hugh räusperte sich und genoss es sichtlich, im Mittelpunkt zu stehen. *»Freunde kommen vor Schlampen!«* Er sah sich unter den anderen Schwimmern um, die zustimmend nickten.

Owen spürte, wie sein Magen in die Kniekehlen rutschte. Das war es also – die Jungs stellten sich auf Rhys' Seite. Deswegen waren sie gestern nicht in den Laden gekommen. Sie akzeptierten ihn nicht als ihren Captain und würden ihm nicht folgen. Nicht zu Paragon Sports, nicht ins Schwimmbecken. Nirgendwohin.

»Und damit wir uns nicht missverstehen, Carlyle: Ich sag nur das, was schon Generationen von Männern vor mir gesagt haben, das geht nicht gegen deine derzeitige Freundin«, präzisierte Hugh und strich sich mit großer Geste über sein bärtiges Kinn. »Aber so läuft's nun mal. Und weil du gegen diese Regel verstoßen hast, trage *ich* jetzt den Hut des Captains, und das meine ich wortwörtlich – egal was der Coach sagt, verstanden? Danke, mein kleiner Freund, dass du mir den besorgt hast!« Hugh lächelte Chadwick liebevoll an und tippte sich dann an seinen dämlichen Piratenhut. Chadwick grinste so breit zurück, dass sich Owen fragte, wann es seine Mundwinkel zerreißen würde.

»Tja, da wir das jetzt geklärt hätten, lasst uns endlich mit dem Training loslegen.« Hugh zog seine weinrote St.-Judes-Jogginghose aus und enthüllte eine St.-Dudes-Speedo. »Auf geht's, Jungs.«

Mich dünkt, das riecht nach Meuterei …

jede gute geschichte hat einen wahren kern

»Die sind falsch geheftet«, fauchte McKenna am Dienstagnachmittag und warf einen Stapel Redaktionspläne auf Averys Tisch. Da die Arbeitsplätze der Praktikantinnen an diesem Tag von Journalistikstudenten belegt waren, musste Avery mit einem Katzentisch in der Teeküche vorliebnehmen. Es war zum Glück sehr ruhig dort, weil die Angestellten der *Metropolitan* anscheinend nie aßen oder tranken. »Bringen Sie das in Ordnung!« Der zuoberst liegende Plan flatterte zu Boden und landete unter dem Getränkeautomaten. McKenna verdrehte die Augen, als wäre das nur ein weiterer Beweis für Averys himmelschreiende Unfähigkeit.

»Was stimmt denn damit nicht?« Avery blickte von Dutzenden Visitenkarten auf, die sie gerade ordnete. Sie hatte sich nach der Schule total abgehetzt, war praktisch mit dem Gong aus dem Klassenzimmer gestürzt, ins nächste Taxi gesprungen und ganze zwanzig Minuten früher in der *Metropolitan*-Redaktion angekommen als nötig. Eigentlich hatte sie vorgehabt, sich in Tickys Büro zu stehlen, bevor Gemma oder McKenna sie in die Finger bekamen.

Tja, der Plan war leider nicht aufgegangen.

Gemma hatte sie abgefangen, kaum dass sie am Empfang vorbeimarschiert war, ihr einen Berg Visitenkarten in die Hand gedrückt und ihr befohlen, die Karteninhaber zu googeln und alle Informationen, die über sie herauszufinden waren, zusammenzufassen. Obwohl sie irgendetwas von einem Artikel über die veränderten Körperpflegegewohnheiten von Männern gemurmelt hatte, war Avery sofort klar gewesen, dass die Visitenkarten alle von Typen stammten, mit denen Gemma etwas gehabt hatte oder noch haben wollte.

Das war mal wieder typisch. Bisher war sie nur McKennas und Gemmas Mädchen für alles gewesen. Sie war zu Barneys geschickt worden, um Fehleinkäufe umzutauschen, und zu Starbucks, um Kaffee zu besorgen. Einmal hatte sie für McKenna sogar ein Pillenrezept einlösen müssen.

Jetzt wissen wir wenigstens, dass sie nicht vorhat, ihre Sklaventreiberinnen-Gene zu streuen.

»Unser Kreativdirektor Gareth erträgt keine Asymmetrie«, schnaubte McKenna und sah Avery anklagend an. »Er will, dass die Heftklammern entweder horizontal oder vertikal ins Papier getackert werden. Auf keinen Fall schräg. Also, kriegen Sie das hin? Es ist wichtig, dass Sie lernen, auf solche Details zu achten.« McKenna trug ein umwerfendes braunes Strickkleid von Prada, das Scarlett Johansson gerade erst auf dem Oktober-Cover der *Elle* angehabt hatte. Wäre sie nicht so eine Superzicke gewesen, hätte sie mit ihrer makellosen Haut und den weißblonden Haaren als echte Schönheit durchgehen können.

»Aber die hab doch gar nicht ich zusammengeheftet!«, wagte Avery zu sagen. War McKenna denn nicht klar, dass sie sogar noch niedrigere Dienste verrichtete als die Laufburschen, die zum Kopieren abkommandiert wurden?

»Ich habe keine Zeit, mir anzuhören, was Sie gemacht oder nicht gemacht haben«, antwortete McKenna scharf. »Heften Sie die Dinger gefälligst neu. Sie werden in zehn Minuten beim Redaktionsmeeting im Konferenzraum gebraucht. Meinen Sie, dass Sie das schaffen, Praktikantin?« Als McKenna aus der Teeküche stürmte, warf sie dem Getränkeautomaten im Vorbeigehen einen abschätzigen Blick zu, als hätte Avery ihn in Eigenregie hier hereingezerrt, nur um sie zu ärgern. *Na schön.* Avery schnappte sich seufzend einen Klammerentferner und begann entschlossen, die bösen asymmetrischen Klammern aus dem Papier zu ziehen und die Pläne sauber zu heften.

Als sie fertig war, sahen ihre Fingerspitzen aus, als wären sie von Baby-Piranhas angeknabbert worden. Hastig legte sie die Redaktionspläne aufeinander und eilte damit den Flur entlang zum verglasten Konferenzraum. Als sie ein paar ranghohe Redakteurinnen über bunten Layouts die Köpfe zusammenstecken sah, begann ihr Herz aufgeregt zu klopfen. Vielleicht würde sich die Plackerei am Ende ja doch noch auszahlen.

»So, bitte schön.« Avery blickte sich mit einem warmherzigen »Lasst uns alle Freunde sein«-Lächeln im Raum um und begann die Pläne an die am Tisch sitzenden Redakteure zu verteilen. Niemand würdigte sie auch nur eines Blickes.

Nur einer. »Danke schön! Sind Sie neu hier?«, fragte ein Typ mit leuchtenden blauen Augen und schottischem Akzent lächelnd, als Avery die zusammengehefteten Blätter an seinen Platz legte. Er trug eine perfekt ausgewaschene Diesel-Jeans und einen blauen Wollpullunder über einem schwarz-weiß karierten Hemd und sah aus wie eine Mischung aus Rockstar und Literaturprofessor. An den meisten Typen hätte dieser Look albern ausgesehen, aber ihm mit seinem angedeuteten Dreitagebart und dem markanten Kinn gab er einen sexy intellektuellen Touch. Er war ziemlich süß. Nein, er war sogar richtig süß.

Avery strahlte. »Ich bin Avery Carlyle und …«

»Sie ist nur eine Praktikantin«, fiel McKenna ihr ins Wort und riss ihr die restlichen Redaktionspläne aus der Hand. »Tut mir total leid, James«, säuselte sie, während sie Avery mit finsterer Miene Richtung Tür schob. »Und wir sprechen uns später.« Sie warf einen Blick auf ihre weißgoldene Rolex. »Scheiße, ich muss Ticky holen!« Gehetzt stürmte sie aus dem Raum und ließ die Pläne am Rand des Konferenztischs liegen.

»Ich sehe schon, dass man Sie hier die wirklich interessanten Arbeiten machen lässt«, rief James Avery hinterher. Avery antwortete mit einem Lächeln und fragte sich gleichzeitig verunsichert, ob er sich vielleicht bloß über sie lustig machte. Einer spontanen Eingebung folgend schlich sie in den hinteren Teil des Konferenzraums, wo die Volontäre auf dem Boden saßen – offensichtlich standen sie in der Hierarchie noch nicht hoch genug, um in einem der Eames-Sessel Platz nehmen zu dürfen, die um den Konferenztisch herumstanden. Hier hinten würde sie wahrscheinlich niemand bemerken. Sie hockte sich neben eine riesige, halbtote Topfpalme in die Ecke und zog die Beine an die Brust, um so wenig wie möglich aufzufallen.

Plötzlich ruckten die Köpfe der Redakteure synchron zur Tür des Konferenzraums. Ticky trippelte gestützt von

McKenna auf turmhohen regenbogenfarbenen, paillettenbesetzten Miu-Miu-Pumps herein. Sie trug einen schwarzen Hosenanzug, um ihren mageren Hals lagen fünf schwere Diamantcolliers von Cartier und ihre hennaroten Haare ragten wie üblich zu einem Berg toupiert über ihrer Stirn auf.

Avery hielt den Atem an, als Ticky an ihr vorbeiwankte. Sollte sie sich bemerkbar machen und sie begrüßen oder lieber inkognito bleiben? Sie erinnerte sich an Babys Worte, dass es vielleicht auch sein Gutes hatte, wenn niemand sie richtig wahrnahm, und rutschte noch etwas näher an die Topfpalme heran.

»McKenna, seien Sie ein Schatz und heben Sie die Glitzerdinger auf, ja?«, hörte Avery Ticky sagen. Pflichtbewusst ließ McKenna sich auf alle viere nieder und begann die winzigen Pailletten aufzusammeln, die von Tickys Schuhen abgefallen waren. Einen kurzen Moment lang befürchtete Avery, dass McKenna sie entdecken würde, aber die war so damit beschäftigt, den kurzflorigen blauen Teppich abzutasten, dass sie keinen Blick für etwas anderes hatte. Avery verspürte sogar einen winzigen Hauch Mitgefühl, als sie McKenna so über den Boden kriechen sah. Es musste ziemlich ätzend sein, sich den ganzen Tag vor seiner Chefin in den Staub zu werfen.

Sagt jemand, der schon Lippenstifte nach Farben sortiert hat.

»Nun, meine Lieben: Beeindrucken Sie mich«, krächzte Ticky, als sie am Kopf des Konferenztischs in einem schwarzen Ledersessel Platz nahm. Sie faltete die Hände vor der Brust und blickte sich, die Brauen in die stark gebotoxte Stirn hochgezogen, erwartungsvoll in der Redaktionsrunde um. McKenna huschte zu ihr und legte ein kleines Häufchen Pailletten vor ihr auf den Tisch, bevor sie sich auf den Stuhl links von ihr setzte.

»Wir hatten die Idee, einen Artikel über Drunkorexia zu bringen – Sie wissen schon, diese neue Art der Essstörung, von der im Moment alle Welt spricht: eine Kombination aus Magersucht und Alkoholismus«, ergriff Gemma das Wort. »Ich hatte mir überlegt, undercover in die Rose Bar zu gehen und festzuhalten, wie viel die jungen Frauen dort trinken und ob sie sich dazu etwas zu essen bestellen. Das Ergebnis könnten wir anschließend mit dem Trink- und Essverhalten von Männern vergleichen. Meiner Ansicht nach wäre es gut, die Story von dieser wissenschaftlichen Seite her anzugehen«, schloss sie hoffnungsvoll. In Anbetracht ihrer blassen Haut, den zittrigen Händen und ihrer knochigen Statur zweifelte Avery keine Sekunde daran, dass Gemma selbst höchstgradig drunkorektisch war.

»Wir hätten da auch noch etwas über zerrüttete Ehen, die nur deswegen nicht geschieden werden, weil die Ehepartner sonst das gemeinsame Haus verlieren würden«, schlug eine andere Assistentin vor und schob Ticky einen kleinen Stapel Ausdrucke zu. Sie trug Leggins von American Apparel unter einer violetten Stricktunika von Betsey Johnson, die kaum ihren Hintern verhüllte. Obwohl ihr Look unschwer als Huldigung an Edie Sedgewick zu erkennen war, sah sie eher so aus, als hätte sie vergessen, eine Hose anzuziehen.

»Drunkorexia und zerrüttete Ehen.« Ticky lachte abfällig. »Haben Sie das aus einer Ihrer alten Hausarbeiten für die Uni? Verstehen Sie das unter zeitgemäßem Hochglanz-Journalismus? Mein Gott, die ganze Stadt ist drunkorektisch. Drunkorexia ist *meine* Erfindung. Das ist nicht neu. Das ist nicht *Metropolitan*.« Ticky stemmte sich wütend aus ihrem Sessel empor. McKenna sprang so schnell auf, dass ihr Stuhl fast umgekippt wäre, während die anderen am Tisch so taten, als wären sie in die Redaktionspläne vertieft.

»Glauben Sie, dass es das ist, was wir brauchen? Nein! Wir brauchen Glamour!«, wetterte Ticky und blieb zwei Schritte vor Avery stehen, um sich dann wieder zum Konferenztisch umzudrehen. »Wir brauchen Themen, die faszinieren und unsere Leser daran erinnern, dass Manhattan immer noch das Zentrum der Welt ist. *Manhattan*. Nicht Brooklyn oder Queens oder das gottverdammte Philadelphia«, dozierte Ticky. Sie klang verärgert, aber Avery meinte auch eine leise Wehmut in ihrer Stimme zu hören. Sie konnte das gut nachvollziehen. Sie war mit den Fotoalben und Geschichten ihrer Großmutter groß geworden. Seit sie hierhergezogen war, suchte sie nach einem New York, das nicht mehr zu existieren schien: einer Stadt, in der rauschende Ballnächte gefeiert wurden, wo man in Einladungen förmlich ertrank und als kultivierte Dame der Gesellschaft eine Schar männlicher Verehrer hatte, die nur darauf warteten, einen im Sturm zu erobern.

Sucht sie vielleicht auch nach einer Zeitmaschine, die sie ins Jahr 1897 zurückbefördert?

»Was ist mit dieser Kampagne für die neuen Cashman-Lofts? Das Mädchen, das gerade überall auf den Plakaten zu sehen ist, wie heißt sie – Jaqueline Laurent? Sie ist, glaube ich, erst sechzehn, treibt sich aber praktisch jede Nacht in den angesagtesten Szenelokalen herum und ist wirklich absolut hinreißend. Die nächste Tinsley Mortimer«, schlug Franny Abramson, die ganz in Prada gehüllte Chefredakteurin mit Modelmaßen, vor. Avery kannte sie von ihrer »Frag Franny«-Kolumne – die zwar zugegebenermaßen einen ziemlich bescheuerten Namen trug, aber extrem bissig und treffend war und die Leserinnen mit reichlich praktischen Tipps versorgte: zum Beispiel wie man Austern aß, ohne dabei obszön auszusehen, oder wie man einen gesellschaftlichen Emporkömmling loswurde, der es offensichtlich nur darauf anlegte, kostenlos im Privatjet mitzufliegen. Franny sah Ticky mit einer kühl hochgezogenen Braue an, als wollte sie sagen: *Wag es bloß nicht, meinen Vorschlag abzuschmettern.* »Sie ist noch ein ziemlich unbeschriebenes Blatt und deshalb die ideale Story für uns. Die Kleine ist New Yorkerin, hat einen wohlhabenden Vater, ihre Mutter war früher eine berühmte Pariser Tänzerin und ihr Freund ist der Sohn von Dick Cashman – das würde eine Menge Stoff liefern«, fuhr Franny ruhig fort.

Avery warf Ticky einen Blick zu und hoffte inständig, sie würde den Kopf schütteln oder die Augen verdrehen. Aber nein. Ticky war mittlerweile an ihren Platz zurückgestöckelt und ihre Augen leuchteten begeistert. Avery hätte vor Enttäuschung am liebsten laut geschrien. Sie war kurz davor, aufzuspringen und in ihr provisorisches Büro in der Teeküche zurückzustürmen, damit sie nicht mit anhören musste, wie Jack Laurent noch höher in den Himmel gelobt wurde.

»Ist sie nicht noch ein bisschen jung?«, fragte Ticky schließlich.

Ja, ja, ja!, schrie Avery stumm, während ein paar der Redakteure höflich lachten.

»Aber sie ist einfach hinreißend. Eine klassische Schönheit. Ganz anders als die üblichen hirnlosen It-Girls«, wischte Cheryl Katz, die rothaarige Beauty-Redakteurin,

Tickys Bedenken vom Tisch – und Averys Hoffnungen in die Mülltonne.

Ein Mann in einer unglaublich engen schwarzen Hose und einem makellos gebügelten kurzärmligen weißen Hemd mit karierter Fliege hüpfte vor Aufregung fast von seinem Stuhl.

»Ja, Yves?« Ticky nickte ihm mit geschürzten Lippen zu.

»Die Idee ist fantastisch! Denken Sie allein an das Shooting, meine Liebe – wir könnten das alte glamouröse New York heraufbeschwören! Zuerst zeigen wir die Kleine in ihrer herrschaftlichen Stadtvilla … und dann – *Päng* – das New York von heute: die Cashman-Lofts im neuen Öko-Chic, alles ultramodern und politisch korrekt. Uns sind praktisch keine Grenzen gesetzt.«

Avery grinste verstohlen in sich hinein. Wenn das so war, dann konnte sie es kaum erwarten, dass Yves und der Rest der *Metropolitan*-Truppe das Loch von Mansarde sahen, in dem Jack mit ihrer Mutter gehaust hatte.

Plötzlich bemerkte sie, dass alle Blicke neugierig auf sie gerichtet waren.

»Ja?«, sagte Yves und sah sie genervt an. Oh-oh. Avery hatte nicht bemerkt, dass aus ihrem verstohlenen Grinsen ein lautes – und für alle sehr gut hörbares – hämisches Lachen geworden war.

»Oh, Verzeihung!«, rief sie und begann von der Palme wegzurutschen, bis sie merkte, dass ihre Haare sich in den Blättern der vor sich hin siechenden Pflanze verheddert hatten. »Es ist nur … Ich … ich kenne Jack Laurent zufälligerweise ziemlich gut, und in Wirklichkeit ist alles ganz anders, als Sie das gerade beschrieben haben«, erklärte sie, als sie ihre Haare endlich befreit hatte.

»Woher kennen Sie sie?«, fragte Franny und blickte mit ihren kühlen blauen Augen neugierig auf sie herab. »Und verzeihen Sie mir die Frage, aber *wer* sind Sie überhaupt?«

»Entschuldigung … ähm … ja … Ich bin eine Praktikantin«, stotterte Avery. »Mein Name ist Avery Carlyle. Ich war bis jetzt die meiste Zeit im Kabuff – äh, ich meine natürlich im Beauty-Archiv! Also, was ich sagen will, ist … ich lerne hier wirklich eine Menge«, stammelte sie unbeholfen.

»Avery Carlyle!«, rief Ticky entzückt und sprang auf. Sie stakste auf Avery zu und streckte ihre spindeldürren Arme aus, um ihr aufzuhelfen. Avery kam hastig auf die Beine, um nicht zu riskieren, dass Ticky sich womöglich noch ihre morschen Knochen brach.

Nicht unwahrscheinlich, bei ihrem Pech …

»Hallo, Ticky.« Avery lächelte verlegen.

»Ich bin in den letzten Tagen zwar vor lauter Arbeit kaum zum Luftholen gekommen, aber man sollte doch meinen, irgendjemand hier wäre in der Lage gewesen, mich über Ihre Anwesenheit zu informieren!« Ticky musterte ihre um den Tisch versammelten Untergebenen mit strengem Blick. »Bitte verzeihen Sie mir – und diesen Schwachköpfen hier – diese Unhöflichkeit«, sagte sie zu Avery. »Wir waren praktisch rund um die Uhr damit beschäftigt, dieses Biest von nächster Ausgabe fertigzustellen – ich hatte noch nicht einmal Zeit, mir zwischendurch eine Zigarette anzuzünden. Husch, husch!« Ticky verscheuchte McKenna mit einer ungeduldigen Handbewegung von ihrem Platz. »Avery, Herzchen, setzen Sie sich neben mich.«

McKenna bedachte Avery mit einem mordlüsternen Raubtierlächeln und räumte ihren Stuhl.

Avery blieb unschlüssig stehen.

»Nun setzen Sie sich doch endlich!«, befahl Ticky.

Sei ein braves Mädchen!

»Die Glamour Girls von Manhattan.« Tickys Blick schweifte kurz verträumt in die Ferne. »Genau das ist es! Das ist die richtige Story für unser Blatt. Ich weiß schon, warum ich Franny und Yves auf meiner Gehaltsliste stehen habe. Bleibt die Frage, warum ich mich überhaupt noch mit dem Rest von euch herumschlage.« Sie schüttelte bedauernd den Kopf. »Da Sie, meine liebe Avery, so gut mit Jaqueline Laurent bekannt sind, schreiben Sie die Story gemeinsam mit James. Er ist mein bester Reporter. Wir bringen sie in der nächsten Ausgabe.« Sie klatschte in die Hände. »Was bin ich froh, dass wenigstens noch ein paar Leute hier die richtigen Ideen haben. Und damit ist das Meeting beendet.«

Avery warf James, dem süßen Reporter, der vorhin über ihren Praktikantinnen-Job gescherzt hatte, einen fragenden Blick zu.

»Ticky schlägt man so leicht nichts ab.« Er zwinkerte ihr zu. Seine Augen waren so leuchtend blau, dass Averys Knie weich wurden. »Ich schlage vor, wir treffen uns am Mittwoch und besprechen dann alles Weitere, einverstanden?«, fragte er sie über den Tisch hinweg, sodass alle es hören konnten. Avery nickte glücklich.

Hey, sieht ganz so aus, als hätte unser kleiner Unglücksrabe ein Date!

in der zwischenzeit in einem loft in tribeca …

»Hallo-ho?«, rief Jack, als sie am Dienstagabend die Tür zu ihrem Penthouse aufschloss. Sie kam gerade von einer anstrengenden Ballettstunde am anderen Ende der Stadt zurück und war verschwitzt, erschöpft und völlig ausgehungert. Im Stillen hoffte sie, dass J.P. noch beim Squash-Training war, damit sie in Ruhe duschen, sich irgendein heißes Teil überwerfen und ihn dann später an der Tür mit einem frisch gemixten Drink begrüßen konnte.

»Hey, meine Schöne, du hast mir gefehlt!«

Jack zwang sich ein Lächeln auf die Lippen. J.P. trug seine schwarze Riverside-Prep-Jogginghose und sein dämliches gelbes Riverside-Prep-Squash-Trikot und hockte in einem Berg von Zeitungen auf dem Boden. Der Hund sprang aufgeregt hechelnd um ihn herum.

»Schau mal, sie kann schon apportieren!« J.P. warf einen roten Gummiknochen in Jacks Richtung. Er traf sie hart am Knie.

»Großartig«, sagte Jack matt. Konnte er den Hund vielleicht mal eine Sekunde lang vergessen? So war es gestern Abend auch schon gelaufen. Immer wenn sie den Köter in sein mit Biobaumwolle bezogenes Körbchen gescheucht hatten, hatte er angefangen zu winseln, bis sie ihn zu sich ins Bett geholt hatten, damit er endlich Ruhe gab.

»Ich hab ihr jetzt übrigens auch einen Namen gegeben«, verkündete J.P. gut gelaunt. Er hob den Hund hoch und kam damit auf Jack zu. »Ich finde Magellan irgendwie ganz süß. Sie ist zwar ein Mädchen, aber schon jetzt eine richtige kleine Entdeckerin.« Triumphierend hielt er ein Paar zernagte schwarze Samtballerinas von Tory Burch in die Höhe. »Sie hat deine Schuhe gefunden. Sie musste sich sogar richtig in den Schrank reinwühlen, um an sie dranzukommen«, fügte er stolz hinzu.

»Was zum *Teufel* …?« Jack riss ihm die Schuhe aus der Hand. Gott sei Dank waren sie schon alt. Aber davon mal abgesehen konnte es ja wohl nicht angehen, dass dieser Hund ihre Schuhe *fraß* und J.P. ihn dafür auch noch mit einem Scheißnamen belohnte!

»Sie hat es doch nicht mit Absicht gemacht!« J.P. nahm Magellans Pfote und winkte Jack damit zu. »Sie sagt, dass es ihr ganz doll leidtut. Mein Vater findet den Namen bestimmt gut. Du weißt doch, dass er unsere Hunde gern nach großen Entdeckern nennt.« J.P. zuckte mit den Schultern. Tatsächlich waren Dick Cashmans Hunde – Nemo, Shackleton und Darwin – alle nach echten oder fiktionalen Entdeckern benannt, was er jedem lang und breit erzählte, der ihn danach fragte. »Bist du wieder gut mir ihr?«

»Weißt du schon, wo wir heute Abend essen?«, wechselte Jack abrupt das Thema. Ihre Tanzstunde hatte es in sich gehabt und sie starb fast vor Hunger. »Was hältst du von der Gramercy Tavern?«, schlug sie vor. Sie konnte es kaum erwarten, mit J.P. in einer der lauschigen Ledersitzecken zu kuscheln und unter den neidischen Blicken der anderen Pärchen eine Flasche Wein zu trinken und ein riesiges Steak zu verschlingen.

»Oh, du willst essen gehen?« J.P. setzte Magellan neben ihr ab und fuhr sich durch die Haare. Der Hund sah Jack an, stieß ein leises Winseln aus und suchte schleunigst das Weite. »Ich hab gedacht, wir könnten heute Abend unsere neue Küche einweihen und zu Hause essen.«

»Von mir aus.« Jack seufzte und versuchte, sich ihre Enttäuschung nicht anmerken zu lassen. Das war zwar definitiv *nicht* die Art von Abend, die sie im Kopf gehabt hatte, aber irgendwie fand sie es süß, dass J.P. es sich gerne mit ihr zu Hause gemütlich machen wollte. Da ihre klapperdürre Mutter nie mehr als achthundert Kalorien pro Tag zu sich nahm, hatte Jack schon mit sieben Jahren gelernt, wie man sich Essen nach Hause bestellte. Wozu selbst kochen, wenn es so viele Menschen gab, die diesen Job bereitwillig für einen übernahmen?

»Ich hab uns ein paar Rezepte ausgedruckt.« J.P. griff nach einem Stapel Blätter, der auf der Küchentheke lag, und reichte ihn ihr: *Lamm-Tajine, überbackener Ziegenkäse mit Thymian-Honigkruste …* Während Jack die Rezepte durchblätterte, die er bei Epicurious.com gefunden hatte, lief ihr das Wasser im Mund zusammen. Es waren alles Gerichte, die sie auch in einem Restaurant bestellt hätte … das konnte man tatsächlich alles *selbst* kochen?

»Meinst du, wir kriegen das überhaupt hin?«, fragte sie zweifelnd. Im Geist überarbeitete sie schnell die Version des Abends, den sie sich ursprünglich ausgemalt hatte. Sie würden nebeneinander, *Hüfte* an *Hüfte* an der Küchentheke stehen … J.P. würde über ihre Schulter hinweg nach irgendeinem Gewürz greifen und dann von hinten die Arme um sie legen, seinen Mund an ihren Hals pressen und …

»Klar«, antwortete J.P. selbstsicher.

Vielleicht ein bisschen *zu* selbstsicher?

Er begann in dem riesigen Edelstahlkühlschrank zu stöbern und holte verschiedene Zutaten heraus. Jack entdeckte auf der Theke ein paar Flaschen Biowein, die eindeutig aus einem der vielen Präsentkörbe stammten, die sie zum Einzug geschenkt bekommen hatte. Sie holte den Korkenzieher aus einer Schublade und machte sich daran, eine der Flaschen zu öffnen.

»Wein?«, fragte sie zuvorkommend.

J.P. nickte zerstreut, während er mit zusammengezogenen Brauen eines der Rezepte durchlas. Dann begann er Schränke zu öffnen und nach weiteren Zutaten zu suchen, die er anschließend in einen hellorangen Le-Creuset-Topf warf, der auf dem einer Sterneküche würdigen Sechs-Brenner-Gasherd stand. Er rührte abwechselnd um, fügte neue Zutaten hinzu und konsultierte von Zeit zu Zeit immer wieder das Rezept, als berge es das Geheimnis des Lebens.

Jack versuchte sich nicht anmerken zu lassen, dass sie tödlich gelangweilt war. »Komm doch mal her, Honey«, hauchte sie mit sexy Stimme und stellte die beiden Gläser mit dem Wein auf das andere Ende der Küchentheke. Was hatte es für einen Sinn, ein romantisches Abendessen vorzubereiten, wenn dabei keine *Romantik* im Spiel war?

»Gleich«, murmelte J.P. leicht ungehalten. »Lass mich das vorher noch schnell fertig machen, okay?«, fügte er etwas sanfter hinzu. Jack kippte den Wein beleidigt in einem Zug, schenkte sich sofort reichlich nach und setzte sich auf die Couch.

Erst als J.P. endlich den Kochlöffel fallen ließ und sich neben sie setzte, wurde ihr bewusst, dass sie bereits zwei Gläser Wein intus hatte.

»Mhmmm … endlich sind wir beide mal ganz allein …«, gurrte sie und rieb ihren Fuß an seinem Knöchel.

»Bist du froh, dass wir zu Hause geblieben sind?«, fragte J.P. heiser und beugte sich über sie. Jack sog mit geschlossenen Augen seinen vertrauten köstlichen Duft nach Eukalyptus ein.

»Und wie«, hauchte sie und küsste ihn. Ihre schlechte Laune war verschwunden.

Plötzlich hörte sie etwas plätschern. Sie fuhr erschrocken hoch und schaute zum Herd – der Inhalt des Topfes kochte über und schwappte wasserfallartig auf den Boden.

Magellan gab ein leises Winseln von sich, kauerte sich vor die Lache und pinkelte daneben, als hätte sie das überkochende Wasser daran erinnert, dass sie dringend mal musste.

»Scheiße!« J.P. sprang auf, rannte zum Herd und schaltete ihn hastig ab. Ein leicht verbrannter Geruch hing in der Luft. Er schnappte sich eine Küchenrolle, wickelte meterweise Tücher aus recyceltem Papier ab und presste sie auf den Eintopf-Fleck am Boden, der sofort aufgesogen wurde. Dasselbe machte er mit der Pfütze, die Magellan hinterlassen hatte. Jack wandte den Blick ab. Sie ertrug es nicht mitanzusehen, wie ihr hübscher Freund am Boden kniete und Hundepisse aufwischte.

Als J.P. alles sauber gemacht hatte, lächelte er zerknirscht. »Tja, sieht so aus, als müssten wir einen zweiten Versuch starten. Willst du diesmal das Rezept aussuchen?«

»Lass uns einfach was bestellen«, seufzte Jack und hatte ihren leidenschaftlichen Kuss von gerade schon vergessen.

»Okay. Du suchst uns irgendwas aus und ich gehe so lange mit dem Hund raus.« J.P. befestigte die Louis-Vuitton-Leine an Magellans mit Swarovski-Kristallen besetzten Halsband – ein weiteres Einzugsgeschenk von Tatiana.

»Ist gut.« Jack trank noch einen Schluck Wein und gab keine Antwort auf sein »Bis gleich, meine Schöne«. Missmutig begann sie die Speisekarte eines Fast-Food-Restaurants in der Nähe zu studieren. Alles, wonach sie sich in diesem Augenblick sehnte, waren ein fetttriefender Cheeseburger und eine extragroße Portion Fritten, und zwar pronto. Und eigentlich am liebsten allein.

Tja, da landen wir mal wieder bei der Frage: Wie viel Nähe verträgt eine Beziehung?

gossipgirl.net

themen ◀ gesichtet ▶ eure fragen antworten

erklärung: sämtliche namen und bezeichnungen von personen, orten und veranstaltungen wurden geändert bzw. abgekürzt, um unschuldige zu schützen. mit anderen worten: mich.

ihr lieben!

wir tun es seit unserem allerersten tag im *all-souls*-kindergarten auf der lexington avenue und wir tun es auch heute noch. wovon ich spreche? vom vater-mutter-kind-spielen natürlich. damals waren die häuser, in die wir mit unseren liebsten einzogen, aus decken und tischtüchern gebaut, die wir zwischen stühle und und schränke spannten. mittlerweile beziehen wir *echte* häuser – herrschaftliche landhäuser auf sea island, eine zweitwohnung in der madison avenue oder eine villa in der toscana. aber eine regel gilt heute genauso wie gestern: je größer die immobilie, desto größer die verantwortung. vor allem wenn es darum geht, eine rauschende einweihungsparty zu feiern, wie zum beispiel die, die für kommenden freitagabend geplant ist – die einweihung der luxuriösen cashman-lofts-anlage. hier ein paar nützliche organisatorische tipps, die ich euch für eure nächste party ans herz legen möchte:

raumaufteilung. entscheidend ist es hierbei, schon vorher bestimmte bereiche festzulegen. eine party verdient diesen namen erst dann, wenn sie über einen vipraum verfügt. sorgt also bitte dafür, dass eure ganz speziellen gäste die edlen tröpfchen an einem besonderen ort vorfinden – und überlasst die cosmos den mädels, die glück hatten, überhaupt eingeladen worden zu sein. ganz wichtig: verschließt unbedingt das elternschlafzimmer. irgendjemand treibt es sonst garantiert in den ägyptischen seidenlaken eurer erzeuger oder kotzt auf den antiken türkischen läufer.

verschärfte einlasskriterien. wer nach der devise »daheim bin ich die königin« lebt, sucht sich selbstverständlich auch seinen hofstaat selbst aus. lasst euren portier wissen, wer reindarf und wer nicht – er wird sich glücklich schätzen, eine ganze nacht lang den rausschmeißer spielen zu dürfen.

leichtigkeit. ziel jeder party ist es, seinen gästen das gefühl zu vermitteln, man würde das ganze jahr über so leben. dazu geht ihr als erstes mit kritischem blick jeden raum ab und lasst sämtliche beweisstücke eurer kindheit sowie der eigenartigen hobbys eurer eltern (ja, auch die nussknackersammlung muss weg) verschwinden. bestellt ein reinigungsunternehmen, das sowohl *vor* als auch *nach* der party das haus auf hochglanz bringt, aber achtet bitte unbedingt darauf, dass es nicht steril wirkt, sonst wird euch in null komma nichts eine putzneurose angedichtet.

und zum schluss das allerwichtigste: während die menschen, die ihr in eurer unendlichen weitsicht angeheuert habt, das haus in schuss bringen – bringt ihr euch selbst in schuss. sorgt dafür, dass ihr **umwerfend** ausseht. ihr seid schließlich die hauptattraktion!

eure mails

f: hey gg!
wann und wo genau findet die party statt?
partyhengst

a: lieber partyhengst,
wenn du das nicht weißt, stehst du wahrscheinlich auch nicht auf der gästeliste. sorry!
gg

f: halo g-girl,
ich abeit für dieses voll kuhle fashon-magazin und seit kurzem haben wir eine parktikantin, die jetz die ganzen dicken storrys kriekt und die lohrbeeren kasiert. die herausgeberien hat einen totalen narren an ihr gefressn, was für uns andre irgendwi total blöd ist. das hat auch gar nix damit zu tun, das ich neidisch were oder so, aber die is noch keine woche dabei und noch voll das kleine mädchen. escht, ey!
aggrobaby

a: hallo zurück!
wenn ich so zwischen deinen zeilen lese, scheint mir doch eine gehörige portion neid mitzuschwingen. aber mal von ihrer kurzen betriebszugehörigkeit und ihrem zarten alter abgesehen – hast du schon mal darüber nachgedacht, dass sie vielleicht einfach eine bessere rechtschreibung hat als du?
gg

gesichtet

B, die mit einer frau mit grauer unfrisur in einem naturkostladen im village ätherische öle und flaschen mit irgendwelchem grünen zeug einkaufte, das wie tang aussah. nimmt da vielleicht jemand die grüne bewegung etwas *zu* wörtlich? **O**, der neben der romeo-und-julia-statue im central park **K**s lippen förmlich verschlang. eine symbolische handlung oder die pure lust? **J** und ihre bffs **S.J.**, die andere **J** und **G**, die in den vip-lounges im bungalow, eldridge und beatrice finlandia schlürften. Es zahlt sich eben aus, einflussreiche freunde – oder *einen* einflussreichen freund – zu haben. **A**, die mit ihrer neuen mentorin ticky bensimmon-heart in deren mercedes-s-klasse-limousine stieg, die vor dem dennen-tower wartete. scheint, als hätte **A** ihren crash-kurs in sachen bürobenimm mit auszeichnung absolviert. **R**, der mit einem hacky sack in der hand im östlichen teil des central parks niedergeschlagen auf einer bank saß und dann mit hängendem kopf nach hause trottete. schluchz, wie traurig!

auf ein letztes wort

hier noch schnell meine goldenste regel, die ich immer beherzige, wenn ich eine party in den eigenen vier wänden schmeiße: ganz egal wie fabelhaft das schloss ist, in dem ich residiere – ich achte stets darauf, noch fabelhafter zu sein. in diesem sinne, ihr lieben – ciaoooo. ich muss ins cornelia day resort eilen, wo meine reinigungsmaske auf sauerstoffbasis und mein honig-zitronen-ganzkörper-peeling auf mich warten. und vergesst nicht: kleine säuberungsaktionen zeigen immer wirkung!

ihr wisst genau, dass ihr mich liebt

gossip girl

heilung fängt da an, wo die fastenkur aufhört

Es war Mittwochmittag, und die Sonne stand hoch am Himmel, aber Baby zitterte trotzdem am ganzen Leib. Sie zog das ausgeleierte rote Nantucket-High-Kapuzenshirt enger um ihren schmalen Oberkörper und lehnte sich an die Steinmauer des Engineers Gate am Eingang zum Central Park Reservoir. Sie war Ophelias Anweisung gefolgt und machte eine Aromaöltherapie und eine Heilfastenkur, was bedeutete, dass sie ausschließlich grüne Smoothies aus frisch gepresstem Kopfsalat, Gurken und Äpfeln trinken durfte. Aber statt energiegeladen und ausgeglichen zu sein, fühlte sie sich ungewaschen, hungrig und dauermüde.

Und durchgeknallt?

Mit letzter Kraft schleppte sie sich die Stufen zum Trimm-dich-Pfad hinauf und begann die mit Kies aufgeschüttete Laufbahn entlangzutrotten. Gott, war ihr schwindelig.

»Hey, Babs! Warte mal kurz!« Ms Mann, ihre Sportlehrerin mit dem mehr als unglücklichen Namen, sprintete hinter ihr die Treppe hinauf und bekam Baby gerade noch an ihren zerzausten braunen Haaren zu fassen.

»Aua!« Baby rieb sich über ihre malträtierte Kopfhaut.

»Na, na, na, so schmerzhaft wird's schon nicht gewesen sein«, entgegnete Ms Mann gelassen und fingerte an ihrer rosafarbenen, mit Smiley-Stickern beklebten Trillerpfeife herum. »Für dich entfällt heute das Laufen, Babs. Komm mit!« Sie führte Baby die Treppe wieder hinunter.

»Alles klar, Coach!«, keuchte Baby atemlos. Seit sie an der Schule war, bestand Ms Mann aus unerfindlichen Gründen darauf, sie Babs zu nennen, und jedes Mal wenn sie sie so nannte, fühlte Baby sich wie eine neunundfünfzigjährige, kaugummikauende Kellnerin aus Oklahoma. Gehorsam folgte sie ihrer Sportlehrerin zu einem schattigen Plätzchen unter einer Ulme.

»Ich hab gehört, dass Baby an irgendeiner total seltsamen ansteckenden Krankheit leidet. Deswegen ernährt sie sich jetzt nur noch von Gemüsesaft und darf die Cafeteria nicht mehr betreten«, raunte Jiffy Bennett in Richtung von Chelsey Chapin, einer kleinen knollennasigen Zehntklässlerin – laut genug, dass Baby jedes Wort mitbekam.

Babys Gesicht verfinsterte sich. Das war echt so was von fies! Es gab Dutzende intriganter kleiner Biester an der Constance Billard, die ihren Mitschülerinnen das Leben zur Hölle machten, und ausgerechnet *sie* bekam von Mrs McLean eine Zwangstherapie auferlegt.

»Babs, ich mache mir ernsthaft Sorgen um dich«, schnarrte die Sportlehrerin in einer Lautstärke, dass es auch die gackernden Zehntklässlerinnen hören konnten, die sich um den Springbrunnen scharten und noch nicht einmal so taten, als würden sie Dehnübungen machen. »Du siehst in letzter Zeit ziemlich schlecht aus. Hast du vielleicht irgendwelche Probleme? Du kannst mit mir über alles sprechen«, fügte sie großzügig hinzu, als könnte Baby auch nur eine Sekunde tatsächlich versucht sein, ihr ihre dunkelsten Geheimnisse anzuvertrauen. Sie trug einen grau melierten Vokuhila, und wären ihre gigantischen Brüste nicht gewesen, hätte man sie glatt mit Mel Gibson verwechseln können.

»Nimmst du Drogen?«, fragte sie lauernd und verengte ihre Augen zu noch schmaleren Schlitzen. Die Rolle der strengen, aber besorgten Sportlehrerin bereitete ihr offensichtlich größtes Vergnügen. »Ich möchte dir doch bloß helfen, Babs.«

»Nett von Ihnen«, sagte Baby nur. Plötzlich erschien ihr alles viel zu kompliziert, um es zu erklären, außerdem war sie zu müde. »Vielleicht geh ich am besten gleich mal zum Arzt«, log sie, ließ die Sportlehrerin einfach stehen und schlurfte Richtung Parkausgang. Auf halber Strecke drehte sie sich noch einmal um, weil sie eigentlich damit rechnete, dass Ms Mann hinter ihr herlaufen würde. Aber da waren nur ein paar Buggy schiebende Kindermädchen, ein Typ, der mit seinem Labrador Gassi ging und zwei Eichhörnchen, die zwischen den Büschen hin- und hersprangen. Sie seufzte. Vielleicht sollte sie wirklich zum Arzt gehen, überlegte sie, als sie an der Ecke 86. Straße stand und darauf wartete, dass die Ampel auf Grün sprang. Sie fühlte sich, als wäre ihr Gehirn irgendwie von ihrem Körper abgekoppelt.

»Baby!«

Sie blinzelte in die Richtung, aus der die Stimme gekommen war, und entdeckte Sydney auf der anderen Straßenseite. Sie trug kniehohe Stiefel, ein rotes T-Shirt mit einem Peace-Zeichen und um den Hals einen absurd großen Kopfhörer, der an einen silbernen iPod nano angeschlossen war. Sie sah aus wie eine DJane auf dem Weg in einen Undergroundclub in Williamsburg.

»Doppelstunde Fotografie?«, rief Baby und deutete auf die Digitalkamera, die an Sydneys Handgelenk baumelte.

Sydney verdrehte die Augen. »Das hätte Mr Beckham wohl gern, aber ich hab mit Webber in der Unimensa abgehangen«, antwortete sie. Ihr Freund studierte im zweiten Semester an der Columbia University. Baby hatte ihn und seine Kommilitonen kennengelernt, als sie und Sydney letzten Monat gemeinsam an der *Rancor*-Ausgabe gearbeitet hatten.

»Ich find's super, dass wir uns immer dann treffen, wenn wir gerade beide die Schule schwänzen. Große Geister haben eben oft die gleichen Ideen!«, rief Sydney, und es schien sie nicht im Mindesten zu kümmern, dass die anderen Passanten jedes Wort hören konnten. Baby lächelte und fühlte sich zum ersten Mal an diesem Tag gut. Sie war gern mit Sydney zusammen, die auf sämtliche Regeln pfiff und sich selten etwas vorschreiben ließ.

Die Ampel schaltete auf Grün und Baby folgte den Touristenhorden über die Straße.

»Lächeln!«, rief Sydney, als sie sich in der Mitte trafen, dann hielt sie ihre Kamera hoch und machte ein Foto von Baby. Stirnrunzelnd betrachtete sie die Aufnahme in dem kleinen Display. »Ich sag's nicht gern, aber du siehst echt scheiße aus«, stellte sie fest.

»Aus dem Weg!« Ein Taxifahrer drückte wütend auf die Hupe, und Baby merkte erst jetzt, dass sie mitten auf der Straße standen, obwohl sie schon längst wieder Rot hatten.

»Du mich auch!«, brüllte Sydney und fasste Baby an der Hand, um sie über die Straße zu ziehen.

»Was ist los mit dir?« Sydney kniff ihre dick mit schwarzem Kajal umrahmten Augen zusammen, als würde ihr in genau diesem Moment klar werden, dass Baby irgendein massives Problem haben musste. »Hast du vielleicht heimlich die Kosmetikartikel deiner Schwester benutzt? Also wenn ja, dann sind die echt nichts für dich. Deine Haut ist total fettig.« Sie fuhr mit dem Zeigefinger über Babys Wange und hielt ihn ihr dann mit hochgezogenen Brauen vors Gesicht. Selbst Baby ekelte es ein bisschen, als sie Sydneys glänzende Fingerspitze sah.

»Vielen Dank«, entgegnete sie ironisch. Für so was hatte sie gerade wirklich keinen Nerv.

»Hey, warum wirst du denn gleich so zickig?«, fragte Sydney ruhig. »Alles klar bei dir? Und warum bist *du* eigentlich nicht in der Schule? Du hast wirklich einen schlechten Einfluss auf mich.« Sie grinste.

»Ich bin vom Sportunterricht abgehauen.« Baby kicherte. Eigentlich war die Situation mit Ms Mann vorhin ziemlich witzig gewesen.

»Vom Sportunterricht *abgehauen*? Wie cool ist das denn, bitte schön? Du bist eine wahre Rebellin. Warum bist du eigentlich nicht schon längst von der Schule geflogen?«, fragte Sydney lächelnd.

Als Baby in Sydneys große, ausdrucksvolle Augen schaute, verspürte sie das plötzliche Bedürfnis, ihr alles zu erzählen. »Das werd ich, wenn ich diese Therapiestunden nicht durchziehe«, sagte sie den Tränen nahe. »Ich weiß einfach nicht mehr, was ich machen soll!«, fügte sie mit bebender Stimme hinzu.

»Scheiße, du bist ja total am Ende, Baby. Aber Mama

Sydney weiß schon, was wir dagegen tun können. Du kommst jetzt erst mal mit zu mir, dann nimmst du eine schöne, heiße Dusche, isst was Anständiges und entspannst dich mal ein bisschen von dem ganzen Mist«, tröstete Sydney sie und winkte routiniert ein Taxi heran, das gerade die Fifth Avenue entlangrauschte.

»93., Ecke West End«, wies sie den Taxifahrer an, ohne Baby aus den Augen zu lassen. Dann hielt sie plötzlich die Nase in die Luft und schnupperte. »Haben Sie zufällig ein Raumspray dabei?«, fragte sie und beugte sich durch die halb geöffnete Plexiglastrennwand nach vorn. Der Fahrer nickte und reichte ihr eine Spraydose.

»Nichts für ungut«, meinte Sydney und begann großzügig die Rückbank einzunebeln. Baby schüttelte den Kopf. Jetzt wo sie in dem geschlossenen Wagen saßen, roch sie selbst, wie unangenehm sie nach diesen ätherischen Ölen stank.

»Gib her!« Sie riss Sydney das Spray aus der Hand und sprühte sich selbst damit ein.

»Hier wohne ich. Willkommen auf der Upper West Side«, verkündete Sydney kurz darauf, als das Taxi vor einem alten, aber hübschen Backsteingebäude hielt. »Meine Mutter ist Psychotherapeutin und mein Vater schreibt eine Kolumne über gute Manieren für die *New York Times*, aber die meiste Zeit lebt er in Washington. Nur deshalb funktioniert ihre Ehe noch.« Sydney grinste, führte Baby zu dem altmodischen vergitterten Fahrstuhl und drückte auf die Fünf.

»Ist das schön hier«, rief Baby, als Sydney die Tür zu einer hellen und geräumigen Wohnung öffnete. Im Gegensatz zu den Apartments auf der Upper East Side, die mit ihren teuren Louis-seize-Möbeln eher an Museen erinnerten, wirkte die Wohnung von Sydneys Eltern heimelig und gemütlich. Im Flur standen deckenhohe Bücherregale mit Erstausgaben und limitierten Sondereditionen und an den Wänden hingen geschmackvolle Kunstwerke aller Art.

»Ab in die Nasszelle mit dir.« Sydney deutete auf eine Tür, die in ein großes, altmodisches Badezimmer führte, in dessen Mitte eine Badewanne mit Löwentatzen stand. Sie folgte Baby in den Raum und ließ heißes Wasser in die Wanne laufen. Kurz darauf waberte weißer Dampf durch den Raum. »Versprich mir, dass du nicht ohnmächtig wirst, okay?«, befahl Sydney. Baby nickte und schloss die Tür hinter ihr.

Als sie nach einer Weile wieder herauskam, sah sie, dass Sydney ihr fürsorglich frische Anziehsachen auf einen Weidenkorb gelegt hatte: ein ausgewaschenes Lollapalooza-T-Shirt aus dem Jahr 1993 und einen weiten schwarzen Rock von American Apparel. Nachdem sie die Sachen angezogen hatte, hatte sie das Gefühl, wieder ein bisschen sie selbst zu sein.

»*Viel* besser«, rief Sydney erleichtert, als Baby in die freundlich blau-weiß geflieste Küche trat. »An dir hab ich heute definitiv eine gute Tat vollbracht. Sorry, wenn ich das so sage, aber du warst ein echtes Wrack.«

»Bin ich immer, wenn ich nichts esse. Apropos …« Baby blickte hoffnungsvoll auf die Küchenschränke aus Pinienholz. Die Küche erinnerte sie an die in ihrem alten Haus in Nantucket. Normalerweise hätte sie bei diesem Gedanken einen massiven Heimweh-Anfall bekommen, aber jetzt war sie einfach nur entspannt und glücklich.

»Es ist bereits angerichtet.« Sydney deutete auf einen Teller mit Rucolasalat und Ziegenkäse, der auf der Küchentheke stand.

»Hast du den etwa gerade selbst gemacht?«, rief Baby verblüfft. Sydney steckte voller Überraschungen.

Ja, und ganz überraschende Körperstellen von ihr stecken voller Piercings …!

»Na klar. Ich hab mir einfach eine Schürze umgebunden und dir ein Mittagessen gezaubert. Natürlich nicht, du Dummi. Ich hab den Lieferservice angerufen!« Sydney verdrehte die großen braunen Augen und stibitzte sich eine Kirschtomate von Babys Salat. Dann setzte sie sich hin und kaute nachdenklich. »Ich wusste nicht, worauf du Hunger hast, also hab ich einfach mal wild drauflos bestellt.« Sie zeigte achselzuckend auf zwei weitere Kartons vom Lieferservice. »Und? Fühlst du dich schon ein bisschen besser? Kannst du mir eigentlich mal erklären, warum zum Teufel du eine Hungerkur machst? Warte … sag nichts! Du hast nichts mehr runtergekriegt, weil du so traurig darüber bist, dass Mrs McLean diese Woche in Ferien ist, stimmt's?«

»Haha«, gab Baby zurück. »Nein. Meine neue Therapeutin hat mir empfohlen, eine Entgiftungskur zu machen.«

»Wie schwachsinnig ist das denn?« Sydney schob einen der Kartons zu Baby rüber und hob den Deckel an. »Gegrillter Käse?«

Baby nickte dankbar. »Was ist denn das?« Sie hatte auf der Küchentheke ein Buch mit dem Titel »Das Leben ist nicht so kompliziert, wie es scheint« entdeckt und zog eine Braue hoch. Ach ja? Auf sie machte das Leben aber einen ganz anderen Eindruck. Sie griff danach und blätterte durch die eselsohrigen Seiten.

»Ach, das hat meine Mutter geschrieben.« Sydney verdrehte wieder die Augen. »Ihrer Philosophie nach müssen die Leute nur ihre Schränke ausmisten und allen überflüssigen Scheiß, den sie mit sich herumschleppen, auf den Müll kippen, um glücklicher zu sein. Und für diese Lebensweisheit knöpft sie ihren Patienten fünfhundert Dollar die Stunde ab. Aber ich kann nicht erkennen, dass das bei ihr besonders viel bringt. Jedes Mal wenn sie sich mit meinem Vater gefetzt hat, schleppt sie tonnenweise Zeug in den Humana-Laden an der Ecke. Du glaubst gar nicht, wie viele von meinen Sachen ich schon wieder zurückkaufen musste«, fügte sie finster hinzu.

»Darf ich es mir mal ausleihen?«, fragte Baby. Auf der Rückseite war ein Foto von Sydneys Mutter abgebildet. Sie sah ein paar Jahre älter aus als Edie und hatte dunkelbraune Haare, die zu einem akkuraten Bob geschnitten waren, der ihr lächelndes, eckiges Gesicht einrahmte. Sie sah nett und vernünftig aus.

»Klar. Noch beschissener als jetzt wird es dir danach auch nicht gehen«, sagte Sydney achselzuckend.

»Bist du dir da sicher?«, fragte Baby grinsend. Vielleicht lag es ja an der Aussicht, nach langer Zeit endlich mal wieder etwas Ordentliches zu essen zu bekommen, aber sie hatte plötzlich das Gefühl, als wäre ihr ein zentnerschweres Gewicht von den Schultern gefallen. Sie nahm sich ein Sandwich aus einem der Kartons, biss davon ab und schloss genießerisch die Augen, als sich der Geschmack des weichen Käses in ihrem Gaumen ausbreitete.

»Eigentlich nicht. Es geht nämlich immer noch eine Stufe beschissener«, sagte Sydney lachend. »Tja dann: auf den Aufstand der Jugend!« Sie prostete Baby mit einem Glas Wasser zu. »Der sollte nicht unterschätzt werden.«

Hört, hört!

r auf dem weg zu sich selbst

Rhys zog sein neues iPhone aus der Hosentasche, als sein Literaturlehrer Mr Shnarck anfing, über John Donne zu schwadronieren und dessen wichtigste biographische Daten an die Tafel zu schreiben. Seine Schüler nannten ihn nur Mr Schnarch und nutzten seine Stunden in der Regel dazu, SMS zu lesen und zu beantworten oder Hausaufgaben für andere Fächer zu erledigen – was Mr Shnarck nicht zu stören schien. Einmal war er sogar selbst eingenickt, während er der Klasse aus der »Ilias« vorgelesen hatte, und erst wieder aufgewacht, als sein Kopf auf der Platte des Lehrerpults aufschlug.

Rhys vergewisserte sich, dass Mr Shnarck ihm den Rücken zukehrte, und senkte dann wieder den Blick auf das Display seines Handys.

alles klar bei dir, alter? lust, heute abend auf n volleyballmatch der l'école-mädels zu gehen? du musst dringend mal auf andere gedanken kommen. junge, die tragen angeblich keine bhs unter ihren trikots …

Rhys drehte sich zu Hugh um, der breit grinste und beide Daumen hochhielt. Er schüttelte den Kopf. Nicht einmal die Vorstellung, französischen Mädchen dabei zuzusehen, wie sie BH-los nach einem Volleyball hechteten, konnte ihn aus seiner Betäubung reißen.

Als er sich wieder umdrehte, sah er, dass Mr Shnarck auf ihn zukam. Oh-oh. »›Kein Mensch ist eine Insel‹!« Er klopfte laut auf Rhys' Tisch, während er Donne zitierte; aus seinem Mund sprühten kleine Spucketröpfchen auf die Platte.

»Sir?« Rhys rückte seinen Stuhl gerade und machte noch nicht einmal den Versuch, sein Handy zu verstecken. Was wollte der Typ von ihm?

»Hätten Sie vielleicht die Güte, Ihre Privatangelegenheiten nach der Stunde zu erledigen und sich wieder mir und Mr John Donne zuzuwenden?«, fragte Mr Shnarck ironisch.

»Entschuldigen Sie bitte, Sir«, murmelte Rhys. Mr Shnarck machte aber trotzdem keinerlei Anstalten zu gehen, sondern fing zur Belustigung der anderen Schüler auch noch an, theatralisch mit der Schuhspitze auf den Boden zu tippen.

»Außerdem möchte ich Sie darauf aufmerksam machen, Mr Sterling, dass wir literaturgeschichtlich noch nicht in der iPhone-Ära angekommen sind.« Er lachte keckernd über seinen lahmen Witz. »Aus diesem Grunde werde ich das Gerät vorläufig an mich nehmen.« Er streckte die geöffnete Hand aus. Ein paar Schüler aus den hinteren Reihen stöhnten genervt. Offiziell waren Handys an der Schule zwar verboten, aber alle anderen Lehrer drückten in der Regel ein Auge zu, wenn sie jemanden dabei erwischten, wie er eine SMS schrieb.

»Mr Sterling?«, forderte Mr Shnarck Rhys erneut auf. Rhys seufzte und drückte ihm das Handy in die Hand. Dann stand er so abrupt auf, dass sein Stuhl mit einem dumpfen Aufschlag auf den Boden polterte.

»Behalten Sie's. Ich bin jetzt nämlich weg«, brummte er, hängte sich seine abgewetzte Ledertasche von Tumi über die Schulter und verließ das Klassenzimmer.

Und das im Literaturunterricht. Dabei heißt es doch immer, die jungen Leute von heute sollen mehr lesen.

Er marschierte mit großen Schritten den Flur entlang, stürmte zwei Stufen auf einmal nehmend die Treppe hinunter und trat schließlich durch die Tür auf die East End Avenue. Sein Herz pochte hart gegen seine Rippen. Er war noch nie mitten im Unterricht abgehauen.

Ohne nachzudenken schlug er den Weg Richtung Park ein und achtete weder auf rote Ampeln noch auf die beiden Mädchen in Constance-Billard-Uniform, die über die Straße gingen. Die größere der beiden zwinkerte ihm im Vorbeigehen verschwörerisch zu – sozusagen von Schulschwänzerin zu Schulschwänzer –, bevor sie mit ihrer Freundin in ein Taxi stieg. Doch im Gegensatz zu den beiden Mädchen, die glücklich und befreit aussahen, fühlte Rhys sich hundselend. Er konnte einfach nicht fassen, dass er seinem Lehrer das verdammte Handy gegeben hatte.

Über sich selbst den Kopf schüttelnd, trottete er an einer Gruppe von Touristen vorbei, die sich auf den Stufen des Met sonnten, und bog nach dem Frick Museum in den Teil des Parks ein, in dem er vor ein paar Tagen die Typen beim Hacky-Sack-Spielen beobachtet hatte. Die Wiese war hauptsächlich von kleinen Kindern und ihren Kindermädchen bevölkert. Er setzte sich neben eine ältere Dame, die Brotkrumen an Tauben verfütterte, auf eine Bank.

»Hey, Kumpel!«

Rhys blickte auf, schirmte mit der Hand die Augen gegen die Sonne ab und sah den Kiffer von neulich, der einen großen grünen JanSport-Rucksack auf dem Rücken trug und auf ihn zujoggte. Er hatte dasselbe gelbe T-Shirt an wie bei ihrer ersten Begegnung; seine filzigen blonden Dreadlocks waren diesmal zu einem unordentlichen Knoten zusammengebunden. »Ich hab mir schon gedacht, dass du hier bist!«

Rhys nickte. *Wieso das denn?*

Siebter Kiffer-Sinn oder so was?

»Wie heißt du eigentlich?«, fragte der Typ, als er bei ihm angekommen war. Im Hintergrund sah Rhys, dass ein paar seiner Hacky-Sack-Kollegen ebenfalls im Anmarsch waren. »Ich bin Lucas. Und das da sind Vince, Lisa und Malia.« Er deutete auf die kleine Gruppe, die sich mittlerweile hinter ihm versammelt hatte.

»Hey.« Rhys betrachtete den Typen, der seine Jeans mit einem zerfransten Seil zugeschnürt hatte, und die beiden Mädchen. Die eine hatte ihre Haare zu zwei dicken Zöpfen geflochten; die andere war ziemlich klein, hatte sich ein Tuch um die stacheligen Haare gebunden und trug einen Ring in der Lippe. »Rhys«, stellte er sich vor.

»Lust auf 'ne kleine Kräuterzigarette, Alter? Oder macht ihr Privatschüler so was nicht?«, fragte Lucas mit Blick auf Rhys' Schulblazer. Er setzte sich neben ihn und hielt ihm einen Joint hin. Rhys nahm ihn, ohne darüber nachzudenken, und drehte ihn unbeholfen zwischen den Fingern. Und jetzt? Sollte er ihn anzünden? Er hatte keine Ahnung.

»Warum seid ihr hier?«, fragte er zusammenhanglos. Er

merkte, dass er den Joint wie eine der H.-Upmann-Zigarren hielt, die sein Vater immer herausholte, wenn »Lady Sterling bittet zum Tee« besonders hohe Einschaltquoten erzielt hatte.

Lisa und Malia breiteten ganz in der Nähe unter einer Eiche ein gebatiktes Tuch aus. Es war nicht zu übersehen, dass Lisa keinen BH unter ihrem fadenscheinigen Flickenkleid trug. Nachdem sie es sich auf dem Tuch gemütlich gemacht hatten, zog Lisa eine Ukulele hervor und begann ungeübt die ersten Takte von »Norwegian Wood« zu spielen, während Malia wohlig seufzte und ihren Kopf in Lisas Schoß bettete. Rhys sah ihnen wie gebannt zu. Sie waren überhaupt nicht sexy oder hübsch, aber sie schienen sich so unglaublich wohl mit sich selbst zu fühlen, dass er kaum den Blick von ihnen wenden konnte.

»Habt ihr keine Schule?«, knüpfte Rhys an seine Frage von eben an, während er immer noch unschlüssig den Joint hin und her drehte.

»Das ist unser Park, Alter«, raunte Lucas geheimnisvoll und zog bedeutungsschwer die Brauen hoch. Dann nahm er Rhys den Joint aus der Hand, zündete ihn mit einem Zippo an und nahm einen tiefen Zug, als hätte er gespürt, dass Rhys erst eine kleine Demonstration benötigte. »Hau rein, Mann.« Er reichte ihm den Joint zurück. Rhys zog ungeschickt daran, inhalierte tief und versuchte, nicht zu husten, während er den Rauch in den Lungen hielt. Vergeblich. Als er den Rauch ausblies, wurde er von einem heftigen Hustenanfall geschüttelt.

»Das erste Mal ist immer hart«, meinte Lucas verständnisvoll.

»Woher wusstest du das?«, fragte Rhys erstaunt. Er hatte keine Ahnung, ob es am Gras lag oder daran, dass

Lucas und seine Freunde ganz anders waren als die Leute, mit denen er sonst zu tun hatte, jedenfalls fing er allmählich an, sich zu … entspannen. Vielleicht war sein Leben ja doch nicht so beschissen. Vielleicht brauchte es zu einem bisschen Glück bloß die Sonne und die Tauben im Central Park an einem milden Herbsttag.

Mhmhm, träum weiter, Herzchen.

»Ich wusst's einfach.« Lucas zuckte mit den Achseln und kratzte sich an der Nase. Rhys bemerkte ein paar pinke Nagellackreste auf seinen ansonsten dreckverkrusteten Fingernägeln. »Komm, auf der Decke ist es gemütlicher«, sagte Lucas schließlich und zeigte auf die Eiche, unter der Vince, Malia und Lisa ihr Lager aufgeschlagen hatten und sich gegenseitig Pusteblumen in die Haare flochten.

»Wir waren bei Citarella und haben ein paar Snacks mitgebracht!« Lucas zeigte auf einen Haufen Brotlaibe und diverse Gemüsesorten, die neben der Decke im Gras lagen.

Rhys betrachtete die Lebensmittel skeptisch. Citarella war ein Feinkosthandel, in dem seine Mutter gerne einkaufte. Aber das Zeug da sah aus, als würde es aus dem Müllcontainer stammen.

»Nachmittage sind gut, weil nicht so viel los ist. Da machen die meisten Inventur«, sagte Lucas kryptisch und bot Rhys eine zerquetschte Aubergine an. Sie sah aus, als hätte sie einen Aufprall aus hundert Metern Höhe hinter sich. Rhys schüttelte den Kopf.

»Echt nicht?« Lucas wirkte enttäuscht. »Eine Orange vielleicht?« Er warf ihm eine zu, die noch halb grün war. »Das nächste Mal musst du mitkommen, dann kannst du dir dein Essen selbst aussuchen. Ich seh dir doch an, dass du der ultimative Freeganer bist.« Lucas lachte und biss in die rohe Aubergine, die einen merkwürdigen quietschenden Laut von sich gab.

»Oh, nein, nein. Ich esse Fleisch«, widersprach Rhys. Seine Mutter hatte ihn mit elf einmal in ein Rohkost-Restaurant mitgenommen, wo das Essen so dermaßen scheußlich geschmeckt hatte, dass er sich den ganzen restlichen Tag hatte übergeben müssen. »Das ist unsere gute britische Abstammung!«, hatte sein Vater gesagt, als wäre er stolz darauf, dass der Magen seines Sohnes sich nicht zur Verdauung von Rohkost eignete.

»Na klar, Alter.« Lucas nickte. »Wir auch. Wir sind schließlich *Freeganer*«, betonte er das letzte Wort, als würde das irgendetwas erklären. »Wir essen nur Sachen, für die wir nichts bezahlen müssen, klar? Vielleicht hast du schon mal was von Leuten gehört, die *containern*? Obwohl wir diese Bezeichnung eigentlich ablehnen, weil sie dem typischen kapitalistischen Wohlstandsdenken entspringt.« Lucas nickte nachdenklich und nahm noch einen Bissen von seiner Aubergine.

Rhys zog die Nase kraus. War er schon bekifft oder hatte er das richtig verstanden? Lucas und seine Freunde besorgten sich ihr Essen aus *Abfallcontainern*? Vielleicht sollte er ihnen seine Hilfe anbieten? Sozusagen als ein Akt der Nächstenliebe. Das könnte er dann in dem Essay für seine Unibewerbung thematisieren und später würde er für seine humanitäre Einstellung möglicherweise sogar den Nobelpreis verliehen bekommen.

»Ich wohne nur ein paar Blocks entfernt, wenn ihr wollt, könnt ihr jederzeit zum Essen vorbeikommen«, bot er ihnen an. Er hoffte nur, dass sie vorher duschen würden.

»Oh, das ist schon okay, mein Freund. Ich wohne gleich dort drüben.« Lucas zeigte über die Bäume hinweg auf eines der hoch aufragenden luxuriösen Apartmentgebäude, die seitlich an die Fifth Avenue grenzten. »Wir verweigern uns nur dem Konsumterror. Aber kein Stress, Mann. Wir akzeptieren hier jeden. Komm, bleib ganz locker.« Lucas lächelte.

»Wusstet ihr, dass man die Aubergine auch Eierfrucht nennt? Wer sich das wohl ausgedacht hat? E-i-e-r-f-r-u-c-h-t!« Er strich verwundert über die glänzende purpurne Haut. Rhys nickte. Plötzlich kam ihm das bauchige Gemüse wirklich wie das riesige Ei einer unbekannten Spezies vor.

»Genau, sie ist weder ein Ei noch eine Frucht.« Lisa kicherte. »Eigentlich müsste sie violettes Walross heißen!«

Rhys lachte. »Hey, Alter, hast du mal Feuer?«, fragte er mit schwerer Zunge. Vince beugte sich mit einem Feuerzeug zu ihm vor. Er zog an dem Joint und wusste nicht, ob er den Rauch sofort ausblasen sollte oder … *Scheiße*. Plötzlich begann er sich die Seele aus dem Leib zu husten und prustete dabei einen feinen Spuckesprühnebel auf die Eierfrucht.

»Yeah, Mann. Guter Zug.« Vince lächelte breit – bildlich wie wörtlich. Rhys lächelte zurück und sog gleich die nächste Ladung Rauch in seine Lungen ein.

»Macht ihr das jeden Tag?«, fragte er und blickte in die entspannten, glücklichen Gesichter seiner neuen Freunde.

Ist da etwa jemand auf den Geschmack gekommen?

»Willst du es wirklich wissen?« Lucas stützte sich auf seinen Ellbogen und beugte sich zu Rhys' Ohr vor. »Wir sind auf einem *Walkabout*.«

»Wie bitte?« Was war ein Walkabout? So eine Art Workout? Oder ein Uniseminar?

»Wir gehen alle auf die Darrow und dürfen das ganze Schuljahr dazu nutzen, uns selbst zu entdecken. Ein paar von uns sind nach Afrika gegangen, andere nach Mittelamerika, um dort beim Häuserbau zu helfen, aber wir haben beschlossen, einfach hierzubleiben und uns selbst zu erfahren. Ist echt ein ziemlich cooler Trip. Was ist deine Geschichte?«, fragte Lucas und setzte den Joint wieder an die Lippen.

Rhys nickte nachdenklich. Die Darrow war eine alternative Schule in Greenwich Village, auf der die Zwölftklässler gemeinsam mit den Kindergartenkindern unterrichtet wurden. In den Schulen auf der Upper East Side wurde immer über ihr mieses Ranking im Internet gelästert, dem zu entnehmen war, dass in den letzten fünf Jahren nur ein einziger Darrow-Absolvent von einer Eliteuniversität angenommen worden war. Aber jetzt schämte er sich fast dafür, sich jemals über diese Schule lustig gemacht zu haben. Was brachte es schließlich schon, ständig nur an Noten und sportliche Höchstleistungen zu denken und immer der Beste sein zu wollen?

»Ich bin auch auf einem Walkabout«, verkündete Rhys. Und zwar ab jetzt.

»Cooooool, Mann!«, sagte Lucas mit schleppender Stimme.

Rhys legte sich auf den Rücken und blickte zu den bauschigen Zuckerwattewolken am Himmel hoch und war plötzlich wahnsinnig zufrieden.

dessous-shopping ist kein publikumssport

»Da ist Jack Laurent!«

Jack blieb an der Ecke 63. und Madison Avenue mitten auf dem von Fußgängern bevölkerten Gehweg stehen und blickte sich um. Es war Mittwochnachmittag; sie war mit J.P. verabredet und ein bisschen spät dran, dabei wollte sie ihn auf keinen Fall zu lange warten lassen – zumal sie die Nachmittagsstunde Biologie dazu genutzt hatte, einen neuen Plan auszuhecken.

Beinhaltet dieser Plan zufällig das Biologiethema sexuelle Lockstoffe und Pheromone?

Ein dicklicher Typ in einem viel zu engen Poloshirt und knielangen Cargoshorts kam wild winkend auf sie zugewatschelt.

»Hey, du bist doch das Mädchen vom Plakat!« Er lächelte sie bewundernd an und streckte ihr die Hand hin. Jack nickte stumm und fühlte sich wie ein Reh, das von Autoscheinwerfern erfasst wird.

»Was ist das denn für ein Plakat, Schätzchen?«, fragte

eine Frau in einem Trainingsanzug, die gerade vorbeigejoggt kam. Eilig zog sie eine klobige Nikon aus ihrer glänzenden rosa LeSport-Tasche und fing an, Fotos von Jack zu schießen. »Weiß zufällig jemand, wer sie ist?«, rief sie, während sich eine kleine Menge Schaulustiger um Jack scharte.

»Hi«, sagte Jack wenig einfallsreich. Sie kam sich extrem exponiert vor und genierte sich fast ein wenig. *So* berühmt war sie dann ja auch wieder nicht, und irgendwie kam es ihr etwas unpassend vor, hier auf offener Straße zu stehen und sich angaffen zu lassen. »Tut mir wirklich leid, aber ich bin spät dran.

Bitte keine Fotos!

Sie setzte eilig über die Straße, um ihren Belagerern zu entkommen und sich endlich mit J.P. zu treffen. Vor lauter Terminen wusste sie kaum noch, wo ihr der Kopf stand – Jeannette und Candice, die PR-Frauen von Dick Cashman, hatten einen mörderischen Zeitplan für sie aufgestellt, in dem sich Shootings und Auftritte jagten. Höhepunkt des Ganzen war die riesige Einweihungsparty am Freitagabend, an dem die luxuriöse Anlage offiziell eröffnet wurde. Sie und J.P. hatten sich in der letzten Zeit zu Hause nur noch die Klinke in die Hand gegeben, und heute war praktisch das erste Mal, dass sie sich außerhalb des Apartments sehen würden – ein ganzer Nachmittag ohne Magellan. Endlich! Sie hätte jauchzen können vor Freude. Und gleich würde sie mit J.P. zu Barneys in den fünften Stock gehen, sich von ihm dabei beraten lassen, welche wahnsinnig sexy Unterwäsche sie sich kaufen sollte, und ihm dann von ihrem Plan erzählen: Freitagnacht nach der Party würden sie *ES* endlich tun. Das würde das perfekte erste Mal werden.

»Da bist du ja, meine Schöne!« J.P. schob sich durch eine japanische Touristengruppe, die die gesamte Breite des Gehwegs einnahm und von dem Luxuskaufhaus mit Kultstatus eifrig Fotos knipste. Jack lächelte, obwohl es ihr ein bisschen die Laune verdarb, als sie sah, dass er – schon wieder – sein hässliches hellgelbes Riverside-Prep-Squash-Trikot aus Polyester anhatte. Sie konnte nur hoffen, dass es zwischenzeitlich eine Waschmaschine von innen gesehen hatte.

»Hey!« Sie griff nach seiner Hand und wollte ihn schnell durch die vergoldete Eingangstür in den Laden ziehen. Es war nicht so, dass sie sich für ihn schämte, aber irgendwie kam es ihr ein bisschen abgeschmackt vor, sich mit ihrem Freund vor Barneys zu treffen.

»Warte mal! Lass ihn erst noch ein paar Fotos von dir machen!« J.P. zeigte auf einen Typen mit Kamera, der auf der anderen Straßeseite stand. »Mein Vater würde sich riesig freuen. Er ist total begeistert über die tolle Presse, die die Cashman-Lofts gerade bekommen.«

Jack runzelte die Stirn. Hallo? Zufällig sollte das ein ganz privater Moment werden, in dem sie ihm sagen wollte, dass sie *bereit* war.

Tja, anscheinend hat da jemand das Drehbuch nicht richtig gelesen.

»Ich will mit dir allein sein. Jetzt komm schon«, schmollte sie und schob ihn durch die Tür. Kaum hatten sie Barneys betreten, begann sie sich zu entspannen. Dann stand da eben ein perverser Typ auf der Straße, der unbedingt ein paar Fotos von ihr schießen wollte – und wenn schon? Das hier war Barneys, ihr zweites Zuhause, der Ort, an dem einen niemand belästigte.

»Jack Laurent, Schätzchen!« Eine Frau um die vierzig

eilte auf sie zu und krallte sich in ihren Ellbogen. Sie trug ein eng sitzendes schwarzes Kostüm von Tocca und hatte ihre Haare so straff nach hinten gebunden, dass ihre Augen unnatürlich asiatisch wirkten. Auf ihrem Namensschild stand »Gladys«. »Wie schön, dass Sie unser Haus besuchen. Als neues It-Girl von Manhattan möchten wir Ihnen unbedingt ein paar unserer ganz aktuellen Herbstangebote zeigen«, säuselte Gladys und drängte Jack zum Make-up-Stand von Natura Bissé.

»Sehr freundlich, aber wir müssen leider nach oben«, sagte Jack kurz angebunden. Sie wollte jetzt endlich mit J.P. in die Unterwäscheabteilung und herausfinden, welche schwarzen La-Perla-Dessous er am liebsten an ihr sah. »Komm, J.P.«, fügte sie unnötigerweise hinzu und führte ihn untermalt vom Klackern ihrer Kitten-Heels über den glänzenden Marmorboden zu den Aufzügen.

»Jack Laurent, Darling!« Ein winziger Verkäufer mit Stachelfrisur stellte sich ihr in den Weg. Er war höchstens einen Meter fünfzig groß, sodass Jack ihn um mehrere Köpfe überragte und sehen konnte, dass eine Ansatzfärbung seiner blondierten Haare mehr als überfällig war. »Ich bin ein Riesenfan von Ihnen. Ich habe in der *New York Post* gelesen, dass Sie Tänzerin sind, aber das Modelgeschäft ist doch *viel* perfekter für Sie. Ich habe schon ein paar Kleider ausgesucht, in denen ich Sie mir wahnsinnig gut vorstellen könnte – diese Saison werden alle wie Jack aussehen wollen, glauben Sie mir!«

Auf seinem Namensschild stand »Mick«, und er hüpfte so aufgeregt vor ihr auf und ab wie Magellan, die wahrscheinlich in diesem Moment auf ihr Bett pinkelte. »Darf ich sie Ihnen *bitte* zeigen?«, flehte er. Sie hatte den Eindruck, dass aus jeder einzelnen seiner Poren der süßliche Geruch von Acqua di Parma strömte. »Ihrem Freund natürlich auch, das versteht sich ja von selbst. Sie haben ganz gewiss den richtigen Riecher.« Mick zwinkerte anbiedernd.

Jack versteifte sich innerlich. Gratisklamotten aufgedrängt zu bekommen, klang in der Theorie zwar traumhaft, aber in der Praxis fühlte sie sich unter dem gierigen Blick dieses Zwerges irgendwie eher nackt und schutzlos.

Dabei ist nackt und schutzlos doch erst für Freitagnacht geplant …

Sie schüttelte leicht verstimmt den Kopf. »Sehr freundlich, aber ich komme lieber ein anderes Mal wieder. Vielen Dank, Nick.« Sie lächelte schmallippig.

»Aber natürlich! Und, ähm, ich heiße Mick. Hier ist meine Karte. Sie können mich *jederzeit* anrufen«, fügte er eindringlich hinzu. »Ich würde so gern als Stylist arbeiten und glaube, dass wir ein *wunderbares* Team wären!«

Jack unterdrückte ein genervtes Schnauben. »Komm. Lass uns gehen«, sagte sie schroff zu J.P., der etwas verloren mit verschränkten Armen dastand und aussah wie die meisten Typen, die von ihren Freundinnen zum Einkaufen mitgeschleppt werden.

»Ich dachte, du wolltest hierher, weil du dringend irgendwas kaufen musst?« Er sah sie leicht verwirrt an.

Jack schüttelte bestimmt den Kopf. »Hat sich erledigt. Und jetzt komm endlich!«

Als sie wieder auf die Straße traten, drückte sich immer noch eine kleine Menschenmenge neben dem Eingang herum, die offenbar von dem Typen mit der Kamera angezogen worden war wie Haie von Blut. Jack setzte ihre Fliegerbrille von Gucci auf und versuchte, beschäftigt und wichtig auszusehen. *Perfekt*, skandierte sie in Gedanken. Das war ihr Mantra, das Wort, das sie sich vorsagte, wenn sie eine fehlerlose Pirouette hinlegen, eine gute Note schreiben oder sich verdammt noch mal einfach beruhigen wollte.

»Und wohin jetzt?«, fragte J.P. und legte den Arm um Jacks von einem marineblauen Sutton-Studio-Kaschmirpullover verhüllte Schulter. Sie schüttelte ihn ab.

»Nach Hause«, brummte sie und verschränkte die Arme vor der Brust. Ihr war plötzlich kalt, sie war unendlich erschöpft, und sie wusste nicht, ob sie es ertragen könnte, wenn noch irgendetwas nicht nach Plan laufen würde.

»Klingt gut.« J.P. lächelte glücklich und hielt sofort ein Taxi an, als hätte er die ganze Zeit nichts anderes gewollt. Vielleicht war es ja auch genau so?

Jack seufzte leise. Sie hätte nicht Nein gesagt, wenn J.P. ihr vorgeschlagen hätte, in der Rose Bar etwas zu trinken oder im Balthazar zu essen. Aber sie wusste, dass er es nicht tun würde. Erst diese Woche war ihr klar geworden, was für ein Stubenhocker J.P. war. Vielleicht war er schon immer so gewesen, und sie hatte es nur deswegen nicht gemerkt, weil sie nicht zusammengewohnt hatten.

Im Taxi Richtung Downtown bekam sie plötzlich einen klaustrophobischen Anfall. Genevieve, Sarah Jane und Jiffy machten sich wahrscheinlich in exakt diesem Moment fertig, um auszugehen. Wahrscheinlich würden sie erst Cocktails trinken, dann irgendwo schick essen, danach in einer Bar noch mehr Cocktails trinken und zu guter Letzt in irgendeinem angesagten Club gepflegt versacken. Und sie konnten nach Hause gehen, wann immer sie wollten, ohne sich Sorgen machen zu müssen, dass ein widerlicher kleiner Köter in ihr Öko-Bambusbett gepinkelt hatte.

Andererseits konnten sie natürlich nur deshalb tun und lassen, was sie wollten, weil sie Singles waren. Ein Schicksal, das Jack auf keinen Fall mit ihnen teilen wollte. Im Übrigen würden sie und J.P. mit all der feien Zeit, die sie nach der Party am Freitag haben würden, definitiv etwas *Sinnvolles* anzustellen wissen.

Jawoll! Das ist die richtige Einstellung!

dienst ist dienst und schnaps ist schnaps

»Name?«, fragte der stämmige Türsteher, als Avery am Mittwochabend auf den verglasten Eingang des Thom zuging – der Bar, in der sie mit James verabredet war, um über die Jack-Laurent-Story zu sprechen.

»Avery Carlyle«, sagte sie selbstbewusst, obwohl ihr Herz wie wild klopfte. Sie stand kurz vor ihrem Durchbruch und war fest entschlossen, sich ihren beruflichen Erfolg von nichts und niemandem vermasseln zu lassen. Ihre erste Woche bei der *Metropolitan* war zwar beschissen gelaufen, und jetzt würde sie ausgerechnet an einem Artikel über ihre Erzfeindin mitarbeiten müssen, aber ihr Kollege war ein einflussreicher Journalist, der sie ernst nahm – und der offensichtlich kein Problem damit hatte, mit einer *Praktikantin* etwas trinken zu gehen. Um seriös und intelligent und gleichzeitig sexy auszusehen, hatte sie ein Kleid mit Rückenausschnitt von The Row angezogen, zu dem sie graue Wildleder-Ankleboots trug; ihre Haare hatte sie im Nacken zu einem Knoten geschlungen.

»Ihre Verabredung wartet bereits auf Sie«, sagte der Türsteher und ließ seinen Blick anerkennend über ihre Figur gleiten.

»Danke.« Avery trat würdevoll durch die Tür und stieg die enge, von Kerzen beleuchtete schwarze Wendeltreppe hinunter. Sie konnte kaum glauben, dass sie tatsächlich hier war. Das Thom war eine ultra-exklusive Restaurant-Bar mit edler Speisekarte auf der Thompson Street im West Village, die dem Medienmogul und Milliardär Towson Wexler gehörte. Hier kamen nur handverlesene Gäste rein – wer im Thom etwas trinken wollte, musste die Reservierung über Towson Wexlers persönliche Assistentin vornehmen. Dafür konnten die Gäste aber auch darauf zählen, den Abend in absolut geschützter Privatsphäre zu verbringen, denn Kameras und internetfähige Handys waren in der Bar streng verboten.

»Aviary!«

James winkte ihr von einer niedrigen schwarzen Lederbank in einer Ecke aus zu. Avery lächelte strahlend, und es machte ihr noch nicht einmal etwas aus, dass sein schottischer Akzent ihren Namen wie das englische Wort für einen großen Vogelkäfig klingen ließ.

Alles ist besser als *»Praktikantin!«*.

James trug zu seinem Nadelstreifenanzug von Hickey Freeman eine Krawatte mit Paisley-Muster, trotzdem ließ ihn diese Kombination nicht total schwul aussehen, sondern betonte seinen leichten Drei-Tage-Bart und verlieh ihm eine gewisse europäische Eleganz.

»Hi, James.« Avery setzte sich neben ihn.

»Was möchten Sie trinken?«, fragte er und winkte gleichzeitig einer Kellnerin.

»Einen Wodka-Gimlet bitte«, trug sie der blonden Kellnerin selbstbewusst auf, die nickte und wieder davonglitt. Ihre Großmutter hatte immer Wodka-Gimlet bestellt – einen Drink, der für Avery seither ein Synonym für Raffinesse und Glamour war.

»Wodka-Gimlet. Man erkennt sofort, dass Sie Tickys Praktikantin sind.« James grinste und nahm einen Schluck aus seinem Wasserglas. Avery wunderte sich, dass er keinen Alkohol bestellt hatte. Seltsam. Aber im nächsten Augenblick kam auch schon die Kellnerin zurück und stellte ihr Getränk auf den schwarzen Lacktisch.

»Dann erzählen Sie doch mal, Avery. Welche Story von mir hat Ihnen denn bisher am besten gefallen?« James blickte ihr forschend in die Augen und rutschte auf der Bank so nah an sie heran, dass sie eines der schwarzen Sitzkissen teilten. »Ich höre gern, was schöne Mädchen von meiner Arbeit halten.«

Avery lächelte etwas dümmlich und dachte krampfhaft über eine Antwort nach. Meistens übersprang sie die Artikel in der *Metropolitan* und konzentrierte sich hauptsächlich auf die Modestrecken. »Ach, wissen Sie, es ist wirklich wahnsinnig schwer, sich da nur für eine einzige zu entscheiden. Ich finde alles, was Sie schreiben, unglaublich gut«, flunkerte sie in der Hoffnung, er würde ihr Ausweichmanöver nicht durchschauen. Sie sah sich in der Bar um. Obwohl es ein ganz gewöhnlicher Mittwochabend war, saß ein paar Tische weiter die berühmte TV-Moderatorin Barbara Walters und unterhielt sich angeregt mit einem weißhaarigen Mann, während in einer anderen Ecke eine Gruppe langhaariger Models dicht gedrängt zusammensaß und wild durcheinanderplauderte.

Als James grinste, lächelte Avery verunsichert zurück,

klimperte mit den schwarz getuschten Wimpern und hoffte, er würde sie nicht für komplett hohl halten.

»Welchen Ihrer Artikel mögen *Sie* denn am liebsten?«, fragte sie ihn und schämte sich für die Frage, noch bevor sie sie vollständig ausgesprochen hatte. Irgendwie hörte es sich so an, als hätte sie ihn nach seinem Lieblingstier gefragt. Sie griff nach ihrem Wodka-Gimlet und trank ihn zur Hälfte aus, um ihm nicht noch mehr peinliche Fragen zu stellen.

Welche denn? Zum Beispiel die nach seinem Alter?

»Ah … die gute alte Journalistentaktik, eine Frage mit einer Gegenfrage zu beantworten.« James lächelte.

»Ganz genau«, entgegnete Avery mit nervösem Kichern. Bis jetzt verlief der Abend nicht so glatt, wie sie gehofft hatte. Glücklicherweise wurde der Raum nur von kleinen Tiffany-Lampen beleuchtet, die diskret auf Sideboards verteilt waren, sodass James nicht sehen konnte, dass sich auf ihrem Dekolleté bereits hektische Flecken ausbreiteten. Dieses sogenannte *Arbeitstreffen* fühlte sich verdächtig nach einem romantischen Date an. Nicht dass sie etwas dagegen gehabt hätte … Ihre Schwester war eben nicht die Einzige, die sich einen Europäer angeln konnte.

Meine Damen und Herren, herzlich willkommen zur Angel-Weltmeisterschaft in der Carlyle'schen Disziplin!

»Na schön, dann sage ich Ihnen, welches meine Lieblingsstorys sind. Am liebsten sind mir die, in denen wir den goldenen Vorhang von Manhattan lüften. Ich bringe gern die innersten Beweggründe und Sehnsüchte der Leute ans Licht«, sagte James. »Ihr New Yorkerinnen seid schon sehr früh sehr reif!« Sein Blick wanderte zu Averys fast leerem Wodkaglas. Ooops! Sie musste sich ein bisschen zügeln. Sie war schließlich beruflich hier.

»Erzählen Sie mir mehr über sich …« James lehnte sich gegen eines der steifen schwarzen Lederkissen.

»Trinken Sie denn gar nichts?«, konnte Avery es sich nicht verkneifen zu fragen.

»Ich trinke nie während der Arbeit.« James zuckte die Achseln. »Ist eine lange Geschichte. Aber Sie sind Praktikantin, also tun Sie sich keinen Zwang an. Wissen Sie, wenn man noch jung ist, kann Alkohol ganz hilfreich sein. Er wird erst dann zum Problem, wenn man die dreißig überschritten hat«, erklärte James wehmütig. Avery fragte sich, wie alt er wohl war. Auf sie wirkte er jünger als dreißig.

»Sie wollen etwas über mich erfahren? Okay. Ursprünglich stamme ich aus Nantucket«, beantworte Avery seine Frage. »Aber meine Großmutter, Avery Carlyle die Erste, lebte ihr Leben lang in New York. Als sie starb, zog meine Mutter mit uns hierher, um den Nachlass zu regeln. Für mich ist damit ein Traum in Erfüllung gegangen, ich wollte schon immer in New York wohnen. Allerdings wäre es natürlich schöner, wenn meine Großmutter noch am Leben wäre.« Avery lächelte wehmütig.

»Hmm, ah ja.« James klang höflich gelangweilt und spielte mit dem Strohhalm in seinem Glas.

»New York ist wirklich eine irrsinnig tolle Stadt«, fügte sie hastig hinzu. Großartig, jetzt hörte sie sich auch noch an wie irgendeine dahergelaufene Touristin. Als Nächstes würde sie ihn fragen, ob er Lust hatte, mit ihr aufs Empire State Building zu fahren.

»Finden Sie, ja?«, sagte James leichthin. »Oha, Sie haben ja gar nichts mehr zu trinken«, bemerkte er dann und gab der vorbeihuschenden Kellnerin ein Zeichen. Nur wenige Sekunden später stand ein frischer Wodka-Gimlet vor Avery.

»Was gefällt Ihnen denn am besten an dieser tollen Stadt?«, knüpfte James an ihre letzte Bemerkung an und beugte sich wieder etwas näher zu ihr vor.

»Dass es hier keine Regeln gibt.« Avery errötete, nahm einen tiefen Schluck von ihrem Drink und rückte ein paar Zentimeter von ihm ab. Dass er jetzt plötzlich so offensichtliches Interesse bekundete, überforderte sie dann doch etwas. Fand sie ihn anziehend? War das tatsächlich ein Date? Viel zu viele Fragen wirbelten ihr durch den Kopf.

»Keine Regeln? Ooo-kay!« James' Augen begannen zu leuchten. »Erzählen Sie mir mehr! Sind diese Privatschulen für Mädchen wirklich so ein Sündenpfuhl, wie die Medien uns immer glauben machen wollen?«

»Nein, das ist natürlich maßlos übertrieben. Aber langweilig ist unser Leben auch nicht gerade …« Avery versuchte sich verzweifelt an eine Anekdote aus ihrem Leben an der Constance Billard zu erinnern, die James interessieren könnte. Natürlich konnte sie ihm nicht erzählen, dass sie nur zwei Freundinnen an der Schule hatte: ihre Schwester und ein gepierctes, tätowiertes Mädchen, das womöglich bisexuell war. »Meine Freundin Jiffy gibt sich gerne als ihre ältere Schwester aus, um sich auf VIP-Partys und Galas einzuschleichen, und eine andere Freundin von mir klaut sich Klamotten aus dem Fundus der Modezeitschrift, bei der ihre Mutter Chefredakteurin ist«, erzählte sie schließlich.

»Ja, aber das ist doch Schulmädchenkram. Ich wette, das würden Sie ganz genauso machen, wenn Sie die Gelegenheit dazu hätten«, winkte James ab. »Erzählen Sie mir lieber vom Glamourleben der Jeunesse dorée der Upper East Side.«

»Na ja, wir kommen in *jeden* Club der Stadt, ohne dass irgendwer unsere Ausweise sehen will. Und meine andere Freundin Genevieve macht immer mit total langweiligen, drittklassigen Hollywoodschauspielern herum, die sich aber nur mit ihr abgeben, weil ihr Vater Regisseur ist.« Avery schlug die Beine übereinander und kam langsam in Fahrt.

»Sie brauchen noch einen Drink!« James winkte der Kellnerin und legte dann eine Hand auf Averys nacktes Knie. Als sie den Blick senkte und sah, dass er keinen Ehering trug, zog sich ihr Magen nervös zusammen.

Meint sie nicht vielmehr *wohlig*?

»Das klingt doch schon spannender, Süße. Was für Geschichten haben Sie noch auf Lager?«, fragte James. Avery blinzelte und spürte, dass sie leichte Konzentrationsschwierigkeiten hatte. Worüber hatten sie gerade geredet? Egal! James hatte sie *Süße* genannt! Ihre Fantasie begann augenblicklich, das Drehbuch für ihr gemeinsames Leben zu schreiben: Sie würden heiraten und beide als einflussreiche Journalisten arbeiten, die die Macht besaßen, das Ansehen anderer zu steigern oder aber zu zerstören. Sie würden *das* Paar der Stadt sein und in ihrem klassischen New Yorker Sechs-Zimmer-Apartment verschwenderische Dinnerpartys geben, auf denen sich alles traf, was in der Medienwelt Rang und Namen hatte.

James räusperte sich und lehnte sich wieder ins Kissen zurück. »Aber vielleicht sollten wir jetzt endlich einmal anfangen, ernsthaft zu arbeiten. Wie hat dieses Cashman-Loft-Mädchen es geschafft, New York innerhalb so kurzer Zeit in seinen Bann zu ziehen?« Er zog fragend eine Braue hoch.

»Sie meinen Jack?« Averys Hochstimmung bekam einen kräftigen Dämpfer. Sie hätte lieber über etwas anderes gesprochen. Zum Beispiel über sich selbst. Oder über sich und James. Um Zeit zu gewinnen, hob sie ihren eben servierten Wodka-Gimlet an die Lippen und nahm einen Schluck. Dass es bereits ihr dritter war, fiel ihr erst auf, als sie ihn bereits zur Hälfte ausgetrunken hatte.

»Sie ist … anders«, sagte sie schließlich.

»Inwiefern? Wie ist sie überhaupt an dieses Loft gekommen?«

»Das waren … besondere Umstände«, antwortete Avery geheimnisvoll. »Ihr Freund ist ein Cashman und sie steht seiner Familie sehr nahe. Außerdem hätte sie es sich gar nicht leisten können, dieses Angebot von Dick Cashman abzulehnen. Ihre eigene Wohnsituation war nämlich ein bisschen prekär …« Sie verstummte.

»Ihr Freund muss vollkommen verrückt nach ihr sein, wenn er seinen Vater dazu gebracht hat, ihr ein eigenes Apartment zu schenken«, dachte James laut nach.

»Sieht ganz so aus«, stimmte Avery zögernd zu, obwohl sie sich insgeheim fragte, wie eng die Beziehung zwischen J.P. und Jack tatsächlich sein konnte, wenn J.P. vor zwei Wochen noch in ihre Schwester verliebt gewesen war.

»Ich weiß nicht, wie ernst es zwischen den beiden ist, aber J.P. hat ihr sicherlich eine Menge zu bieten … beziehungsweise sein *Vater.*« Avery wechselte in einen vertraulichen Flüsterton und konzentrierte sich darauf, nicht zu lallen. »Jack ist ein Mädchen, das eine günstige Gelegenheit zu nutzen weiß, wenn sie sich ihr bietet«, fuhr sie fort. »Und ich glaube, dieses Apartment war sehr wichtig für sie.« Sie dachte an die heruntergekommene Mansarde, in der Jack vorher gewohnt hatte, und überlegte, ob sie James davon erzählen sollte. Nach kurzem Nachdenken entschied sie sich dagegen. Jack hatte sich ihr gegenüber zwar unmöglich benommen, aber das war kein Grund, sich auf ihr Niveau herabzubegeben.

»Dann muss Dick Cashman die Kleine wirklich sehr gern haben.« James nickte nachdenklich.

»Scheint so. Ich frage mich bloß, warum«, konnte Avery es sich nicht verkneifen zu sagen. Sie schlug die Beine übereinander und stieß mit der Fußspitze versehentlich ihr noch halb volles Glas um, dessen Inhalt sich über James' Hose ergoss.

»Oh Fuck!«, fluchte James auf seine zurückhaltende britische Art und sprang auf. Er sah aus, als hätte er sich in die Hose gepinkelt.

»Oh nein! Das tut mir schrecklich leid!«, rief Avery entsetzt und begann, den Bereich um seinen Schritt herum mit Servietten abzutupfen, hörte aber sofort erschrocken auf, als ihr klar wurde, wie anstößig das aussehen musste. Warum ging eigentlich immer irgendwas total schief, wenn es gerade mal anfing, gut mit einem Typen zu laufen?

»Kein Problem!« James nahm ihre Hand, hob sie an seine Lippen und küsste sie. »Wenn ich es mir recht überlege, muss ich sagen, dass ich diese kleine Dusche sogar recht… angenehm fand. Sie kleines Biest, Sie.« Er zwinkerte ihr zu.

Avery lächelte benommen. Sie wusste nicht, ob sie lachen oder weinen sollte. Wenigstens schien James sie nicht sofort komplett abgeschrieben zu haben.

»Was Sie mir da erzählt haben, war wirklich hochinteressant. Aber ich glaube, jetzt wird es Zeit für Sie, nach Hause zu gehen, Cinderella«, sagte er und half ihr aus dem Polster.

Hach, welch ein märchenhafter Abschluss.

auf die plätze ...

Von: gentlestrokin@gmail.com
An: SwimTeam_All@StJudes.edu
Datum: Mittwoch, 20. Oktober, 19:00 Uhr
Betreff: Teamgeist stärken

Meine Herren,

die Schwimmmannschaft ist derzeit alles andere als eine verschworene Gemeinschaft, und das wirkt sich negativ auf eure Leistungen aus. Um den Teamgeist zu stärken und uns alle auf den großen Wettkampf gegen die Unity School am Samstag einzustimmen, lade ich euch am Freitagabend um acht Uhr zum Pasta-Essen zu mir nach Hause ein. Anwesenheit ist Pflicht. Wenn ihr irgendwelche Fragen habt, wendet euch an Carlyle.

Euer Coach

wie r dazu kommt, von snowboardfahrenden alpakas zu träumen

Am Mittwochabend lag Rhys auf seinem Bett, warf immer wieder seinen Hacky Sack in die Luft und beobachtete fasziniert, wie die Farben des kleinen Balls verschwammen, wenn er sich im Flug drehte. Als er irgendwann genug hatte, holte er leicht beschämt das Tiffany-Feuerzeug hervor, das er seinem Vater aus dem Arbeitszimmer geklaut hatte, zog den Stummel eines Joints aus der Tasche und zündete ihn an. Er wusste nicht, ob überhaupt noch etwas drin war oder ob er schon – tja, wie nannte man das unter Kiffern? – *leer gesaugt* war. Prüfend nahm er einen Zug, hielt den Rauch so lange in den Lungen, bis er fast spüren konnte, wie sie sich ausdehnten, und blies ihn dann langsam aus. Es war, als hätte ihn das jahrelange Schwimmen darauf vorbereitet, ein Meisterkiffer zu werden. Seit dem Mittag war er praktisch dauerbreit und hatte zum ersten Mal seit langer Zeit mal wieder das Gefühl, wirklich entspannt zu sein. Er hatte den ganzen Nachmittag im Park abgehangen und auf einmal waren ihm die ersten sechzehn Jahre seines Lebens wie ein einziger massiver Fehler erschienen.

»Rhys?«, hallte die durchdringende Stimme seiner Mutter vom Flur zu ihm.

»Komm rein.« Rhys stopfte den Hacky Sack unter sein Kopfkissen von Frette. Nicht dass seine Mutter noch auf die Idee kam, ihn seine Hacky-Sack-Künste in einer Folge von »Lady Sterling bittet zum Tee« vorführen zu lassen.

Würde er vielleicht lieber seine meisterhaften Kiffer-Künste vorführen?

»Rhys, Lieber, wir müssen dringend wissen, ob du nun am Wochenende zu der Hochzeit mitkommst. Es gibt eine Menge Leute, die dich entsetzlich gern sehen würden«, zwitscherte Lady Sterling, als sie in sein Zimmer trat. In der einen Hand hielt sie einen Pizzakarton von Domino, mit der anderen drückte sie sich Estella, einen ihrer vielen Corgis, an die Brust. Zumindest vermutete Rhys, dass es Estella war – die Köter waren kaum auseinanderzuhalten. Normalerweise lebten die Corgis in einem großzügigen Freigelände auf einem Anwesen der Sterlings in Bedford, aber von Zeit zu Zeit holte Lady Sterling einen von ihnen nach New York, um eine Sendung mit ihm zu drehen.

»Die ist für mich.« Rhys schwang sich aus dem Bett und nahm seiner Mutter den Pizzakarton aus der Hand. Früher hatte er nie Domino-Pizzas gegessen, aber in seinem bekifften Zustand erschien ihm diese Pizza als die Erfüllung seiner sehnlichsten Wünsche. Es war, als wäre sein Leben erst komplett, wenn er eine Salami-Ananas-Pizza essen könnte. Und da war sie! Rhys stellte den fetttriefenden Karton auf seinen Schreibtisch und betrachtete ihn mit einem zärtlichen Lächeln. Estella dagegen winselte, als könnte sie es kaum ertragen, von der Pizza getrennt zu werden.

»Du hast die bestellt? Ich dachte, es wäre ein Versehen gewesen ...« Lady Sterling schüttelte traurig den Kopf und ihre goldenen Cartier-Ketten klirrten leise aneinander.

»Danke, Mom!« Rhys hoffte, sie damit aus dem Zimmer zu komplimentieren. Glücklicherweise überlagerte der Duft von Salami und Käse anscheinend den süßlichen Geruch nach Gras, der – da war Rhys sich sicher – im Zimmer hing.

»Aber Schatz! Du hättest dir doch schnell etwas von Rodica machen lassen können.« Lady Sterling runzelte die Stirn. Rodica war ihre resolute rumänische Haushälterin und der einzige Mensch auf der Welt, der Lady Sterling Kontra gab.

»Na gut«, seufzte sie schließlich. »Wahrscheinlich muss ich mich einfach daran gewöhnen, dass mein süßer kleiner Junge langsam erwachsen wird, nicht wahr, Estella?«, gurrte sie der Corgidame ins Ohr, die sich in ihren Armen wand und verzweifelt versuchte, an die Pizza zu gelangen.

»Noch mal vielen Dank, Mom!«, wiederholte Rhys und betete, dass sie den Wink diesmal verstehen und endlich abziehen würde.

Stattdessen hielt sie die Nase in die Luft und schnupperte argwöhnisch. »Hast du hier irgendetwas angepflanzt? Es riecht fast ein bisschen wie in einem Kräutergarten.«

Woher das wohl kommt?

Rhys zuckte unbehaglich mit den Schultern. »Äh, nein.« Er war am Verhungern. Der durch den Karton dringende Käseduft brachte ihn fast um.

»Na schön. Dann werde ich mich mal daran machen, alles Notwendige für unsere Reise über den großen Teich zu packen. Mir wäre wirklich sehr daran gelegen, wenn du dich dazu entschließen könntest, uns zu begleiten. Dein Vater und ich haben uns überlegt, dass wir uns alle gemeinsam ein paar Internate für dich anschauen könnten. Das wäre vielleicht genau das Richtige für dich – auch wenn ich dich natürlich entsetzlich vermissen würde…« Lady Sterling verstummte.

»Mir geht es inzwischen wieder gut, ehrlich«, sagte Rhys und nickte bekräftigend. Und es stimmte. Seit er die Leute von der Darrow School kennengelernt hatte, schien sein Leben so viel *leichter* geworden zu sein.

Kunststück, wenn man alles Unangenehme einfach wegraucht…

»Ach ja? Nun gut. Vielleicht sehen dein Vater und ich uns trotzdem ein paar Schulen an. Du weißt doch, wie sehr er es liebt, in seinen alten Internatserinnerungen zu schwelgen.« Sie schüttelte mit liebevoller Strenge den Kopf. »Du kannst übrigens ruhig ein paar deiner Schwimmkameraden zu einer kleinen Party hierher einladen, während wir nicht da sind. Du bist zwar nicht mehr in der Mannschaft, aber schließlich bist du schon seit Jahren mit diesen Jungen befreundet, und du siehst aus, als könntest du eine kleine Aufmunterung gebrauchen. Rodica wird euch bestimmt ein paar Leckereien zubereiten.« Sie sah ihren Sohn zärtlich an. »Ich weiß, dass in letzter Zeit alles ein bisschen hart war für dich.«

Wenn sie wüsste.

»Danke, Mom.« Rhys nickte und blickte erst wieder auf, als er die Prada-Ballerinas seiner Mutter auf dem Kirschholzparkett im Flur hörte. Er sprang auf, drückte die Tür zu und schloss sie vorsichtshalber auch noch ab.

Anschließend kehrte er zum Schreibtisch zurück, hob

mit fast feierlichem Ernst den Deckel des Kartons an und atmete den würzigen Pizzaduft tief ein. Mit der einen Hand schob er sich eines der Stücke in den Mund, mit der anderen rief er seine Mails ab.

Teamgeist stärken, stand im Betreff der einzigen Mail, die in seinem Posteingang war. Er klickte sie an. Fett tropfte auf die Tastatur, während er las, dass Coach Siegel das Team zur Vorbereitung auf den Wettkampf gegen die Unity School zum Pastaessen einlud. Plötzlich wurde ihm von dem fettigen Käse übel.

Scheiß drauf. Scheiß auf das Schwimmteam und die lahmen Mannschaftstreffen. Rhys scrollte zum Ende der E-Mail und klickte auf den Link, mit dem er sich von der Mailingliste abmelden konnte. Er brauchte die Jungs von der Mannschaft nicht mehr. Er würde seine *eigene* Party feiern. Mit seinen *wahren* Freunden. Er öffnete eine neue E-Mail und gab Lucas' Adresse ein, um ihn und die anderen sofort anzuschreiben. Vielleicht würden er und Lisa ja zusammenkommen, kleine Hippie-Babys in die Welt setzen, nach Kanada ziehen und dort auf einer Farm leben und Alpakas züchten. Alpakas, die Snowboard fahren konnten.

Hach, Kiffertagträume sind doch durch nichts zu übertreffen!

was kostet die welt?

»Gott, geht das nicht schneller?«, zischte Jack dem Taxifahrer genervt zu. Statt sich mit Sarah Jane und Genevieve auf einer exklusiven Gartenparty im Museum of Modern Art zu amüsieren, raste sie im Taxi nach Tribeca zurück und war einem Nervenzusammenbruch nahe. Eigentlich hatte sie vorgehabt, sich mit ihren Freundinnen über J.P.s neu entdeckte Langweiler-Häuslichkeit zu beraten, Kette zu rauchen und zu viel Rosé zu trinken. Sie hatte das Gefühl, in den letzten Tagen um dreißig Jahre gealtert zu sein, und hatte sich deshalb umso mehr darauf gefreut, sich einen Abend lang wieder wie ein alberner Teenager zu fühlen. Aber kaum hatte diese dürre Zicke an der Tür zum MoMa sich bequemt, sie reinzulassen, hatte auch schon J.P. angerufen: Seine Eltern würden sie in *ihrem* Apartment in den Cashman Lofts zum Abendessen erwarten. Also hatte sie Sarah Jane und Genevieve, die mit einem süßen, älteren Typen mit schottischem Akzent geflirtet hatten, schweren Herzens zurücklassen und mitten im schlimmsten Abendverkehr ein Taxi auftreiben müssen.

»Hier ist es!«, schrie Jack, als der Taxifahrer fast an dem Gebäude vorbeigefahren wäre. Sie warf ihm einen Zwanzig-Dollar-Schein zu und rannte mit klappernden Chanel-Ballerinas durch die Lobby. Der Eingangsbereich war mit Holz in verschiedensten Schattierungen getäfelt und erinnerte an ein Chalet in einem exklusiven Skiort in den Alpen oder an ein Luxusrefugium am Grand Canyon. Blickfang war ein Wasserfall, der von natürlichem Regenwasser gespeist wurde und von japanischen Kirschbäumen gesäumt war. Nicht dass Jack Zeit gehabt hätte, das prachtvolle Ambiente zu würdigen. Sie wollte so schnell wie möglich nach oben, um alle eventuellen Peinlichkeiten – herumliegende Dessous, Tampons oder die halb leere Tube Kuchenteig im Kühlschrank – verschwinden zu lassen, bevor J.P.s Eltern kamen.

»Ich habe Ihre Gäste gerade nach oben geschickt, Miss!«, rief der Abendportier ihr freundlich hinterher.

»Scheiße!« Jack sprang keuchend in den wartenden Aufzug und hämmerte ungeduldig auf den Knopf. *»Perfekt, perfekt, perfekt«*, murmelte sie im gleichen Rhythmus, in dem ihr rasendes Herz schlug, während sich die Fahrstuhltür schloss.

Als sie im Penthouse wieder aufglitt, hörte sie bereits die laute Stimme von J.P.s Mutter.

»Hallo!«, rief Jack und hoffte, dass sie nicht allzu verschwitzt aussah oder abgehetzt wirkte. Das aus Biobaumwolle gewebte Pulloverkleid von Marc Jacobs, das gestern als Einweihungsgeschenk von einer Boutique in der Nähe geliefert worden war, klebte ihr am Rücken fest. Igitt!

»Wunderschön!« Tatiana Cashman stöckelte auf sie

zu und drückte ihr mit russischem Temperament einen Kuss auf die Wange. Jack lächelte unsicher, weil sie nicht wusste, ob Tatiana sie oder das Loft meinte.

Oder das Werbeplakat von ihr, das *im* Loft hing?

»Gefällt dir die bescheidene Hütte hier, Jacky-Baby?«, fragte Dick Cashman herzlich und setzte sich in einen der eleganten weißen Sessel, die im Wohnbereich standen. Der Sessel ächzte leise unter seinem Gewicht.

»Es ist fantastisch«, murmelte Jack. Candice und Jeannette, die beiden zwillingsroboterhaften PR-Frauen, saßen auf einer mit Hanf bezogenen Couch in der Ecke und lasen irgendwelche Dokumente.

»Hey, meine Schöne! Alles okay?«, begrüßte J.P. sie, der gerade aus dem Badezimmer kam und sich die Hände an seiner Diesel-Jeans trocken wischte.

Jack lächelte verkrampft und versuchte ihm per Gedankenübertragung mitzuteilen, dass nichts – aber auch *gar nichts* – okay war. Da sie es sich jetzt alle so hübsch gemütlich gemacht hatten, konnten sie ihr vielleicht auch endlich mal erklären, was sie verdammt noch mal ständig in *ihrem* Apartment zu suchen hatten.

»Sehr schön!«, dröhnte Dick. »Wir wollten das Catering für unsere kleine Sause am Freitag besprechen, und da dachte ich mir, dass wir doch gleich mal bei dir vorbeischauen könnten, um zu sehen, wie du dich so eingelebt hast. Gehörst doch schließlich zur Familie, Jacky-Baby.« Er nickte. Erst jetzt nahm Jack die Horde Männer und Frauen in Koch-Bekleidung wahr, die sich am anderen Ende des Apartments in der Küche drängten.

»Was für eine nette Überraschung.« Sie lächelte Dick gezwungen an und warf J.P. dann einen finsteren Blick zu. Er zog hilflos die Schultern hoch, als wollte er sagen: *Ich kann nichts dafür, das war seine Idee.* Aus dem Augenwinkel sah sie, dass neben dem weißen Zweisitzer ihr pfirsichfarbenes La-Perla-Mieder auf dem Boden lag. Sie schob es hastig mit der Schuhspitze darunter.

»Schön, dass du dich hier schon so richtig häuslich eingerichtet hast!« Dick hielt triumphierend das zerknitterte Einwickelpapier eines Snickers-Riegels in die Höhe, das er zwischen den Kissen gefunden hatte. »Ich mag Frauen mit gutem Appetit!« Er zwinkerte Tatiana zu, die gerade geistesabwesend über ihren blonden voluminisierten Haarturm streichelte, als wäre er ein Haustier. Im selben Moment bemerkte Jack, dass zwei von J.P.s ekelhaft sabbernden Puggles von Magellan verfolgt durchs Apartment flitzten. Wehe, die beiden waren nicht stubenrein!

»Das werfe ich schnell weg. Danke.« Jack riss Dick das Papier aus der Hand und überlegte krampfhaft, was sie jetzt sagen sollte. Sie hatte das Gefühl, die Gastgeberin spielen zu müssen, obwohl sie nicht die leiseste Ahnung hatte, wer diese Köche waren, was sie in ihrer Küche trieben oder was Dicks PR-Zicken hier zu suchen hatten.

»Ich glaube, das Experiment war ein voller Erfolg. Die ganze Stadt redet über dich!«, frohlockte Dick und blickte sich anerkennend im Apartment um. Dann sprang er aus dem Sessel auf. »Was meint ihr, Kinder – ob wir mal die Snacks probieren? Soll ich euch sagen, was mich am Essen auf diesen schicken Partys wirklich stört? Die schneiden alles immer so klein, dass kein Mensch mehr ordentlich reinbeißen kann!«, donnerte er, während er seine Schäfchen zum Esstisch führte. Unverzüglich versammelte sich die Koch-Brigade um sie und servierte Platten mit köstlich aussehenden Mini-Quiches, Rindfleischspießchen, Sushi, Lammburgern und kunstvoll aufeinandergetürmten Prosciutto-Sandwich-Häppchen. Jacks Magen fing an zu knurren, und sie wünschte sich, sie könnte sich ungestört und ohne die ganzen Leute hier auf das Essen stürzen.

»Behandelst du auch gut meinen wunderhübschen Jungen, Sladkaja? Er ist so viel glücklicher und gesünder mit dir als mit diesem chaotischem kleinen Hippie-Mädchen.« Tatiana tätschelte Jacks Knie und schob sich drei Mini-Quiches auf einmal in den rot geschminkten Mund. Jack musste gegen ihren Willen lächeln. Irgendwie waren J.P.s Eltern doch ganz süß.

In diesem Moment schlug ihr Handy die ersten Takte der Nussknacker-Suite an.

»Ha!«, lachte Dick. »Einen anderen Klingelton hätte ich bei meiner Ballerina auch nicht erwartet!« Er schaufelte sich noch ein paar Mini-Lammburger auf den Teller.

»Entschuldigt bitte!« Jack stand hastig auf, fischte ihr Handy aus ihrer schwarzen Collegetasche von Marc Jacobs und betrachtete stirnrunzelnd die ihr unbekannte Nummer auf dem Display. Wahrscheinlich wieder eine Anfrage für ein Interview oder etwas Ähnliches.

»Hallo?«, meldete sie sich.

»Spricht dort *Jacqueline Laurent*?«, fragte eine etwas zittrige ältere Stimme, die ihren Namen so betonte, als handle es sich um zwei Vornamen.

»Ja«, antwortete sie kurz angebunden.

»Guten Tag. Hier ist die School of American Ballet. Wir möchten Ihnen gerne mitteilen, dass das Gremium von ihrem Vortanzen vor einiger Zeit sehr beeindruckt war. Wir freuen uns, Ihnen ein Stipendium in unserem Nachwuchs-Ensemble anzubieten. Haben Sie vielleicht noch irgendwelche Fragen?«

»Nein. Vielen Dank!«, hauchte Jack und klappte das

Handy wie in Trance zu. Vor lauter Stress und Hektik hatte sie das Vortanzen für das Stipendium beinahe vergessen, das sie gezwungenermaßen beantragt hatte, nachdem ihr Vater ihr den Geldhahn zugedreht hatte. Sie war wieder *da*! Sie konnte es kaum erwarten, über die glänzende schwarze Bühne des Lincoln Centers zu wirbeln, den Applaus nach einer besonders schwierigen Sprungkombination zu hören und zu wissen, dass die Zuschauer ihr nicht nur wegen ihrer Schönheit und Anmut zujubelten, sondern vor allem wegen ihres Talents. Ihres *wahren* Talents. Ein strahlendes Lächeln breitete sich auf ihrem Gesicht aus, und sie griff nach dem Glas Veuve, das wie durch Zauberhand plötzlich vor ihr aufgetaucht war.

»Gibt's was zu feiern?«, fragte Dick hoffnungsvoll und hielt vorsichtshalber schon mal sein Champagnerglas in die Luft.

»Ich hab ein Ballettstipendium bekommen«, sprudelte es glücklich aus ihr heraus. Sie strahlte J.P. an, weil sie wusste, dass er sie verstehen würde. Er hatte immer gewusst, wie wichtig ihr das Ballett war und dass es das Tanzen war, das sie von den anderen Mädchen abhob und sie zu etwas ganz Besonderem machte, zu etwas Einzigartigem – zu *Jack*.

»Ein Stipendium? Was zur *Hölle*…?« Dick wirkte plötzlich stinksauer und sein bulliger roter Nacken drohte fast den Kragen seines maßgeschneiderten rosa Hemds zu sprengen. Er sah aus wie ein reicher Farmer, der gerade herausgefunden hat, dass seine komplette Rinderherde abgehauen ist. »Wir können auf gar kein Fall zulassen, dass du auf ein Stipendium angewiesen bist! Ich kaufe die Ballettschule! Wie heißt sie? Wie viel?« Dick zog einen goldenen Montblanc-Füller aus der Brusttasche seines Hemds und zückte sein in Leder gebundenes Scheckheft.

»Ähm, Dad?« J.P. drückte beruhigend Jacks Hand. »Das ist Jacks Sache, okay? Sie hat hart dafür trainiert und es sich ehrlich verdient.« Jack lächelte ihm dankbar zu.

»Sie können die American Ballett Company nicht kaufen, Dick«, sagte Jack hastig. »Das funktioniert so nicht. Es ist eine Art Auszeichnung, wenn man an dieser Schule ein Stipendium bekommt«, fügte sie hinzu und blickte in die zweifelnden Gesichter von Tatiana, Jeannette und Candice.

»Unsinn. Ich kaufe dir die ganze verdammte Stadt – das Geld bist du mir wert, Jacky-Baby! New York liegt dir zu Füßen! Du bist das Mädchen meines Sohnes. Was uns gehört, gehört auch dir«, sagte Dick großherzig. Wie um seine Worte zu unterstreichen, marschierte einer der Köche herbei und stellte ein riesiges Tablett mit Würstchen im Schlafrock auf den Tisch.

Jeannette und Candice rümpften synchron die Nase. »Wir hatten *festlich* gesagt. Das hier ist *alles andere* als festlich – das Zeug sieht aus wie ein Büffet für einen Kindergeburtstag«, rief Jeannette aufgebracht und folgte dem Koch in die Küche.

»Geht es dir gut, Milaja?«, fragte Tatiana fürsorglich und legte eine Hand auf Jacks Arm. Jack nickte unbehaglich. Sie hatte Fluchtgedanken. Aber wo hätte sie hinsollen? Dieses Penthouse war jetzt ihr Zuhause. Als J.P. liebevoll lächelte, entspannte sie sich ein bisschen. Alles war *bestens*.

»Jack ist nur ein bisschen überwältigt, stimmt's, Jacky-Baby?«, sagte Dick, dessen Gesicht im Kerzenschein rot leuchtete. »Ich weiß nicht, wie es euch geht, aber ich mag diese kleinen Wienerle!« Um seinen Standpunkt zu untermauern, schob er sich gleich zwei Würstchen auf einmal in den Mund.

Jack lächelte. Was machte es schon, wenn J.P.s Familie sich hier ein bisschen *zu* wohl fühlte? Solange J.P. und sie sich verstanden, war alles *perfekt*.

Mal sehen, ob sie das immer noch so sieht, wenn sie die Überraschung findet, die die Puggles in ihren Pumps von Sigerson Morisson versteckt haben.

gossipgirl.net

themen ◀ gesichtet ▶ eure fragen antworten

erklärung: sämtliche namen und bezeichnungen von personen, orten und veranstaltungen wurden geändert bzw. abgekürzt, um unschuldige zu schützen. mit anderen worten: mich.

ihr lieben!

dass ich hier ab und zu mal ein bisschen schmutzige wäsche wasche, heißt noch lange nicht, dass man mich als eine art entsorgungslager für seelendreck benutzen kann. sosehr ihr euch das auch wünschen mögt, meine süßen, vergesst bitte nicht, dass ich weder therapeutin noch hellseherin bin, auch wenn es euch manchmal so vorkommt. es ist nicht meine aufgabe, euch zu sagen, dass ihr mit einem kiffer zusammen seid, weil ihr einen elektrakomplex habt. oder dass ihr euch schwarz anzieht, weil ihr euch gegen eure unter kontrollzwang leidende mutter auflehnen wollt. oder dass ihr euch weigert, euren Pony zu schneiden, weil ihr nicht sehen wollt, wie die welt wirklich aussieht.

aber ich kann euch folgendes sagen: all die absurden, sinnlosen und unglaublich peinlichen dinge, die wir immer wieder tun, entspringen der menschlichen natur. es ist unsere veranlagung, ab und zu einen zeh in die dunkle tiefe unserer seele zu tauchen. wichtig ist nur, dass ihr euch nicht zu weit vom ufer wegwagt, sonst könnte es schwierig werden, wieder zurückzuschwimmen…

gesichtet

O und sein coach auf dem weg zu einer vertraulichen besprechung im büro des sportleiters der st. jude. geheime planung der neuen wettkampfstrategie? **R**, der am st. mark's place im east village ein »legalize it«-shirt kaufte. da muss jemand aber noch sehr viel über den kiffer-style lernen! **J** und **J.P.**s vater in der lobby der cashman-lofts, wo sie gemeinsam ein paar gläser côtes du rhône kippten, um die details für die eröffnungsparty der cashman-lofts zu besprechen… oder vielleicht etwas ganz anderes? es heißt ja, dass französinnen auf ältere männer stehen… **A**, die eifrig mitschrieb, was **S.J.** und **G** während der französischstunde tuschelten. aufgepasst, ladys. wir haben eine reporterin unter uns.

eure mails

f: gg,
sitze an einer heißen story und brauche informationen von dir. ruf mich an, puppe.
journaillist

a: sehr geehrter journaillist,
es tut mir leid, aber ich gebe keine persönlichen interviews. und schon gar nicht, wenn man mich puppe nennt!
hochachtungsvoll, gg

f: liebes gossip girl,
wie groß darf der altersunterschied zwischen einem typen und einem mädchen allerhöchstens sein, damit es nicht anrüchig wirkt? unsere sportlehrerin, die ungefähr 25 ist und einen 18-jährigen freund hat, meint, dass das alter der älteren person geteilt durch zwei plus sieben das mindestalter ergibt, das die jüngere person haben muss. 25 geteilt durch zwei ist 12,5 plus 7 ist fast 20 – was in ihrem fall ja dann völlig okay wäre, oder?
f^2

a: liebe f^2,
mathe ist nicht wirklich meine stärke, aber lass es mich mal so sagen: wenn einer der beiden um eine bestimmte uhrzeit zu hause sein muss und der andere nicht, dann hat die geschichte wahrscheinlich keine zukunft.
gg

die zeit ist um!, wie es im therapeutenjargon so schön heißt. und bis zum nächsten mal zögert bitte nicht, meinen lieblingsstresskillern zu frönen: ein gläschen champagner oder ein heißes bad oder ein mittagsschläfchen. und beachtet bitte, dass die genannten methoden am besten wirken, wenn sie mit einem angehörigen des anderen geschlechts praktiziert werden.

ihr wisst genau, dass ihr mich liebt

gossip girl

keine presse
ist schlechte presse

Am Donnerstagnachmittag stürmte Avery mit wehendem Haar durch die Glastüren, die zu den Büros der *Metropolitan* führten. Sie konnte es kaum erwarten, James endlich wiederzusehen, und hatte den ganzen Vormittag damit zugebracht, ihren gemeinsamen Abend im Thom immer wieder Revue passieren zu lassen. Hatte er mit ihr geflirtet? Hatte sie ein kleines bisschen zu tief ins Glas geschaut?

Kleiner Tipp. Wenn man sich diese Frage stellen muss, lautet die Antwort in aller Regel: Ja.

Sie schleuderte ihre violette Hobo Bag von Lanvin auf ihren Praktikantinnenschreibtisch, ohne auch nur einen Blick auf die voll gepackten Tüten und Taschen zu werfen, die McKenna und Gemma danebengestellt hatten, damit sie sie zu Barneys oder sonst wohin zurückbrachte. Heute hatte sie Besseres zu tun, als das Laufmädchen für sie zu spielen. Sie musste sich die Layouts eines neuen *Metropolitan*-Artikels anschauen, die ebenfalls auf ihrem Tisch lagen.

Bleibt alles in der Familie?, lautete die Überschrift, die in einer Schrift gesetzt war, wie sie für offizielle Bekanntmachungen verwendet wurde. Die kleiner gesetzte Unterüberschrift fragte: *Schläft sich Jack Laurent an die Spitze der Cashman-Lofts?* Neben dem Text war ein Foto von Jack und J.P. abgebildet, wie sie vor Barneys standen und sich küssten. Jack sah aus, als würde sie berechnend zur Kamera blinzeln, während J.P. die Augen geschlossen hatte und sehr glücklich und selbstvergessen wirkte.

Sie griff nach der nächsten Seite. Neben einem Foto von Jacks Werbeplakat stand in fetter Schrift ein Zitat, das Avery als ihren eigenen, wodkainduzierten Kommentar erkannte, allerdings leicht verfremdet. »GEWISSE LEUTE NUTZEN GEWISSE GEGEBENHEITEN.« Daneben war ein Foto der Cashman-Lofts abgedruckt, in das ein Bild des rotgesichtigen, lachsfarben gekleideten Dick Cashman eingefügt war, der Jack gerade zuprostete. Jack lächelte und sah wunderschön aus. »MÄZEN ODER SUGARDADDY?«, lautete die Bildunterschrift.

»Sieht gut aus.«

Avery drehte sich erschrocken um und sah James, der auf sie hinunterlächelte. »Nicht nur der Artikel«, murmelte er und ließ seinen Blick anerkennend über ihre tief ausgeschnittene Seidenbluse von Tocca wandern.

»Mir war nicht klar, dass der Artikel schon so schnell fertig sein würde«, sagte Avery gepresst. Sie spürte einen kleinen reumütigen Stich, als sie das Foto von Dick Cashman und Jack betrachtete. Es vermittelte den Eindruck, als hätten die beiden eine Beziehung und Jack sei nur alibihalber mit J.P. zusammen. Wobei der Artikel das natürlich an keiner Stelle *ausdrücklich* behauptete. Abgesehen davon entsprach alles, was darin geäußert wurde –

auch die besonderen Umstände und Jacks Geheimniskrämerei –, den Tatsachen.

Hm, vielleicht sollte sie ernsthaft darüber nachdenken, in die Politik zu gehen?

»Es ist eine großartige Story.« James lächelte stolz. »Lesen Sie sich den Artikel bitte in Ruhe durch und lassen Sie es mich wissen, falls noch etwas ergänzt werden sollte. Wir beide sind ein gutes Team. Das habe ich übrigens auch Ticky gesagt, und sie ist vollkommen meiner Meinung.« Er legte eine Hand auf Averys Schulter und drückte sie sanft. Sie spürte, wie ihre Knie weich wurden.

»Und schauen Sie hier.« James zog die letzte Seite des Artikels heraus. *»Co-Reporterin: Avery Carlyle«* stand am Ende des Texts. Avery glühte innerlich. Gedruckt sah ihr Name ziemlich cool aus. Sie biss sich auf die Lancôme-geglosste Unterlippe, um ein stolzes Lächeln zu unterdrücken. Sie wollte vor James so souverän wirken, als würde ihr Name ständig in irgendwelchen großen Magazinen auftauchen.

»Haben Sie eine Ahnung, wie viele Praktikanten hier überhaupt jemals namentlich genannt worden sind?«, fragte James, aber es war offensichtlich eine rhetorische Frage, denn im Anschluss daran formte er mit dem Daumen und Zeigefinger eine Null. »Ich werde Sie im Auge behalten« – er zwinkerte ihr zu – »und morgen Abend begleiten Sie mich auf die Einweihungsparty der Cashman-Lofts. Mal sehen, ob wir da nicht noch mehr Material für unsere Story finden.«

»Cool!«, rief Avery spontan und hätte sich am liebsten auf die Zunge gebissen. Sie hörte sich wie ein aufgedrehter Teenager an. »Ich meine … ich kann es kaum erwarten«, fügte sie etwas würdevoller hinzu. Diesmal würde sie nur ein – *aller*höchstens zwei – Gläschen Champagner trinken.

»Sehr schön.« James lächelte und entblößte seine ultraweißen Zähne. »Und jetzt seien Sie ein Schatz und holen mir einen Zitronentee aus der Cafeteria, ja? Ich würde es mir nie verzeihen, wenn Ihnen Ihr jüngster Erfolg zu Kopf steigen würde, obwohl es zugegebenermaßen ein sehr hübscher Kopf ist.« Er zauste ihr durch die Haare und warf nachlässig einen zerknitterten Schein auf ihren brechend vollen Schreibtisch. »Hier ist ein Fünfer. Behalten Sie den Rest.«

Avery errötete und steckte den Schein in ihr Portemonnaie. Sogar die Art, wie er sie herumschickte, war süß.

Das kann man so sehen, muss man aber nicht …

Oh Gott! Plötzlich wurde ihr gleichzeitig heiß und kalt, weil ihr klar wurde, was passieren würde, wenn das Heft mit dem Artikel in den Zeitungskiosken einschlug. Sie stand sowieso schon ganz oben auf Jacks Hassliste. Und jetzt war sie auch noch Mitautorin eines Artikels, in dem angedeutet wurde, Jack würde sich – quasi – prostituieren und mit einer Immobilie bezahlen lassen. Aber dann beruhigte sich ihr Puls wieder. Vielleicht verdiente es eine egozentrische, intrigante Zicke wie Jack nicht anders. Als Avery Richtung Aufzug stolzierte, erlaubte sie sich sogar ein kleines triumphierendes Lächeln.

Hoffentlich vergeht ihr das nicht ganz schnell wieder.

gesprächsversuche

»Carlyle?!« Coach Siegel ging neben Owens Bahn in die Hocke und klopfte gegen die Kacheln des Beckens, um auf sich aufmerksam zu machen. Owen tauchte auf, zog die Schwimmbrille ab und blickte zu den lysterineblauen Augen des Trainers auf.

»Hör zu, Junge. Ich hab keine Ahnung, was bei euch los ist, aber sieh zu, dass du dich in den Griff bekommst – dass du das *Team* in den Griff bekommst.«

Owen nickte. Als bräuchte er eine weitere Erinnerung daran, dass seine Mannschaftskollegen ihn hassten!

»Und jetzt raus aus dem Wasser. Ich will mit dir reden.« Der Coach blies in seine Trillerpfeife. »Jungs! Fünfmal hundert Meter Freistil auf Zeit. Ich verlass mich auf euch!« Er blies erneut in die Trillerpfeife und die Schwimmer legten sich in ihren Bahnen ins Zeug. Owen zog sich aus dem Wasser und folgte seinem Trainer in eine ruhige Ecke neben dem Rettungsschwimmerturm.

»Was ist los?«, fragte Coach Siegel. »Ich weiß nicht, aus

welchen Gründen Sterling die Mannschaft verlassen hat, aber sein Abgang hat ziemlich negative Auswirkungen auf die Moral. Wir müssen jetzt vor allem zusehen, dass wir das Team zusammenhalten.«

»Das ist nicht so einfach«, murmelte Owen und blickte kurz zum Becken rüber, wo die anderen mit Chadwicks Schwimmbrille Wasserpolo spielten, statt zu trainieren. So viel zum Thema: *Ich verlass mich auf euch.*

»Okay, hör zu. Ich weiß, dass Sterling und du Streit wegen seines Mädchens habt, stimmt doch, oder?« Der Coach sah Owen eindringlich an. »Hast du sie ihm ausgespannt?«

»Nicht direkt.« Owen wich dem Blick aus und musterte die schwarz-weißen Bodenfliesen. Er konnte sich nicht erinnern, mit seinem Trainer an der Highschool in Nantucket jemals solche intimen Gespräche geführt zu haben. Plötzlich hatte er schreckliches Heimweh und sehnte sich nach seiner kleinen Insel zurück.

»Na schön. Eigentlich interessiert es mich auch nicht, was privat zwischen euch beiden passiert ist. Allerdings interessiert mich sehr wohl, dass das, *was* passiert ist, sich negativ auf das Team auswirkt. Du läufst auf Sparflamme, Carlyle«, sagte der Coach streng und bemerkte noch nicht einmal die junge Bademeisterin im Bikini, die gerade den Rettungsschwimmerturm hochkletterte. Dabei entging ihm so etwas normalerweise *nie*.

»Du trainierst heute Nachmittag nicht weiter, sondern denkst stattdessen darüber nach, wie du das Team wieder auf Spur bekommst, verstanden? Ich meine es ernst, Carlyle.« Coach Siegel stand auf und beendete damit die Unterhaltung. Owen verschwand wortlos im Umkleideraum und zog sich in einer der Einzelkabinen um. Das machten normalerweise nur die jüngeren Schwimmer, die Hughs derbe Scherze fürchteten, bei denen gerne mal ein wasserfester Marker zum Einsatz kam. Owen tat es, weil er keinem seiner Teamkollegen begegnen wollte.

Er zog sein iPhone aus der weinroten St.-Judes-Schwimmtasche. Drei entgangene Anrufe. Alle von Kelsey. Als er an ihre korallenroten Lippen dachte, fühlte er sich gleich wieder ein bisschen besser, auch wenn Coach Siegels Stimme immer noch in seinen Ohren widerhallte. Er wusste, dass die Beziehung zu seiner Mannschaft nur deswegen gestört war, weil er jetzt mit Kelsey zusammen war. Aber … ach, scheiß drauf. Es war wie bei Romeo und Julia. Sie würden zusammenbleiben, auch wenn der Rest der Welt ihre Liebe verurteilte!

Der Gedanke ließ seinen Adrenalinpegel dramatisch steigen. Wie unter Strom hielt er draußen ein Taxi an. Kelsey wohnte zwar nur ein paar Blocks entfernt, aber er musste sie *sofort* sehen.

vermisse dich. bin auf dem weg zu dir, schrieb er ihr und lehnte sich dann ins Polster des Taxis zurück. Am liebsten hätte er Kelsey auf eine einsame Insel entführt. Er würde jeden Morgen eine Runde schwimmen gehen, anschließend würden sie nach Nahrung suchen und dann eng umschlungen am Strand einschlafen.

Okay, Mr *Lost*.

Das Taxi hielt vor dem Apartmentgebäude, in dem Kelsey wohnte. Der Portier warf ihm einen misstrauischen Blick zu, und selbst die beiden Steinlöwen am Eingang schienen Owen finster zu mustern. Er marschierte in die Lobby und blieb an der Empfangstheke stehen.

»Ähm, ich möchte zu Kat … Kelsey Talmadge«, korrigierte er sich hastig.

»Ich werde Sie anmelden.« Der Portier griff nach dem Telefonhörer. »Sie werden bereits erwartet«, teilte er ihm nach wenigen Sekunden mit.

Owen fuhr mit dem Aufzug nach oben und ging bis zum Ende des Flurs. Plötzlich wurde eine Tür aufgerissen und Kelsey lief ihm in einem karierten Schulrock und einem schwarzen Kaschmirpulli entgegen.

»Da bist du ja endlich!«, rief sie, als hätte sie ihn schon seit Wochen nicht mehr gesehen, dabei waren seit dem letzten Mal nur ein paar Stunden vergangen. Owen zog sie kurz an sich, ließ sie aber sofort wieder los.

»Alles in Ordnung?« Kelsey knabberte an ihrer rosé schimmernden Unterlippe und sah sehr verführerisch aus. Sie löste ihren Pferdeschwanz und zauste sich durch die Haare, sodass sie in sanften Wellen ihr Gesicht umspielten. »Ich wüsste da was, das dich wieder aufmuntert«, hauchte sie lächelnd, schloss die Finger um sein Handgelenk und zog ihn in das Apartment, das ganz in Schwarz und Schiefertönen eingerichtet war. Es wirkte so unpersönlich, dass man sich kaum vorstellen konnte, dass hier tatsächlich jemand wohnte. Es gab keine Bücherregale, nirgendwo standen Deko-Objekte herum, es hingen kaum Bilder an den Wänden, außerdem war es in der Wohnung immer geradezu beängstigend still. Owen lief ruhelos hin und her und nahm schließlich auf der Kante eines grauen Sofas Platz. Kelsey setzte sich auf seinen Schoß.

»Nein, warte!« Owen legte seine Hände um ihre schmale Taille und schob sie von sich herunter, sodass sie nebeneinander saßen. Er musste wissen, ob die Gefühle zwischen ihnen wirklich echt waren. Und das würde er garantiert nicht herausfinden, wenn sie jetzt einfach sofort zur Sache kamen.

»Was ist?« Kelsey sah ihn verwirrt an. Ihre blauen Augen erinnerten ihn an das Meer – groß und tief und unergründlich.

Und voller gefährlicher Strömungen?

»Ach, ist ziemlich mies gelaufen heute beim Training.« Owen blickte sich um. Er wusste noch nicht mal, wer außer Kelsey in dieser Wohnung lebte. Hatte sie eigentlich noch Geschwister? Oder ein Haustier?

Müssten diese Fragen nicht längst geklärt sein?

»Wie lange wohnst du eigentlich schon hier?«, machte er einen lahmen Anlauf, mehr über sie herauszufinden.

»Seit zwei Jahren. Davor hab ich in Brooklyn gewohnt. Die Wohnung hier gehört meinem Stiefvater.« Kelsey lächelte fragend, als würde sie versuchen, die Regeln des Spiels zu erraten, das Owen mit ihr spielte. »Wie viele Fragen muss ich beantworten bis zur Million?«, neckte sie ihn. Owen schob die Hände in die Taschen seiner Trainingsjacke. Er war frustriert und verwirrt. Er wollte Kelsey. Aber er wollte sie auch *kennenlernen*.

Ach komm, ihr Jungs seid doch sonst so einfach gestrickt.

»Komm, wir gehen in mein Zimmer. Dann geht's dir bestimmt gleich viel besser …« Kelsey nahm seine Hand und zog ihn den langen Flur hinunter, an dessen Wänden Schwarz-Weiß-Drucke von New York hingen. »Keine Sorge, außer uns ist niemand zu Hause«, sagte sie, weil sie offenbar annahm, Owen würde deswegen zögern. Sie öffnete die Tür zu ihrem Zimmer und zog ihn hinein.

»Küss mich!«, verlangte sie mit heiserer Stimme und lehnte sich von innen an die geschlossene Tür.

»Hey, das ist hübsch.« Owen versuchte verzweifelt, Kelseys Reizen zu widerstehen, und tat so, als würde er sich eine Kohlezeichnung anschauen, die an der Wand hing. Sie zeigte eine Gruppe von Kindern, die auf den Stufen eines Backsteinhauses saßen. Die Zeichnung war richtig gut. Eines der Mädchen hatte große Ähnlichkeit mit Kelsey. Es hatte genau wie sie einen leicht schief stehenden Schneidezahn und die gleichen schimmernden Haare. »Das Mädchen sieht aus wie du«, sagte er.

»Kunststück. Das bin ja auch ich.« Kelsey grinste. Sie zog ihren Pulli über ihre seidenweichen Schultern und legte sich aufs Bett. »Von hier aus hast du einen viel besseren Blick«, lockte sie ihn und streckte die Hand nach ihm aus.

Owen ging zu ihr hinüber. Aber als sie ihn aufs Bett ziehen wollte, riss er sich los. »Nein, warte!«, sagte er. Als er ihr verletztes Gesicht sah, setzte er sich neben sie und griff nach ihrer Hand. »Ich will dich erst richtig kennenlernen.«

»Ich glaube, dass wir uns schon ziemlich gut kennen.« Kelsey legte ihm eine Hand an die Wange.

»Okay, ich hab eine Idee. Wir berühren uns erst wieder, wenn wir fünf Dinge voneinander erfahren haben.« Er schob Kelseys Hand zur Seite. »Ich zuerst: Was hat es mit dieser Zeichnung auf sich?«

»Die hab ich vor ein paar Jahren gemacht. Ist ganz okay geworden.« Sie zuckte mit den Schultern. Owen schaute sie sich noch einmal genauer an. Kelsey hatte dieses Bild selbst gezeichnet? Er hatte nicht gewusst, dass sie künstlerisch so begabt war. Er stand auf und ging etwas näher heran. Es schien eine Ansicht von Brooklyn zu sein mit Brownstone-Häusern und einer von Bäumen gesäumten Straße. »Ist das die Gegend, wo du früher gewohnt hast?«

»Warum interessiert dich das plötzlich?« Kelsey kicherte. »Na schön, es ist dein Spiel. Also, du bist dran.« Sie verdrehte die Augen.

»Danke.« Owen begann angestrengt nachzudenken. »Okay… als ich klein war, hatte ich kein Kuscheltier wie die anderen Kinder, sondern einen runden Stein, den ich immer überallhin mitgeschleppt hab. Er war braun mit einem weißen Streifen in der Mitte. Irgendjemand hat mir gesagt, dass es ein Wunschstein ist und dass ich ihn ins Meer werfen und mir etwas wünschen soll, aber ich hab ihn immer mit ins Bett genommen. Als ich zehn war, hab ich ihn dann irgendwo verloren. Ich weiß, dass es bescheuert klingt, aber ich bin immer noch traurig deswegen. Als ich noch in Nantucket gewohnt hab, hab ich manchmal am Strand nach Steinen gesucht und gehofft, einen zu finden, der genauso aussieht«, erzählte Owen und schwieg dann. Eine unbehagliche Stille lag in der Luft.

»Das ist… süß«, sagte Kelsey schließlich und sah ihn ein wenig befremdet an. »Aber ich weiß etwas, das viel besser ist als ein Wunschstein…« Sie rieb ihre sommersprossige Stupsnase an Owens Kinn und begann ihn zärtlich zu küssen. Owen küsste sie nur halbherzig zurück.

»Weißt du, ich fühl mich heute nicht besonders«, sagte er plötzlich und sprang auf. »Ich ruf dich an«, versprach er und rannte zum Aufzug. Unten angekommen, ignorierte er die hochgezogenen Augenbrauen des Portiers und raste zur Tür raus.

Erst als er den von Ulmen gesäumten Pfad im Central Park entlangjoggte, hatte er das Gefühl, wieder durchatmen zu können. Er wich Kinderwagen und Spaziergängern mit Hunden aus und verfiel erst wieder in ein normales Schritttempo, als er schon fast bei dem Apartmentgebäude angekommen war, in dem er wohnte. Erleichtert atmete er aus. Es war gut, zu Hause zu sein.

kleider machen eben doch leute

Baby zupfte nervös das Hermès-Tuch zurecht, das sie Avery geklaut hatte, um es als Haarband zu tragen, und musterte die anderen Gäste, die im Hungarian Pastry Shop saßen. Das Café war ein beliebter Treffpunkt für Studenten und Dozenten der Columbia University, von denen die meisten heute draußen saßen, um ihre Koffeindosis in der Nachmittagssonne zu genießen. Aber Baby war kalt und sie rutschte unruhig auf ihrem wackeligen Stuhl hin und her. Sie hatte die letzten beiden Tage damit verbracht, das Buch von Sydneys Mutter zu lesen. Eigentlich hatte sie erwartet, dass es sich als einer dieser typischen lahmen Selbsthilferatgeber entpuppen würde, aber das, was Sidneys Mutter darin sagte, hatte tatsächlich Hand und Fuß. Sie riet ihren Leserinnen vor allem, sich radikal und konsequent von alten Identitäten und Zielen zu verabschieden, damit sie neuen Zukunftsplänen nicht im Weg standen. Sofort nachdem Baby es zu Ende gelesen hatte, hatte sie Sydney gebeten, einen Termin für sie bei ihrer Mutter zu vereinbaren. Sie wollte sie unbedingt persönlich fragen, was sie tun sollte, um endlich die richtige Therapie für sich zu finden. Da sie den zweiten Termin mit der durchgeknallten Wald-und-Wiesen-Heilerin abgesagt hatte, war Lynn ihre letzte Hoffnung. Irgendwie musste sie die zwanzig Stunden zusammenbekommen, die Mrs McLean ihr aufgebrummt hatte.

»Baby?«, hörte sie plötzlich eine weibliche Stimme.

»Lynn?«, sagte Baby schüchtern und blickte auf. Sydneys Mutter sah genauso aus wie auf dem Foto auf der Rückseite ihres Buches. Sie hatte ihre glänzenden braunen Haare zu einem kurzen Pferdeschwanz gebunden und sich die Schildpattbrille von Prada in die Stirn geschoben. Baby rückte den abgewetzten Holztisch ein Stück zur Seite, damit Lynn sich setzen konnte.

»Ich brauche jetzt eine schöne Tasse heißen Oolong. Kennst du dieses Gefühl, Baby?«, fragte Lynn, nachdem sie Platz genommen hatte. Baby nickte glücklich. Als sie klein gewesen war, hatte ihre Mutter an Tagen, an denen es schneite, immer Oolong-Tee gemacht.

»Schön.« Lynn nickte. »Einen Oolong, bitte!«, rief sie, obwohl nirgends ein Kellner zu sehen war. »Und ein paar Kekse oder irgendetwas anderes, das Kohlenhydrate enthält!«, fügte sie in gleicher Lautstärke hinzu. Dann sagte sie etwas leiser: »Also, Baby, was kann ich für dich tun?« Sie musterte sie aufmerksam. Ihre Augen waren genauso karamellbraun wie die von Sydney.

»Na ja, es ist so…« Plötzlich war Baby so verlegen, dass sie kein Wort mehr herausbrachte. Sie blickte aus dem Fenster. Die Blätter an den kleinen, knorrigen Bäumen, die den Gehweg säumten, begannen sich zu verfärben, und die Passanten eilten mit gesenkten Köpfen an ihnen vorbei.

Baby fröstelte und zog den Kragen ihres Sweatshirts höher. »Ich glaube, ich konzentriere mich auf die falschen Dinge«, sagte sie schließlich. Das klang irgendwie viel besser, als zu sagen, sie wäre von Männern abhängig.

»Inwiefern?«

Eine Bedienung brachte ein Kännchen Tee, zwei Tassen und einen Teller mit verschiedenen Keksen. Die Tassen passten nicht zusammen und waren angeschlagen. Auf der von Baby stand in verschnörkelter Schrift *»Die beste Oma der Welt«*. Lynn griff nach dem Kännchen und schenkte ihnen ein.

»Na ja, ich war in Nantucket mit einem Typen zusammen und dachte, wir würden uns lieben und alles, aber dann bin ich hierhergezogen und hab angefangen, mich mit einem total netten Typen zu treffen, aber wir waren einfach zu verschieden, also haben wir uns wieder getrennt, und dann bin ich einem anderen Typen nach Barcelona hinterhergereist, dabei war der gar nicht dort, und deswegen muss ich jetzt eine Therapie machen – ich hab nämlich wegen dem Barcelona-Trip eine Woche die Schule geschwänzt«, schloss Baby ihre etwas wirren Ausführungen. Sie hoffte, dass ihre wechselnden Liebesgeschichten sie vor Lynn nicht wie eine Schlampe dastehen ließen.

»Mrs McLean verlangt von dir, eine Therapie zu machen? Interessant.« Lynn lehnte sich in ihrem Stuhl zurück und musterte Baby nachdenklich.

»Ja, aber irgendwie finde ich nicht die richtige Therapeutin für mich. Ich meine, ich hab grundsätzlich nichts gegen Therapien – ich hab nur das Gefühl, dass sowieso niemand rausfindet, was mit mir los ist. Oder glauben Sie, dass Sie das vielleicht könnten?« Baby kaute nervös am ausgefransten Ärmel ihres Sweatshirts.

»Wie lange hast du dieses Sweatshirt eigentlich schon?«, fragte Lynn, ohne auf Babys Frage einzugehen.

»Das hat meinem Ex-Freund gehört. Es ist schön warm«, antwortete Baby irritiert. Die Herkunft oder das Alter des Sweatshirts taten ja wohl wirklich nichts zur Sache. Sie nahm einen Schluck von ihrem Oolong.

»Schmeiß es weg.« Lynn nickte bestimmt. Baby runzelte die Stirn. *Wie bitte?* Sie griff kopfschüttelnd nach ihrer Tasche, um den Tee zu bezahlen. Sie hatte keine Lust, hier sitzen zu bleiben und sich weiter diesen Quatsch anzuhören. Eigentlich hätte sie sich gleich denken können, dass sie wieder nur ihre Zeit verschwendete.

»Sydney hat mir erzählt, dass du mein Buch gelesen hast«, sagte Lynn und beobachtete amüsiert, wie Baby immer wütender wurde. »Es steht alles im dritten Kapitel. Ich glaube nicht, dass irgendetwas mit dir nicht stimmt. Ich vermute eher, dass es in deinem Leben ein paar Dinge gibt, die dich ausbremsen. Du musst das Leben umarmen und von ganzem Herzen annehmen, und zwar jetzt in diesem Moment. Liebe dich so, wie du bist! Wofür steht dieses Sweatshirt?«

Baby sah auf den zerschlissenen Bund des Ärmels hinunter. Ihr Ex-Freund Tom hatte auch immer darauf herumgekaut. Und zwar meistens in Situationen, in denen er gelogen hatte. Eigentlich war es eine ekelhafte Angewohnheit gewesen und gar nicht liebenswert, wie sie immer gedacht hatte.

»Hm, wahrscheinlich für Nantucket. Und dafür, dass ich einen Freund hatte. Dass ich als die akzeptiert wurde, die ich war.« Baby zuckte mit den Achseln. Sie hatte sich noch nie Gedanken darüber gemacht, ob irgendwelche Kleidungsstücke einen symbolischen Wert für sie hatten. Eigentlich bedeutete ihr materieller Besitz überhaupt nichts. »Kann es sein, dass das der Grund ist, warum ich mich selbst nicht finde?«, fragte sie.

»Jedenfalls hilft dir dieses Shirt nicht bei der Suche nach dir selbst!«, rief Lynn so laut, dass ein paar Leute am Nebentisch neugierig zu ihnen herüberstarrten. »Ich sag dir was, Liebes. Geh nach Hause und entmiste deinen Kleiderschrank. Schmeiß alles raus, was sich nicht wirklich nach *dir* anfühlt.« Lynn nickte nachdrücklich.

Wenn man bedenkt, dass der halbe Inhalt ihres Schranks eigentlich ihrer Schwester gehört, wird nach dem Entmisten wohl nicht mehr viel übrig bleiben …

»Und Sie meinen, das funktioniert?«, fragte Baby leise und wünschte sich im gleichen Moment, sie könnte die Frage zurücknehmen. Sie wollte nicht, dass Lynn sie für unhöflich hielt. Es war nur … dieser Vorschlag kam ihr so *offensichtlich* vor. So einfach.

»Ich bin hier die Expertin, Baby. Nimm nicht alles so schrecklich ernst – genieße dein Leben! Ach so, was übrigens auch ganz wichtig ist: Sobald der alte Plunder draußen ist, musst du Ordnung schaffen. Pastelltöne zu Pastelltönen. Schwarz zu Schwarz. Jeans zu Jeans. Die kurzärmligen Sachen hier, die langärmligen dort.« Lynn sah Baby scharf an, als wollte sie sich vergewissern, dass sie ihr auch wirklich zuhörte. »Ein kleines bisschen Ordnung ins System zu bringen hat noch niemandem geschadet«, fügte sie hinzu und biss in einen Keks.

»Ich hab nichts Pastellfarbenes«, gestand Baby.

»Umso besser!« Lynn prostete Baby mit ihrer Tasse zu. »So – und jetzt noch mal zurück zu dem, was du mir eingangs erzählt hast. Dieser Spanier?« Lynn schob sich einen ganzen Schokoladenkeks in den Mund.

»Mateo«, sagte Baby. Es war seltsam. Mittlerweile konnte sie sich nicht einmal mehr daran erinnern, wie er aussah. Hatte er braune Haare gehabt oder schwarze? Sie schaffte es einfach nicht, ihn sich richtig vorzustellen. Stattdessen sah sie vor ihrem inneren Auge sich selbst: wie sie mit einer Horde Kellner, die sie am Strand kennengelernt hatte, auf Vespas durch den Park Güell in Barcelona jagte. Wie sie mit Sydney auf einer der Underground-Response-Veranstaltungen im Brunnen am Union Square herumalberte. Wie sie nachmittags den Strand entlangrannte, über das dunkel aufgewühlte Meer in den endlosen Horizont schaute und sich eine Welt voller Abenteuer ausmalte. »Ich glaube, mir hat vor allem die Vorstellung gefallen, die ich von ihm gehabt habe«, sagte Baby und kam sich plötzlich komisch dabei vor, mit der *Mutter* einer Freundin über ihr Liebesleben zu sprechen.

»Achte mal darauf, wie sich deine Gefühle für ihn verändern, wenn du die erste Entrümpelungsaktion hinter dir hast.« Lynn nickte wissend. »So! Ich bin mir sicher, dass du etwas Besseres zu tun hast, als den ganzen Nachmittag mit mir hier herumzusitzen.« Sie wühlte in ihrer Tasche, zog eine Ausgabe des *New Yorkers* heraus und signalisierte damit, dass das Treffen zu Ende war.

»Vielen Dank!«, sagte Baby.

Sidneys Mutter nickte und griff nach Babys Tasse, die noch praktisch unberührt war. »Gern geschehen!«, sagte sie, scheuchte Baby mit einer gutmütigen Handbewegung fort und trank den Rest ihres Tees.

An der Ecke bog Baby in die 110. Straße ab. Ihr war kalt, aber trotzdem zog sie das Kapuzenshirt aus und warf es in den nächstbesten Mülleimer.

Halleluja!

ein kiffer kommt selten allein

Rhys saß in seinem Zimmer und versuchte einen Zug von dem etwas verunglückten Joint zu nehmen, den er sich gebaut hatte. Aber das Papier blieb ständig an seinen spröden Lippen kleben, sodass er ihn nach einer Weile genervt im Aschenbecher ausdrückte. Wenigstens waren seine Eltern heute Morgen nach England auf diese Hochzeit gefahren. Er hatte die Schule – wieder einmal – ausfallen lassen und wartete jetzt darauf, dass seine neuen Freunde vorbeikamen.

Es klingelte. Endlich. Rhys musterte sich im Spiegel. Das Duschen hatte er sich heute Morgen geschenkt, er trug immer noch seine alte Patagonia-Sportshorts und das graue Nike-Shirt, das er normalerweise nur zum Laufen anzog. Seine braunen Haare standen ungekämmt vom Kopf ab und seine Augen waren blutunterlaufen.

Diesmal wenigstens nicht vom Heulen.

Er zögerte. Der alte Rhys wäre geduscht gewesen oder hätte sich, bevor er an die Tür ging, zumindest schnell ein frisches Poloshirt von Ralph Lauren übergezogen. Aber jetzt war er der neue Rhys, und seine neuen Freunde akzeptierten ihn so, wie er war. Er sprang die Treppe hinunter und öffnete die schwere Eichentür. Vor ihm standen Lucas, Malia, Lisa und Vince, dahinter drängte sich eine Gruppe weiterer ungeduschter, unrasierter Jungs, die Rhys noch nie gesehen hatte.

»Kommt rein«, sagte Rhys begeistert und trat einen Schritt zur Seite.

»Danke, Mann!« Lucas strahlte und klatschte Rhys' Hand ab. Er trug ein grünes Kinder-T-Shirt, auf dem »DON'T MESS WITH TEXAS« stand, helle Stoffhosen mit Grasflecken und roch nach einer Mischung aus Patschuli, Pot und Gorgonzola. Er zog sich die Schuhe aus und stellte sie neben eine antike Standuhr.

»Okay, Mann«, sagte er, als würde er mit der Standuhr reden. »Das ist also deine Hütte? Hübsch, Alter!«

Die anderen murmelten ebenfalls anerkennend, als sie reinkamen.

»Kommen noch mehr?«, erkundigte sich Rhys etwas nervös. Er hatte vier, fünf Leute erwartet, aber jetzt machten sich bereits mindestens zehn in der Stadtvilla breit. Lucas, der gerade die kleine Marmorskulptur eines italienischen Windspiels betrachtete, die in einer Nische unter der Treppe stand, nickte bloß zerstreut. »Hey, kleiner Freund!«, sagte er und tätschelte dem steinernen Hündchen hingebungsvoll den Kopf.

Okay. Rhys brauchte jetzt auf der Stelle was zu rauchen. »Ähm, Leute?«, rief er zögernd und hoffte, sie würden alle in die Eingangshalle zurückkommen. »Ich dachte eigentlich, wir könnten es uns bei mir oben unterm Dach gemütlich machen«, begann er unbeholfen, beschloss dann aber, dass es eigentlich okay wäre, wenn sie hier unten was rauchten. Außerdem konnten sie nicht *zu* viel Chaos anrichten, wenn er bei ihnen blieb und die Oberaufsicht behielt.

»Hey! Schaut euch den hier mal an! Geil, was?« Vince kam mit einem vergoldeten Gehstock in die Halle, den er offenbar in Lord Sterlings Arbeitszimmer gefunden hatte. Er hatte seine Schuhe ausgezogen und fand es offenbar spaßig, in Socken über den blank polierten Boden zu rutschen.

»Stell den sofort wieder zurück!«, schrie Rhys erschrocken und riss Vince den Stock aus der Hand. »Ich meine … gib ihn mir, ich kümmere mich darum. Hey, lasst uns doch einfach nach oben gehen – da haben wir ein Gewächshaus.« In seiner Stimme schwang leise Panik mit. »Mir nach!«, rief er und führte den bunten Haufen zur Treppe.

Das Gewächshaus war ein kleiner Glasaufbau auf dem Dach, den seine Mutter bei ihrem Einzug eigens hatte errichten lassen. Sie nutzte es nicht nur, um ihrer persönlichen Gärtnerleidenschaft zu frönen, sondern gelegentlich auch, um stimmungsvolle Aufnahmen für ihre Show zu drehen. Im Moment züchtete sie dort eine alte Tomatensorte für »Tolle Tomaten« – ihre jährliche Herbstsendung.

»So, da wären wir«, sagte Rhys, als sie auf der Dachterrasse angekommen waren, die von einer hohen Mauer geschützt wurde. Hier waren sie vollkommen unbeobachtet, und es gab sogar ein paar Heizstrahler, sodass niemand von ihnen reinmusste, selbst wenn es nachher kälter werden sollte.

»Cool!« Lucas riss sofort die Tür zum Gewächshaus auf.

»Nicht!«, rief Rhys und betrachtete voller Sorge die in Hydrokultur angelegten Tomatenbeete, die die komplette Länge des Gewächshauses einnahmen.

»Oh mein Gott, das sind ja Tomaten!«, kreischte Malia entzückt.

»Ja, aber es ist ganz schön warm und stickig da drin. Kommt lieber hier rüber!« Rhys versuchte die ganze Truppe irgendwie auf die andere Seite der Terrasse zu lotsen, wo bequeme Clubsessel und riesige Pflanzenkübel mit Chrysanthemenbüschen standen.

»Nein, Mann, hier fließt die Magie«, entgegnete Lucas und hielt ihm einen Joint hin. »Willst du?«

Rhys näherte sich ihm zögernd. Solange er die Bande im Auge behielt, würden sie schon nichts Schlimmes anstellen können, beruhigte er sich. Und wenn sie erst mal schön einen gekifft hätten, würden sie wahrscheinlich sowieso nur noch entspannt abhängen wollen. Er nahm Lucas den Joint aus der Hand und machte einen tiefen Zug. Ahh, schon viel besser. »Möchtest du?«, fragte er Lisa und hielt ihr die Tüte hin. Sie trug einen zerlöcherten Rock, der ihre unrasierten Beine zeigte, und kicherte, als sie den Joint entgegennahm.

»Schaut euch dieses Teil an!« Lucas pflückte eine der Tomaten und rollte sie ehrfürchtig auf seinem Handteller hin und her. »Sie ist so schön und irgendwie so empfindlich. Wie geschaffen, um sie zu zerquetschen.« Er streckte sie Rhys hin.

»Ja, zerquetsch sie!«, flüsterte Malia und starrte wie hypnotisiert auf die Tomate in Rhys' Hand. Alle schauten ihn gespannt an. Irgendwie weckte das Erinnerungen an seine Zeit als Kapitän der Schwimmmannschaft, als seine ganzen Teamkollegen zu ihm aufgeschaut hatten. Er drückte vorsichtig zu und beobachtete, wie sich sein Daumen in die rote Haut der Tomate grub, bis sie plötzlich platzte und ihren Saft auf sein T-Shirt spritzte.

»Yeah!«, jubelte Lucas und klatschte Vince ab. »High Five, Alter.«

Mit Betonung auf *high* …

»Scheiße – das war wunderschön«, sagte Lucas, immer noch ganz gefangen von der zerquetschten Tomate.

Lisa strich über Rhys' mit Tomatensaft bekleckerten Arm. »Krass, wie du die Tomate gehalten hast und so, und dann hast du einfach zugedrückt, und *splatsch*! – da war sie auf einmal, na ja, da war sie Matsch. Eine zermatschte Tomate. Vielleicht sollte ich einen Song darüber schreiben«, sinnierte sie vor sich hin. Rhys nickte nachdenklich und dachte daran, wie Lisa bei ihrer ersten Begegnung Ukulele gespielt hatte.

»Wir könnten ihn auch zusammen schreiben«, bot er an. Lisa nickte langsam.

»Ich geh schnell meine Ukulele holen. Sie ist noch unten. Hast du Lust, mitzukommen?« Lisa sah ihn mit flatterndem Augenaufschlag an. Offensichtlich flirtete sie mit ihm. Rhys überlegte. Sein Kopf fühlte sich total benebelt an. Lisa war nicht Kelsey. Sie trug keine süßen, eng anliegenden Kleider und rasierte sich weder die Beine noch bürstete sie sich die Haare oder benutzte Deo. Aber war daran etwas auszusetzen?

Etwas? Man weiß gar nicht, wo man anfangen soll.

bier statt pasta und weit und breit kein teamgeist

Die Hände tief in den Taschen seiner schiefergrauen Fleecejacke von North Face vergraben, eilte Owen die First Avenue entlang. Es war Freitagabend, und er musste zu dem verdammten Pastaessen, das Coach Siegel für das Schwimmteam veranstaltete, obwohl ihn dort sowieso alle ignorieren würden, weil ja jetzt Hugh mit seinem dämlichen Piratenhut ihr Kapitän war. Mit Kelsey hatte er nicht mehr gesprochen, seit er so abrupt aus ihrem Apartment geflohen war, und er hatte auch weder auf ihre Anrufe noch auf ihre SMS reagiert. Er wusste, dass er sich wie ein mieses Arschloch verhielt, und wünschte, er hätte jemanden, mit dem er über die ganze Sache reden könnte. Aber seine Schwestern waren ihm zu hysterisch und seiner *Mutter* würde er davon ganz bestimmt nichts erzählen. Er hätte sich gern einem Kumpel anvertraut. Genau genommen war der einzige Mensch, mit dem er reden wollte … Rhys.

»Jetzt reiß dich endlich mal am Riemen, Carlyle, und

hör auf, dich wie ein verdammtes Weichei zu benehmen!«, flüsterte er vor sich hin, woraufhin ihn ein Penner, der gerade einen bis zum Rand mit leeren Dosen gefüllten Einkaufswagen an ihm vorbeischob, verwundert anstarrte. *Scheiße.* Selbst die Durchgeknallten hielten ihn schon für total durchgeknallt. Er bog in die 90. Straße ein und ging Richtung Normandie Courts, wo der Coach zusammen mit einem Ex-Schwimmkollegen von der Stanford University ein Zweizimmerapartment bewohnte. Die Normandie Courts waren eine Apartmentanlage auf der First Avenue, die scherzhaft *Dormandie* Courts genannt wurde, weil viele Studienabgänger, die vorher in den *Dormitories*, den Wohnheimen der Universitäten, gewohnt hatten, dort einzogen.

Owens Magen krampfte sich nervös zusammen, als er über den schimmlig wirkenden weinroten Läufer ging, der zu den Aufzügen führte. Er wäre jetzt tausendmal lieber sonst wo auf der Welt gewesen, bloß nicht hier. Vielleicht sollte er sich ein Beispiel an seiner Schwester Baby nehmen und einfach nach Barcelona abhauen. Die Vorstellung war extrem verlockend.

»Hi, ich bin in Apartment 15A eingeladen«, sagte er zu dem bulligen Wachmann, der hinter einer schäbigen Empfangstheke saß, und hoffte insgeheim, der Typ würde ihn aus irgendeinem Grund wieder nach Hause schicken.

»Gehen Sie durch«, sagte der Wachmann und blickte kaum auf.

Als Owen in den Aufzug stieg, fühlte er sich, als sei er auf dem Weg in ein wild schäumendes Haifischbecken und nicht zu einem fröhlichen Pastaessen unter Schwimmkollegen, das den Teamgeist stärken sollte. Oben angekommen, ging er den Flur entlang und blieb nervös vor dem

Apartment stehen. Schließlich gab er sich einen Ruck, drückte auf den abgegriffenen Klingelknopf und schob sich nervös seine Nantucket-Pirates-Kappe tiefer in die Stirn.

»Captain, mein Captain!«, röhrte Coach Siegel, nachdem er die Tür aufgerissen hatte. Er war offensichtlich mehr als nur ein bisschen angetrunken. Owen entspannte sich etwas, zog die Hand, die er in der Tasche seiner steifen Lucky-Jeans zur Faust geballt hatte, heraus und begrüßte ihn mit einem kernigen Handschlag. Er hatte befürchtet, der Coach würde ihm wieder einen Vortrag halten, aber die Gefahr bestand heute Abend allem Anschein nach eher nicht. Er seufzte erleichtert.

»Jetzt zieh nicht so ein Gesicht!«, rief Coach Siegel, dem Owens Leichenbittermiene nicht entgangen war. »Mach es dir bequem und fühl dich wie zu Hause. Bier ist im Kühlschrank«, fügte er zwinkernd hinzu.

»Danke«, murmelte Owen und ging in die winzige cremefarbene Küche, die sich direkt neben dem Eingang befand. Aus einem kleinen Sound Dock von Bose, das auf einer rissigen Resopal-Arbeitsplatte stand, ertönte Dave Matthews Jammerstimme. Offenbar wollte der Coach seine alten Studienzeiten aufleben lassen.

Plötzlich kam Hugh in die Küche. »Hey, Carlyle.« Er nickte kühl.

»Hi.« Owen lächelte unbehaglich und machte sich geschäftig daran, Bier aus dem Kühlschrank zu holen. »Auch eins?«

»Ich hol mir mein Bier lieber selbst«, sagte Hugh knapp, schob sich an Owen vorbei und zog ein paar Flaschen heraus.

Owen schnappte sich sein Bud Light und verließ eilig die

Küche. Weil seine Hände vor Nervosität schweißnass waren, benutzte er den Saum seines dünnen grauen T-Shirts, um den Deckel abzuschrauben, und ging dann in das kleine Wohnzimmer, wo die anderen Jungs an ihrem Bier nuckelten und auf einem vierzig Zoll großen Flachbildschirm ein Baseballspiel verfolgten.

Eine kleine Gruppe Neuntklässler saß in einer Ecke und steckte staunend die Köpfe über einem Playboy-Bildband zusammen, der wie ein aufgeschlagenes Bilderbuch auf Chadwicks Knien lag. Owen setzte sich vorsichtig auf einen gigantischen Fernsehsessel, der aussah, als stamme er vom Sperrmüll. Daneben stand eine knapp ein Meter hohe aufblasbare Budweiser-Gummiflasche.

Wie stilvoll.

»Carlyle!«, rief Coach Siegel durch den Raum und winkte ihn zu sich.

Owen zuckte zusammen. Er bezweifelte, dass er sich in diesem winzigen Apartment irgendwo verstecken konnte, fühlte sich im Moment aber nicht in der Lage, sich entspannt mit dem Coach zu unterhalten. »Komme gleich! Ich muss vorher nur noch mal schnell …«, rief er ihm zu, hievte sich umständlich aus dem Sessel und machte sich auf den Weg zum Badezimmer. Mist! Die Tür war abgeschlossen.

»Kann noch eine Weile dauern, ich seile hier gerade einen Koffer ab!« Owen erkannte Hughs Stimme. Ganz toll. *So* genau hatte er es gar nicht wissen wollen. Er drehte sich um und schaute aus dem Fenster. Der Ausblick war eher niederschmetternd: endlose Reihen öder Apartmentblöcke. Er seufzte frustriert.

»Ja, das Leben ist hart.« Als Owen aufsah, stand ein übergewichtiger Typ neben ihm, den er als Coach Siegels WG-Genossen Mike erkannte. Der Coach führte ihn bei seinen Schwimmern gerne als abschreckendes Beispiel an: Mike war an der Stanford ein Star-Schwimmer gewesen, bis er sich irgendwann mit einem sehr anspruchsvollen, zickigen Mädchen eingelassen hatte. Er schmiss das Schwimmen und die Uni, um ihr nach New York zu folgen, wo sie einen Platz an einem Graduiertenkolleg bekommen hatte und ihn ziemlich schnell abservierte. Mittlerweile arbeitete er bei Red Lobster am Times Square und hatte fast vierzig Kilo zugenommen.

»Kann man wohl sagen«, brummte Owen und rückte ein Stück von Mike ab, als wäre dessen Loser-Ausstrahlung ansteckend.

»Aber solange man gute Kumpels hat, lässt sich alles ertragen ... Das ist doch das Einzige, was wirklich zählt.« Mike bekräftigte seine Weisheit mit einem lauten Rülpser. Owen nickte und tat so, als würde etwas, das vor dem Fenster passierte, seine ganze Aufmerksamkeit beanspruchen. Er dachte daran, dass Rhys jetzt irgendwo dort draußen alleine abhing und sich wahrscheinlich ziemlich einsam fühlte. Er musste sich entschuldigen. *Kein* Mädchen der Welt war es wert, dass man dafür eine Freundschaft aufgab. Warum wurde ihm das erst jetzt klar?

»Ich muss los, Mann«, murmelte er Mike zu, dann stellte er sein Bier auf den Linoleumboden, eilte aus der Tür und den Flur hinunter. Die anderen würden ihn sowieso nicht vermissen.

Im Aufzug stand eine Horde Typen in rosa Poloshirts und total spießigen Bundfaltenhosen, die sich mit 1,5-Liter-Bierflaschen zuprosteten, die sie mit Klebeband an den Händen befestigt hatten – ein beliebtes Trinkspiel, bei dem man seine Hände erst wieder für etwas anderes benutzen konnte, wenn man die Flaschen geleert hatte. Am

Ende war man in der Regel dicht bis unter die Haube und bekam die Flaschen nicht mehr aus eigener Kraft ab, sondern brauchte jemanden, der einem dabei half. Aber genau darum ging es: um Teamgeist und Kameradschaft. Ihr Anblick erinnerte Owen an die Freundschaft, die er verloren hatte, und er wäre beinahe in Tränen ausgebrochen.

An der nächsten Straßenecke versuchte er ein Taxi anzuhalten, aber alle Wagen, die Richtung First Avenue fuhren, waren besetzt. Höchstwahrscheinlich Feierwütige, die nach Downtown wollten, um auf Partys zu gehen und Bars unsicher zu machen. Frustriert blickte er auf seine Stan-Smith-Sneakers hinunter. Na gut, dann würde er eben zu Fuß gehen.

Als er endlich vor Rhys' Haus ankam, hörte er von drinnen laute Musik. Gaben die Sterlings vielleicht eine Party? Owen drückte entschlossen auf den Klingelknopf.

»Hey, Mann!« Ein schlaksiger Typ mit Dreadlocks öffnete ihm und lächelte ihn schläfrig an.

»Äh, hi.« Owen zögerte und warf einen Blick auf das Messingschild mit der Hausnummer, das an der Tür angebracht war. Siebenundachtzig. Es war definitiv das richtige Haus. »Ähm, ist Rhys da?«

»Rhys?« Der Typ schüttelte verwirrt den Kopf, ging einfach weg und ließ die Tür weit offen stehen. Owen folgte ihm achselzuckend.

»Rhys?«, rief er. Seine Stimme hallte von der dunklen Eichentäfelung der Eingangshalle wider. Von unten drang seltsame Musik herauf. Er ging den Flur entlang, bog ins Wohnzimmer ab und stieg, immer zwei Stufen auf einmal nehmend, die Treppe hinunter, die ins Schwimmbad führte.

Als er den Pool im Souterrain der Sterlings das erste Mal gesehen hatte, war er mächtig beeindruckt gewesen. Im Gegensatz zu dem knapp ein Meter tiefen und fünf Meter langen Pool in der Stadtvilla seiner Großmutter verdiente Rhys' Pool – fünfundzwanzig Meter lang, anderthalb Meter tief und mit handbemalten italienischen Kacheln gefliest – fast schon die Bezeichnung Sportschwimmbecken. Der Anblick, der sich ihm jetzt bot, war ebenfalls beeindruckend, allerdings auf eine ganze andere Art. Die Fensterscheiben waren komplett beschlagen und überall lagen Leute in verschiedenen Entkleidungsstadien auf Liegestühlen oder gleich auf den Fliesen herum. Ein Typ warf wie ferngesteuert Tomaten ins Wasser, als spiele er irgendein Spiel, dessen Regeln nur er kannte. Aus den Lautsprecherboxen dröhnte Phish. Was war hier los? Schließlich entdeckte er Rhys, der auf einer Luftmatratze in der Mitte des Beckens trieb.

»Hey, Mann! Hast du's doch noch geschafft!« Der Typ, der ihn reingelassen hatte, winkte ihm begeistert vom flachen Ende des Pools aus zu. »Kommst du auch rein?«, fragte er.

»Rhys?« Owen ignorierte den Typen einfach. Wer zum Teufel *waren* diese ganzen Leute? Und was hatte Rhys mit ihnen zu tun? »Rhys?«, rief er noch mal, und seine Stimme klang fast panisch. Was sollte das alles?

»Was hast *du* denn hier zu suchen?«, rief Rhys und machte keine Anstalten, von der Luftmatratze herunterzukommen.

»Können wir reden?«, fragte Owen schüchtern vom Rand des Pools aus. Er duckte sich, um einer der Tomaten auszuweichen, die der Typ immer noch wie besessen ins Wasser warf. Was sollte der Scheiß? Warum hing Rhys mit solchen Knalltüten ab? Owen kam es fast so vor, als hätte sich sein ehemaliger Kumpel einer Gehirntransplantation unterzogen.

»Bitte rede mit mir, Rhys!«, rief er, und es war ihm egal, dass es sich anhörte, als würde er darum betteln.

»Wir reden doch!«, erwiderte Rhys kühl. Owen bemerkte, dass die anderen um sie herum plötzlich vollkommen still geworden waren. Er dachte einen Moment nach, dann zog er kurz entschlossen seine Klamotten aus, sprang ins Wasser und schwamm zu Rhys rüber.

»Was ist hier los?« Er schüttelte sich die nassen Haare aus dem Gesicht und klammerte sich an Rhys' gelber Luftmatratze fest.

»Was willst du hier?«, fragte Rhys und zog wütend die Augenbrauen zusammen. »Du hast mein Leben ruiniert. Aber ich bin wieder auf die Beine gekommen. Siehst du diese Leute hier? Das sind gute Leute.«

Schon klar.

»Ja, das glaub ich dir«, sagte Owen unbeholfen, weil er sich nicht mit Rhys streiten wollte. »Und du hast auch allen Grund, mich zu hassen. Aber kannst du nicht … du musst wieder ins Team zurückkommen, Rhys. Bitte. Ich steig aus. Sie wollen *dich* als Kapitän, nicht mich.« Als er die Luftmatratze losließ, weil das Wasser an dieser Stelle flach genug war, um zu stehen, trat er auf irgendetwas Matschiges. Igitt! Er tauchte kurz unter und entdeckte eine auf einer Seestern-Kachel zerplatzte Tomate. Der Seestern sah aus, als wäre er brutal niedergemetzelt worden.

Rhys lehnte sich auf seiner Matratze zurück und starrte an die Decke, als hätte er Owen gar nicht zugehört. Plötzlich bemerkte Owen einen merkwürdigen Geruch. Und der stammte mit Sicherheit nicht vom Chlor.

»Sag mal, raucht ihr hier etwa Gras? Komm schon, Rhys, ich will dir doch nur helfen«, flüsterte Owen.

»Das sind meine *Freunde*«, antwortete Rhys mechanisch. Er wirkte wie von einem anderen Stern. Owen wusste nicht, was er tun sollte, um ihn aus seiner Lethargie zu reißen. »Hau einfach ab, ja? Und lass mich in Ruhe. Du hast mir schon genug *geholfen*«, zischte Rhys plötzlich und paddelte auf seiner Luftmatratze davon.

»Arschbombe!« Der Typ mit den Dreadlocks sprang von der anderen Seite des Beckens ins Wasser.

»Yeah!«, rief Rhys fröhlich.

»Nein!«, brüllte Owen energisch und von sich selbst überrascht.

»Entspann dich, Alter!« Der mit den Dreadlocks kam wie ein kleines Hündchen auf Owen zugepaddelt. »Hey, Mann, du bringst hier irgendwie voll schlechte Energie rein. Rhys will einfach nur 'n bisschen chillen. Was hat er dir denn getan?«, fragte er neugierig.

»Nichts«, antwortete Owen wahrheitsgemäß. Rhys hatte ihm überhaupt nichts getan, im Gegenteil. Er war nur der einzige beste Freund gewesen, den er jemals gehabt hatte, bis er ihn verraten und verkauft hatte. »Wenn ihr Typen seine Freunde seid … ist ja alles super«, sagte er langsam. Aber dann schüttelte er den Kopf und sah Rhys an. »Das bist doch nicht du, Alter«, sagte er leise zu ihm.

Rhys stieß ein bitteres Lachen aus und sah Owen finster an. Owens Gesicht wirkte blass und abgespannt.

»Ausgerechnet *du* willst mir sagen, wer ich bin?« Natürlich hatte Owen Vorurteile gegen diese Leute. Er sah nicht hinter ihr Äußeres und erkannte, was sie wirklich waren: Menschen, denen er – im Gegensatz zu seinen alten Freunden – tatsächlich etwas bedeutete.

»Ja, ausgerechnet ich«, sagte Owen ernst. »Hör zu, ich weiß, dass wir wahrscheinlich nie wieder Freunde sein können. Aber ich will, dass du weißt, dass du der beste Freund warst, den ich je hatte. Und du fehlst mir. Und den Jungs aus dem Schwimmteam fehlst du auch. Komm bitte zurück. Morgen um zehn findet der Wettkampf gegen die Unity School statt. Das Team der St. Judes braucht dich, und zwar als Mannschaftskapitän. Dort gehörst du wirklich hin und nicht hier zu diesen … diesen *Leuten*.«

»Vielen Dank auch«, höhnte Rhys. Was kümmerte ihn ein dämlicher Schwimmwettkampf? Er hatte Besseres zu tun.

Was denn? Kiffen, mit einem komplettkörperbehaarten Mädchen auf der Ukulele klampfen und mit Tomaten jonglieren?

In diesem Moment kam Lucas auf sie zugewatet. Er streckte eine Hand aus dem Wasser, damit der Joint nicht nass wurde, den er Rhys bringen wollte.

»Hey, Rhys!«, rief er fröhlich. »Hier ist eine kleine Spezziallieferung, Alter.« Er reichte ihm die Tüte.

Rhys griff danach und nahm einen tiefen Zug. Am liebsten hätte er Owen den Rauch ins Gesicht geblasen. Er brauchte sich von ihm nicht sagen zu lassen, was gut für ihn war. Ihm ging es *blendend*.

Owen schüttelte den Kopf. Es war zwecklos. Frustriert schwamm er an den Rand des Beckens und zog sich aus dem Wasser. Er fühlte sich wirklich mies, und das Schlimmste war, dass er schuld daran war, dass alles so gekommen war. Und es gab nichts, was er dagegen tun konnte. Er trocknete sich notdürftig mit seinem T-Shirt ab, zog sich wieder an, ging die Stufen hinauf und schloss die Eingangstür fest hinter sich.

donald und ivana trump im regenwald

»Jack! Jack! Hier!«

Jack wirbelte benommen auf dem roten Teppich herum, während ein wahres Blitzlichtgewitter auf sie niederging. Dicks PR-Androiden hatten wirklich alles gegeben, um die Eröffnungsparty der Cashman-Lofts zu einem unvergesslichen Ereignis zu machen. Die gesamte Häuserzeile auf dem West Broadway, wo das Gebäude stand, war von der Polizei abgeriegelt worden, und der rote Teppich und die Scheinwerfer vor dem Eingang verliehen dem Event eher den Charakter einer Filmpremiere als den einer Gebäudeeinweihung. Die Gästeliste war erlesen: Nur wer im Film-, Immobilien- oder Medien-Business Rang und Namen hatte, war eingeladen. Etwas weiter vorne entdeckte Jack Leonardo DiCaprio in Begleitung einer Gisele-Bündchen-Nachfolgerin, aber keiner der Fotografen schien sich für das Paar zu interessieren. Stattdessen scharten sich alle um *sie*.

Jack fröstelte in ihrem rückenfreien weißen Christian-

Dior-Kleid, das zwar umwerfend aussah, sich aber verdammt schlecht für einen kühlen Oktoberabend eignete.

»Bist du startklar, Prinzessin?«, röhrte Dick Cashman, der gerade aus einer Limousine gestiegen war und jetzt in lässiger Cowboymanier auf sie zuging. Natürlich trug er wie immer seinen zu kleinen Cowboyhut, hatte sich aber zur Feier des Tages eine rote Fliege umgebunden. Tatiana, die sich wohl in ihre alten Model-Tage zurückversetzt fühlte, folgte ihm hüftschwingend in einem goldenen Chanel-Kleid mit einem Ausschnitt, der geradezu pornös gewirkt hätte, wenn sie sich nicht einen der Puggles an die Brust gedrückt hätte. Das von den Blitzlichtern völlig verängstigte Tier schien ihr am liebsten ins Dekolleté kriechen zu wollen, und Tatiana hatte alle Hände voll zu tun, es daran zu hindern. Sie sah sich verzweifelt in der Menge um, als suche sie jemanden, der sie aus der misslichen Lage retten könnte.

»Ähm, ich glaube, ich sollte meiner Mutter mal schnell helfen«, sagte J.P., der in seinem perfekt sitzenden anthrazitfarbenen Anzug großartig aussah. Jack nickte zerstreut.

»Okey dokey, dann posen eben wir beiden ein bisschen für die Kameras!« Dick legte eine Hand um Jacks Taille und zog sie an sich. Die Blitzlichtsalven steigerten sich zu stakkatoartigem Dauerbeschuss.

»Hey, Dick und Jack! Schaut mal hierher«, rief ein pickelgesichtiger Fotograf, der hinter der Polizeiabsperrung stand. Dick wirbelte herum und lächelte strahlend, während Jack zusammenzuckte. In der Kombination klangen ihre Namen wie »Dick und Doof«.

Wäre ihr »Die Schöne und das Biest« vielleicht lieber?

Verdammt, was machte J.P. so lange bei seiner Mutter? Jack wollte nicht unhöflich wirken, aber sie hätte es vorgezogen, im Arm ihres Freunds fotografiert zu werden statt im Klammergriff seines fetten, rotgesichtigen und total peinlichen Mit-Geld-kann-man-alles-kaufen-Vaters.

»Nur Geduld. Die werden euch zwei Hübschen heute noch oft genug ablichten«, raunte Dick, als hätte er ihre Gedanken gelesen. »Und jetzt ab mit dir und lass es ordentlich krachen, Jacky-Baby! Das ist ein Befehl!« Er schubste sie praktisch durch die Eingangstür des Gebäudes und Jack atmete erleichtert auf.

Die Lobby war so umgestaltet worden, dass sie einem Regenwald ähnelte – mitsamt armdicken, sich zwischen saftig grünen Bäumen windenden Lianen. Auf dem Seidenteppich mit Blattmuster waren mit Leopardenstoff bezogene Ottomanen gruppiert. Trotzdem sah es nicht aus wie in einem billigen Themen-Restaurant, sondern strahlte die Atmosphäre einer echten Dschungeloase aus.

Jack schnappte sich ein Glas Champagner vom Tablett eines vorbeigehenden Kellners und nahm einen tiefen Schluck. Ah. Das war schon besser.

»Hey.« Sie lächelte erleichtert, als J.P. mit zwei Gläsern Champagner auf sie zukam. »Ach, du hast ja schon einen«, stellte er fest.

»Ich nehme gern noch einen.« Jack lächelte kokett. »Wir haben schließlich eine Menge zu feiern!« Sie stieß mit ihm an. Er hatte sich die dunkelbraunen Haare zur Seite gekämmt und trug zu seinem klassischen Armani-Anzug eine smaragdgrüne Krawatte, die – ohne dass es zu offensichtlich wirkte – perfekt mit der Dschungel-Deko harmonierte.

»Ich hab unseren Tisch schon gefunden.« J.P. nahm sie an der Hand und führte sie durch die blätterüberdachte Lobby. »Hab ich dir übrigens schon gesagt, dass du heute Abend wunderschön aussiehst?«

»Danke.« Jack drückte seine Hand. Er roch nach John Varvatos Vintage – und am liebsten wäre sie sofort mit ihm nach oben ins Penthouse verschwunden. Sie stellte sich auf die Zehenspitzen und hauchte ihm ins Ohr: »Was hältst du davon, wenn wir …«

»Jack, Süße! Da bist du ja endlich!« Beatrice kam auf sie zugestürzt und küsste sie auf die sommersprossige Wange. Beatrice war Jiffy Bennetts zweiunddreißigjährige, dreifach geschiedene Schwester. Sie war seit ihrem sechzehnten Lebensjahr Stamm-It-Girl auf New Yorks gesellschaftlichem Parkett und hatte mit neunzehn das erste Mal geheiratet. Heute Abend war sie in Begleitung eines sehr viel älteren Mannes, der einen cremeweißen Anzug trug und sich an ihren beunruhigend dünnen Unterarm klammerte.

»Hallo. Schön, dass du auch da bist«, sagte Jack etwas frostig. Als sie Beatrice das letzte Mal gesehen hatte, war sie mit einem Mann verheiratet gewesen, der zehn Jahre jünger war als sie. Was wollte sie jetzt mit diesem Tattergreis?

Was ist dagegen einzuwenden? Sie versucht eben die ganze Bandbreite des anderen Geschlechts abzuarbeiten.

»Darf ich vorstellen? Mein Verlobter Deptford Morris«, säuselte sie. Der alte Mann streckte Jack seine zitternde Hand entgegen.

»Freut mich«, sagte Jack kurz und schüttelte halbherzig seine klamme Hand.

»Du machst es richtig, Schätzchen!« Beatrice beugte sich vertraulich zu ihr. »Mit einem Immobilienhengst liegt man immer richtig. Das sind die besten. Ich wünschte, ich hätte das früher gewusst.« Jack wich zurück, weil sie in Beatrices Creed-Royal-Parfümwolke keine Luft mehr bekam, und trat dabei beinahe auf deren rotes Prada-Kleid.

»Du musst Jiffy unbedingt mal ein paar Tipps geben. Sie braucht dringend einen Mann, der sich um sie kümmert. Das Mädchen hat ja leider so gar keinen gesunden Menschenverstand.« Beatrice schüttelte – ganz nachsichtige große Schwester – den Kopf. Jack runzelte die Stirn. Wollte Jiffys abgehalfterte Schwester etwa andeuten, sie würde ihre Männer nach deren Brieftasche aussuchen?

»J.P. und ich sind schon seit Jahren zusammen«, stellte sie richtig.

»Dann ist es ja umso besser, Jackylein!«, sagte Beatrice leichthin. »Wir gehen dann mal an die Bar. Deptford wird unleidig, wenn wir nach zehn nach Hause kommen.« Über ihr Gesicht huschte kurz ein finsterer Ausdruck, der jedoch umgehend von einem strahlenden Kunstlächeln ersetzt wurde, bevor sie hoheitsvoll davonschwebte.

»Also was ist …? Wann können wir uns nach oben verziehen?«, raunte Jack J.P. zu und sah ihn mit hochgezogenen Augenbrauen an.

»Da seid ihr ja!«, rief Candice in diesem Moment, fasste sie beide am Ellbogen und führte sie in einen VIP-Bereich, dessen Eingang von zwei großen aufgezogenen Postern flankiert wurde, auf denen Jack abgebildet war. Die Aufnahmen waren bisher noch nicht für die Kampagne benutzt worden und zeigten sie in einem smaragdgrünen Regenmantel von Prada, wie sie in einem der Brunnen vor den Cashman-Lofts planschte. Es sah so aus, als sei sie unter dem Mantel völlig nackt, was Jack zum Zeitpunkt der Aufnahmen noch cool gefunden hatte. Im gedämpften Licht der Lobby kamen ihr die Bilder allerdings jetzt fast ein bisschen trashig vor. Als wäre sie eine perverse Exhibitionistin. Sie wandte sich schaudernd ab. Zu ihrem Glück balancierte gerade ein Kellner Champagner und grüne Cocktails an ihr vorbei. Sie nahm sich jeweils ein Glas.

Und hoch die Tassen!

»Wir haben noch ein paar Interviewtermine mit euch beiden vereinbart, oben im Penthouse – abseits von dem ganzen Rummel hier. Wir stellen uns vor, dass ihr euch als Donald und Ivana Trump des neuen Jahrtausends präsentiert«, gurrte Candice und zupfte an Jacks kastanienbraunen Haaren herum.

Jack erstarrte. Die Interviews sollten in ihrem *Apartment* stattfinden?

»Selbstverständlich nicht so, wie sie heute sind, sondern wie sie während ihrer Glanzzeit Mitte der Achtziger waren«, präzisierte Jeannette und tippte wie wild auf ihr BlackBerry ein, als müsse sie sich das, was sie sagte, sofort notieren. Jack unterdrückte das Bedürfnis, den Rest ihres Champagners über Candice' schwarze Seidenbluse von Dior zu schütten. Und was, wenn sie keine Lust hatte, die nächste Ivana Trump zu sein? War Ivana Trump nicht total *billig*?

Und waren J.P.s Eltern nicht viel besser für diese Rollen geeignet?

»Kommt mit«, drängte Candice. Jack schnappte sich das nächste Glas von einem vorbeischwebenden Tablett. Den Champagner würde sie brauchen.

Am besten gleich die ganze Flasche.

beste feindinnen

»Danke.« Avery bemühte sich, so anmutig wie möglich aus der Luxuslimousine zu steigen und den roten Teppich zu betreten, der zum Eingang der Cashman-Lofts führte. Ihr Herz setzte einen Takt aus, als James sie sanft am Ellbogen stützte, bis sie auf ihren mörderisch hohen schwarzen Satin-Peeptoes von Prada, zu denen sie ein schwarzes Spitzenkleid von Diane von Fürstenberg trug, das Gleichgewicht wiedergefunden hatte. Sie lächelte, als sie die Horde von Fotografen sah, die ihre Kameras wie wild zwischen den ständig neu eintreffenden Partygästen hin- und herschwenkten. Avery war eigentlich davon ausgegangen, dass nur irgendwelche namenlosen Medien- und Immobilienheinis eingeladen sein würden, aber so wie es aussah, war ganz New York – und halb Hollywood – hier versammelt. Sie war in ihrem Leben bisher nur auf einer einzigen Veranstaltung gewesen, die zumindest etwas Ähnlichkeit mit einem *echten* Red-Carpet-Event gehabt hatte, und das war die jährliche Hummer-Grillparty der Feuerwehr von Nantucket gewesen. Aber das hier war um Längen besser.

»James!« Gemma, von der Avery wusste, dass sie als Presseassistentin zur Party abkommandiert worden war, kam von der anderen Seite des roten Teppichs auf sie zugeeilt. Sie trug eine langweilige schwarze Hose zu einer schlichten schwarzen Bluse und ein Headset.

»Gemma, hi!« Avery küsste die Luft neben Gemmas blassen Wangen, als würde sie sich wahnsinnig freuen, sie zu sehen. »Und? Macht der Job hier Spaß?«, fügte sie betont harmlos mit zuckersüßem Lächeln hinzu.

»Hier sind eure Presseausweise.« Gemma reichte ihnen zwei hässliche Namensschilder aus Plastik. »Ticky möchte, dass ihr Jack Laurent interviewt. Sie ist aber gerade erst gekommen«, erklärte sie leicht genervt. Es passte ihr ganz offensichtlich nicht, den Assistentinnenjob übernehmen zu müssen. Avery grinste. Wer war jetzt die Praktikantin?

Ähm. Also jetzt mal ganz streng betrachtet … immer noch sie?

»Großartig, vielen Dank.« James küsste Gemma auf die Wange. »Vielleicht bringen wir dir später ein Glas Champagner vorbei – wenn du hübsch artig bist!« Er zwinkerte ihr zu.

Avery runzelte die Stirn. Flirtete James etwa mit Gemma?

Sie betraten die Lobby und gingen zwischen Lianen und Sofas im Zebra- und Leopardenprint hindurch. Avery konnte auch ein paar falsche Giraffen und Zebras entdecken, die neben den Gästen in ihren edlen Designerklamotten ziemlich verloren wirkten – wahrscheinlich irgendwelche armen Studenten, die sich in den dicken Fellkostümen zu Tode schwitzten.

»Ich möchte, dass Sie Augen und Ohren für mich offen halten«, flüsterte James, in dem plötzlich der Jagdinstinkt des Reporters erwacht zu sein schien. »Auf solchen Partys bringen sich Leute leicht in Schwulitäten, wenn Sie wissen, was ich meine.« Avery nickte, obwohl sie keine Ahnung hatte, wovon er redete. Schwulitäten? War das vielleicht irgendein spezieller schottischer Journalistenjargon, den sie nicht verstand?

Oder hat da jemand einfach nur eine *schmutzige* Fantasie?

»Lassen Sie Jack keine Sekunde aus den Augen und beobachten Sie genau, mit wem sie sich unterhält und wo sie nach der Party hingeht. Wenn es sein muss, folgen Sie ihr bis aufs Klo. Seien Sie so freundlich und unbefangen wie möglich. Sie soll sich in ihrer Gegenwart ganz sicher fühlen und unbedacht vor sich hin plappern – so als würde sie mit sich selbst reden, verstehen Sie? Betrachten Sie das Ganze als Crashkurs in Journalistik, Süße.« Er reichte Avery ein Glas Champagner, das er vom Tablett eines vorbeigehenden Kellners genommen hatte. »Und jetzt seien Sie ein braves Mädchen und machen Sie mir alle Ehre. Ich muss jetzt leider meinen gesellschaftlichen Verpflichtungen nachkommen.« Er schüttelte betrübt den Kopf.

»Natürlich«, sagte Avery benommen. Warum wollte er den Abend nicht mir *ihr* verbringen? Und erwartete er tatsächlich von ihr, dass sie Jack auf Schritt und Tritt folgte? Sie hatte große Zweifel daran, ob sie sie in der überfüllten Lobby überhaupt finden würde.

»Also dann, Kleines, viel Glück. Glauben Sie, dass Sie das hinkriegen?«, fragte James, stolzierte dann aber, ohne eine Antwort abzuwarten, durch die Menge Richtung VIP-Lounge davon.

»Bio-Lammburger?« Ein Kellner im Smoking hielt Avery ein Silbertablett unter die Nase. Sie nahm sich einen der Mini-Burger und biss unglücklich hinein. Plötzlich erschien ihr James gar nicht mehr wie ein charmanter Party-Begleiter, sondern eher wie ein egozentrischer Reporter, der sie für *seine* Story die Drecksarbeit machen ließ.

»Avery!« Ticky kam in ihren berüchtigten dreizehn Zentimeter hohen glitzernden Stöckelschuhen von Miu Miu auf sie zugewankt und hinterließ eine Spur funkelnder Pailletten. Nur sie konnte es sich erlauben, auf gesellschaftlichen Anlässen immer wieder in denselben Schuhen aufzutauchen. Ihr war völlig egal, was andere über sie dachten, und sie hielt sich für so fabelhaft, dass für sie *selbstverständlich* nur funkelnde Schuhe in Frage kamen.

Selbstverständlich.

Der Mann, bei dem sie sich untergehakt hatte, war ungefähr fünfzehn Zentimeter kleiner und schätzungsweise zwanzig Jahre jünger als sie. Er hatte sorgfältig frisierte gelblich weiße Haare und trug einen weißen Anzug, den es in seiner kleinen Größe mit Sicherheit nicht von der Stange gegeben hatte. »Avery, meine Liebe, darf ich Ihnen den berühmten Designer Bailey Winter vorstellen. Der Gute hat sich bereit erklärt, mir altem Schlachtschiff heute Abend überallhin zu folgen!«, rief Ticky.

»Ich wüsste nicht, wem ich lieber folgen würde, Darling!«, schmeichelte Bailey Winter ihr und wedelte affektiert mit der Hand durch die Luft.

Avery lächelte zaghaft. Sie wusste, dass Bailey Winter ein einflussreicher Modedesigner war, und wäre normalerweise hin und weg gewesen, ihn kennenzulernen. Aber nachdem James sie sitzen gelassen hatte, fühlte sie sich auf einmal total unsicher. Womöglich dachte Ticky, dass es ein Fehler gewesen sei, sie auf die Story anzusetzen, weil sie einfach nicht *Metropolitan* genug war.

»Hallo«, brachte sie schließlich in dem Moment heraus, in dem McKenna atemlos angerannt kam. Sie hatte Tickys silberne Prada-Clutch in der einen und Bailey Winters riesige schwarze Collegetasche – ebenfalls von Prada – in der anderen Hand und das gleiche dämliche Headset auf dem Kopf wie Gemma.

»Sie sind ja ganz allein, Avery!«, stellte Ticky fest und beugte sich vor, um die Luft neben ihren Wangen zu küssen. Sie roch nach Zigaretten, Scotch und den Karamellbonbons, die Averys Großmutter früher immer gelutscht hat.

»Meine Güte, Avery, Sie Ärmste. Aber wenigstens konnten Sie sich mit etwas Essbarem trösten!« McKenna lächelte zuckersüß. Avery kochte innerlich. Musste McKenna sie ausgerechnet in dem Moment sehen, in dem sie wie eine Loserin, mit der niemand etwas zu tun haben wollte, herumstand und sich vor Kummer mit Bio-Kalorien vollstopfte?

»Ich bin eigentlich mit James hier. Aber wir … wir hielten es für besser, uns zu trennen, damit wir heute Abend so viel Material wie möglich sammeln können«, log Avery.

»Pah!« Ticky winkte verächtlich ab und schüttelte energisch den Kopf. Kein einziges Härchen ihrer aufgetürmten Fönfrisur, dieselbe, die auch Averys Großmutter zu besonderen Anlässen getragen hatte, tanzte aus der Reihe. Dann legte sie Avery eine Hand auf die nackte Schulter. »Wie ich sehe, haben Sie Ihr Lehrgeld bereits gezahlt, Kindchen. James ist ein fantastischer Reporter, aber sobald er auf Stars und Sternchen trifft, kann er seinen Hosenstall nicht mehr zulassen. Man kann ihn wirklich nirgendwohin mitnehmen.« Sie verdrehte ihre stark geschminkten Augen. »Also vergessen Sie, was auch immer James Ihnen aufgetragen hat, und amüsieren Sie sich. Lassen Sie sich treiben! Mischen Sie sich unter die Leute! Ihr Job besteht heute Abend darin, das junge, frische Gesicht der *Metropolitan* zu sein! Meines eignet sich dafür ganz bestimmt nicht mehr, egal wie viele Frischzellenkuren Dr. Antell mir noch verabreicht.« Ticky schnalzte bedauernd mit der Zunge.

»Danke«, murmelte Avery wie betäubt.

»So, und jetzt werde ich dafür sorgen, dass alle wissen, dass ich immer noch am Leben bin.«

»Aber Ticky, Darling! Ihr Leben hat doch gerade erst begonnen!«, entrüstete sich Bailey Winter und führte sie an die Bar.

»Amüsieren Sie sich!«, rief Ticky Avery noch einmal mahnend über die Schulter zu, bevor sie in der Menge verschwand.

Avery nickte und stahl sich eilig aus McKennas Blickfeld. Erschöpft schlängelte sie sich an seltsam aussehenden knorrigen Bäumen vorbei und steuerte eine Tür mit einem Notausgangszeichen an. Sie brauchte jetzt dringend ein bisschen frische Luft.

»Möchten Sie das Penthouse besichtigen?«, fragte eine blonde junge Frau, die neben den Aufzügen stand und offensichtlich das Presseschildchen bemerkt hatte, das Gemma ihr und James am Eingang ausgehändigt hatte.

»Sehr gerne«, willigte Avery neugierig ein. Wohnte Jack nicht im Penthouse?

»Großartig«, freute sich die Frau und öffnete Avery die

Fahrstuhltür. »Sie können einfach hochfahren. Ich glaube, Jack Laurent gibt gerade ein paar Interviews.«

»Perfekt«, murmelte Avery, während die Frau zuvorkommend auf den Fahrstuhlknopf drückte. Jetzt musste sie Jack noch nicht einmal suchen, sondern fuhr auf direktem Weg zu ihr.

Oben angekommen, öffneten sich die Aufzugtüren in einem ganz in Weiß und Grau gehaltenen weitläufigen Loft. In einer Ecke waren Filmkameras aufgestellt, Jack und J.P. wurden offenbar gerade interviewt. J.P. gestikulierte lebhaft und schien sich prächtig zu amüsieren. Jack dagegen lächelte verkrampft, als wäre sie mit der Situation etwas überfordert.

»Sind Sie von der Presse?« Eine Frau legte eine gepflegte Hand auf Averys Arm.

»Ja, genau. Ich bin für die *Metropolitan* hier«, sagte Avery und musterte die dünne, schwarz gekleidete Frau, die sie plötzlich anstrahlte.

»Von der *Metropolitan*! Wie schön. Ich bin Jeannette und für die PR der Cashman-Lofts zuständig. Freut mich, Sie kennenzulernen. Ich nehme an, Sie möchten ein Interview mit Jack und J.P. führen?«

»Ähm, nein. Das heißt … wie ich sehe, sind sie gerade noch beschäftigt. Ich … ich will nicht stören«, stammelte Avery. Sie hatte auf einmal das Gefühl, dass es vielleicht doch keine so gute Idee gewesen war, hierherzukommen. Genau genommen war eine direkte Konfrontation mit Jack das Letzte, was sie jetzt wollte.

Jeannette beäugte sie neugierig. »Unsinn. Natürlich sprechen die beiden mit jemandem von der *Metropolitan*. Sie sind gleich mit dem *Harper's-Bazaar*-Interview durch, dann bringe ich Sie zu ihnen. Solange können Sie sich gerne noch ein bisschen hier umschauen. Die Aussicht von der Terrasse ist wirklich atemberaubend.« Jeannette führte sie am Ellbogen in Richtung der Glasfront.

Draußen starrte ihr Jack von einer riesengroßen Plakatwand entgegen. Auf dem Foto sah sie wunderschön und so liebreizend aus, als könnte sie niemandem etwas zuleide tun – schon gar nicht jemandem das Leben grundlos zur Hölle machen.

»Ist sie nicht hinreißend?«, fragte Jeannette, die Averys Blick gefolgt war. »Ich gehe mal nachschauen, ob die Dame von *Harper's* schon fertig ist. Kann ich in der Zwischenzeit vielleicht noch irgendetwas für Sie tun?«

Avery schüttelte den Kopf, ohne den Blick von Jacks Plakat abwenden zu können. Natürlich war es ihr Job und der einzige Grund, aus dem sie hier war – aber sie konnte es immer noch nicht wirklich fassen, dass sie gleich Jack *interviewen* musste.

»Avery!«, hörte sie plötzlich eine eisige Stimme.

Als sie sich umdrehte, sah sie Jack allein in der Terrassentür stehen. Ihre kastanienbraunen Haare fielen offen über ihre Schultern. »Hi, Jack«, sagte sie steif.

»Na los, bringen wir's hinter uns. Gott! Ich kann es echt nicht fassen, dass die mich von einer *Praktikantin* interviewen lassen«, schnaubte Jack. Sie hatte bei ihrer Ankunft vorhin zwar kurz ein Mädchen, das sie an Avery erinnert hatte, mit einem älteren Typen gesehen, war sich aber sicher gewesen, dass es sich nur um eine zufällige Ähnlichkeit gehandelt hatte. Denn warum bitte schön hätte ausgerechnet *Avery Carlyle* auf der Eröffnungsparty der Cashman-Lofts eingeladen sein sollen? Einem Event, das so exklusiv war, dass noch nicht einmal Jack selbst ihre Freundinnen auf die Gästeliste setzen durfte? Und jetzt stellte sich auch noch heraus, dass Avery ein *Interview* mit ihr führen würde.

»Schön, dass du kurz Zeit hast, dich mit mir, oder besser gesagt, mit der *Metropolitan* zu unterhalten«, begann Avery und hätte sich am liebsten geohrfeigt, weil sie so gekünstelt klang. Sie dachte an das, was James gesagt hatte: Sie sollte Jack in Sicherheit wiegen, um möglichst viel zu erfahren. Obwohl sie jetzt wusste, dass er ein unhöflicher, egozentrischer Aufreißer war, witterte sie ihre Chance, Ticky und ihn zu beeindrucken. »Sag mal, wie schaffst du es bloß, das alles hinzukriegen, ohne dabei völlig durchzudrehen?« Sie lächelte und hoffte, dass sie Jack auf die freundliche Tour zum Reden bringen würde. »Also ich würde verrückt werden.«

»So schlimm ist es dann auch wieder nicht.« Jack verdrehte die Augen. Das konnte doch unmöglich Averys Ernst sein! Andererseits war ihr Leben wahrscheinlich wirklich so langweilig, dass sie mit so viel Glamour heillos überfordert wäre. »Wo hast du denn deinen Freund von vorhin gelassen?«, fragte sie, als ihr der ältere Typ einfiel, mit dem sie Avery gesehen hatte.

Avery zuckte zusammen, antwortete dann aber ganz gelassen: »Ich habe keinen Freund«, und konterte dann: »Aber wo hast du eigentlich *deinen* Freund gelassen?«

»Ich brauchte mal kurz eine Minute ohne ihn«, sagte Jack gereizt und zog an ihrer Zigarette. »Willst du auch eine?« Sie kramte eine Packung Merits aus ihrer goldenen Stepptasche von Louis Vuitton, obwohl sie genau wusste, dass Avery ablehnen würde. Genau das war es, was sie an dieser Ziege so wahnsinnig machte. Wenn sie nur nicht immer so verdammt *rechtschaffen* wäre. Hoffentlich würde der Zigarettenqualm sie um die Gesundheit ihrer reinen Lungen bangen und schnell das Weite suchen lassen.

»Gerne.« Avery streckte die Hand aus und lächelte. Jack zog eine Augenbraue hoch. Avery war also ausnahmsweise auch mal für eine positive Überraschung gut. Sie zündete die Zigarette an ihrer eigenen an und reichte sie dann an Avery weiter.

In diesem Moment ging die Terrassentür auf und Jeannette streckte den Kopf heraus. »Hier sind noch ein paar andere Journalisten, die gern mit Ihnen sprechen würden, Jack. Ob es bei Ihnen beiden wohl noch lange dauert?«, fragte sie und rümpfte beim Anblick der Zigaretten die Nase.

»Nein, nein«, antwortete Avery hastig.

»Doch«, fiel Jack ihr ins Wort. »Wir haben ja noch nicht mal richtig angefangen.«

Avery runzelte die Stirn. Wollte Jack sich etwa noch *länger* mit ihr unterhalten?

»Na schön.« Jeannette presste missbilligend die Lippen aufeinander.

»Nimm's nicht persönlich, aber diese Interviews sind echt ätzend«, seufzte Jack, nachdem Jeannette wieder verschwunden war. »Für heute habe ich definitiv genug.«

»Ist schon okay. Ich weiß eigentlich sowieso nicht, was ich hier mache«, gestand Avery.

»Tja, da geht's dir wie mir.« Jack zuckte mit den Schultern und nahm noch einen Zug von ihrer Zigarette. »Ich sag dir was. Du kannst froh sein, dass du keinen Freund hast.« Sie dachte an die Zeit zurück, in der sie noch tun und lassen konnte, was und mit wem sie wollte.

Wann soll das gewesen sein? In der einen Woche, in der sie kurz mal Single war?

»Wie meinst du das?« Avery inhalierte den Rauch und fing an zu husten. Schließlich ließ sie die Zigarette auf den schiefergrauen Boden fallen und trat sie mit der Spitze ihrer Pradas aus. Sie war bereit, so ziemlich alles zu tun, um Jack zum Reden zu bringen – ihre Lungen zu opfern gehörte allerdings nicht dazu. »Sorry, mir ist gerade eingefallen, dass ich ja gar nicht rauche.« Sie lächelte entschuldigend.

»Ich sollte es eigentlich auch lieber sein lassen.« Jacks Blick verfinsterte sich. »Aber diese Woche hat mich echt den letzten Nerv gekostet«, fügte sie hinzu und zündete sich direkt die nächste Zigarette an.

»Wieso das denn?« Avery biss sich auf die Zunge, weil sich die Frage eher wie ein Vorwurf angehört hatte. Es war schwer, mit Jack Mitleid zu haben. Warum auch? Vor ihr lag eine Karriere als Tänzerin, sie hatte einen umwerfenden, perfekten Freund, und jetzt war sie auch noch erfolgreiches Model geworden. Was sollte einen daran bitte schön den letzten Nerv kosten? Die Frage, welches der vielen Kleider, die ihr die Designer kostenlos zur Verfügung stellten, sie anziehen sollte?

»Diese ganze Sache mit den Cashman-Lofts läuft irgendwie nicht so, wie ich es mir vorgestellt habe. Ich meine, dieses Apartment ist wirklich ein Traum, aber ich komme mir vor, als wären J.P. und ich schon ewig verheiratet.« Ein Schatten huschte über Jacks Gesicht, und Avery nickte verständnisvoll, obwohl sie nicht ganz verstand, wo das eigentliche Problem lag.

»Aber verwende das bitte nicht für dein Interview, okay? Ich … keine Ahnung … das passiert alles in so einem Wahnsinnstempo, dass ich gar nicht mehr mitkomme.« Jack blickte ins Leere, als würde sie mit sich selbst sprechen.

Es tat irgendwie gut, über die Dinge zu reden, die in ihr vorgingen. Genevieve oder Jiffy könnte sie das niemals erzählen, die beiden würden sie sonst wahrscheinlich für verrückt erklären. Und vielleicht war sie das auch. Wer würde schließlich nicht gern mietfrei in einem wunderschönen Loft leben, einen liebevollen Freund haben und mit Einladungen zu den heißesten Partys der Stadt bombardiert werden?

»Ich weiß einfach nicht, was ich tun soll«, murmelte Jack. »Meine Mutter ist eine völlig hysterische französische Ex-Tänzerin, die letzte Woche nach Paris gezogen ist, um bei irgendeiner bescheuerten Soap mitzuspielen, und ich wohne jetzt plötzlich hier…« Sie machte eine hilflose Geste. »Aber ich hab noch nicht mal Zeit, mich irgendwie damit auseinanderzusetzen, weil ich nur damit beschäftigt bin, mit einem Hund klarzukommen, der meine Schuhe frisst, einem Freund, der am liebsten jeden Abend zu Hause bleiben würde, und mit seinen durchgeknallten Eltern, die mich mit ihrer Distanzlosigkeit in den Wahnsinn treiben und… überhaupt!« Sie begann zu lachen. Ihr neues Leben hörte sich so lächerlich an, dass man eigentlich wirklich nur darüber lachen konnte.

»Das ist doch nicht so schlimm. Alle Eltern sind peinlich. Meine Mutter ist zum Beispiel eine durchgeknallte Künstlerin, die Glaskraken sammelt«, hielt Avery dagegen.

»Ich weiß.« Jack nickte und dachte an das absurde Abendessen bei den Carlyles zurück, zu dem Owen sie eingeladen hatte und bei dem Averys Mutter irgendwann angefangen hatte, ihr von ihren Kraken vorzuschwärmen. Plötzlich brachen sie und Avery gleichzeitig in Lachen aus, fast so, als wären sie Freundinnen. Als Nächstes würde sie Avery womöglich gestehen, dass sie noch Jungfrau war.

Super! Dann könnten die beiden ja einen Club gründen!

»Immerhin hast du ein tolles Apartment für dich ganz allein.« Avery versuchte, wieder in den Interviewmodus zurückzuschalten. Gleichzeitig musste sie an den Artikel denken, den James geschrieben hatte. Jack war vielleicht total selbstbezogen und wollte immer bei allem die Nase vorn haben, aber sie schlief ganz bestimmt *nicht* mit dem Vater ihres Freundes. Avery spürte, wie ihr der Champagner allmählich zu Kopf stieg. Aber was konnte sie dagegen tun?

Jack lachte. »Dieses tolle Apartment ist im Moment eher ein Aufnahmestudio und eine Musterwohnung. Ich meine, jetzt mal im Ernst, Avery. Was mache ich hier eigentlich? Das ist doch nur ein dämliches Plakat.« Jack blickte zu dem überlebensgroßen Bild hinüber, das an dem Gebäude auf der anderen Straßenseite hing. »Das, was du machst, ist irgendwie viel cooler. Na ja ... jedenfalls solange du nichts Schlimmes über mich schreibst.« Sie lachte unsicher.

»Keine Sorge«, sagte Avery matt, obwohl sie das Gefühl hatte, sich auf der Stelle übergeben zu müssen. Jack hatte keine Ahnung, *wie* schlimm der Artikel über sie werden würde.

»Obwohl ich verstehen könnte, wenn du es tun würdest. Hör mal, ich weiß, dass ich mich dir gegenüber ziemlich ätzend verhalten hab. Aber so bin ich nun mal.« Jack zuckte die Achseln, warf ihre Zigarette auf den Boden und trat sie aus. »Tut mir trotzdem leid.« Sie starrte in die kühle Nacht hinaus.

»Danke.« Avery zitterte plötzlich. Jack hatte sich offenbar nicht darum gerissen, das Gesicht der Cashman-Lofts-

Werbekampagne zu sein… und bald würde ganz New York glauben, sie hätte mit dem Vater ihres Freunds geschlafen, um das Apartment von ihm zu bekommen und ihre Karriere zu pushen. Plötzlich schwante ihr, dass der eigentliche Teufel in dieser Geschichte James war – ganz egal was für ein brillanter Journalist er war – und nicht Jack. Okay, sie war alles andere als ein Engel. Aber sie war längst nicht so niederträchtig, wie Avery sie dargestellt hatte.

»Hast du vielleicht Lust, woanders hinzugehen?«, fragte Jack schüchtern. »Wir könnten so tun, als würden wir irgendwo ganz in Ruhe ein ausführliches Gespräch für euren Artikel führen. Dagegen kann schließlich niemand was haben. Und ich brauch *dringend* noch was zu trinken.« Sie lächelte zaghaft.

Avery nickte. Das war der erste wirklich gute Vorschlag des ganzen Abends.

»Dann nichts wie los!« Jack drehte sich auf dem Absatz um und Avery folgte ihr. Ein paar Gläser Champagner würden ihr helfen, James, McKenna, Ticky und diesen leidigen *Metropolitan*-Artikel einfach zu vergessen.

Denn wenn man etwas vergisst, ist es so, als würde es gar nicht existieren.

herbstputz

»Baby?«, hallte Edies Stimme am Freitagabend durch den Flur.

»Ja?« Baby wich geschickt dem schwarzen Familien-Kater Rothko aus. Sie war bis in die tiefsten Tiefen ihres Kleiderschranks vorgedrungen, ohne auch nur die leiseste Ahnung zu haben, wie sie Lynns Anweisung umsetzen sollte. Überall lagen Berge von Vintage-Kleidern herum; Kartons, in die sie seit dem Umzug aus Nantucket keinen einzigen Blick mehr geworfen hatte, waren gefährlich schief entlang der hinteren Wand gestapelt; Fotos lagen über den ganzen Parkettboden verstreut.

»Was machst du denn da?«, fragte Edie, als sie in den begehbaren Kleiderschrank trat. »Oh!« Sie bückte sich und hob einen senfgelben Wollponcho auf. »Der hat mal mir gehört!« Sie drückte den Poncho verzückt an sich, dann zog sie ihn sich über die blonden Haare, die sie mittlerweile wieder zu einem Bob trug. »Na, was sagst du? Steht er mir noch?«

Baby betrachtete ihre Mutter kritisch. Der Poncho ließ Edie nicht unförmig aussehen, sondern betonte im Gegenteil ihre Größe und Schlankheit und verlieh ihr irgendwie einen coolen Touch.

Die Betonung liegt auf *irgendwie*.

»Absolut, Mom.« Baby nickte anerkennend. »Willst du ihn zurückhaben?«

»Nein, nein.« Edie schüttelte den Kopf. »Der stammt noch aus der Zeit, als ich in Vermont auf einem Bio-Bauernhof gearbeitet habe. Das war ein paar Jahre bevor ihr drei zur Welt gekommen seid. Zu viele Erinnerungen.« Edie zuckte mit den Schultern. Sie zog den Poncho wieder aus und wuschelte sich anschließend durch die Haare, als wollte sie die Vergangenheit abschütteln.

»Echt?«, fragte Baby überrascht. Anscheinend hatte ihre Mutter unbewusst genau das getan, was Lynn ihr selbst geraten hatte, und sich von allem getrennt, das ihr nicht guttat. War es also nichts als gesunder Menschenverstand?

»Nein, ich will ihn wirklich nicht mehr.« Edie zauste Baby durch die Haare. »So, mein Schatz – dein Bruder und deine Schwester sind ausgegangen und ich werde mich jetzt auch ein bisschen ins Nachtleben stürzen. Ich treffe mich wieder mit Remington …!«, fügte sie mit einem verschwörerischen Lächeln hinzu. »Ist es denn in Ordnung für dich, alleine hierzubleiben? Du wirkst in letzter Zeit ein bisschen durcheinander. Ich wollte dich nicht darauf angesprochen, weil ich weiß, dass du die Antworten auf deine Probleme lieber selbst findest und von dir aus wieder auf den richtigen Weg zurückstolpern möchtest. Das hast du von mir«, sagte Edie liebevoll.

»Mir geht es gut«, beteuerte Baby und meinte es auch so. Zumindest wusste sie, dass es ihr schon sehr bald wieder gut gehen würde. Aber ihre Mutter hatte schon recht – sie wollte ihre Probleme selbst lösen, und dabei konnte ihr kein Therapeut der Welt helfen. Sie sah sich von neuem Elan erfüllt in ihrem Kleiderschrank um, als ihr Blick auf eine Jeans von Citizen fiel, die sie Avery letztes Jahr geklaut hatte und die ihr viel zu lang war. Sie konnte sie ihr genauso gut wieder zurückgeben.

»Schön.« Edie lächelte und schwebte zur Tür hinaus. »Warte nicht auf mich, es kann spät werden!«

Baby setzte sich auf den Boden und zog einen der Kartons zu sich heran. Sie schlug die Klappen zurück und entdeckte darin etliche alte Singles. Der Freund, den sie in der achten Klasse gehabt hatte, hatte sie ihr geschenkt, obwohl keiner von ihnen je einen Plattenspieler besessen hatte. Die konnten eindeutig weg. Unter den Platten lag ein Schulheft mit marmoriertem Einband. Sie nahm es heraus und blätterte es durch. Es war eine Art Sammelalbum, in dem Fotos und Eintrittskarten klebten und Gedichte, die sie irgendwo herausgerissen hatte. Das Album hatte sie mal für Tom zum Valentinstag gebastelt, aber in seiner typischen schluffigen Kifferart hatte er immer vergessen, es mit nach Hause zu nehmen. Sie zog die Nase kraus. *Das* konnte definitiv auch weg.

Rothko sprang auf ihren Schoß und schlug mit dem Pfötchen nach einem Stück hauchdünnen weißen Stoff, das über ihm hing.

»Willst du mir helfen, ja?«, fragte Baby und vergrub ihr Gesicht im weichen Fell des Katers. Sie zog an dem Stoff, nach dem er gerade geschlagen hatte, und plötzlich fiel ein wunderschönes weißes Kleid von Rodarte in ihren Schoß, an dessen Mieder handgenähte Blumen angesteckt waren. Es war das Kleid, das sie an dem Abend, an dem sie mit J.P. Schluss gemacht hatte, auf dem Wohltätigkeitsball des Schwimmteams getragen hatte. J.P.s Mutter hatte es für sie ausgesucht, und obwohl es ein Traum war, hatte sie sich den ganzen Abend unwohl und verkleidet gefühlt.

Sie warf es auf den Haufen, auf dem die Kleider lagen, die sie zur Kleiderspende geben wollte. Es war ein tolles Kleid, und sie hoffte sehr, dass es ein anderes Mädchen glücklicher machen würde als sie. Rothko miaute empört, stolzierte zu dem Kleid und machte es sich darauf bequem.

»Du kannst es haben.« Baby lächelte und kam sich kein bisschen albern vor, weil sie mit ihrem Kater redete. Im Gegenteil, sie spürte, wie Erleichterung sie durchströmte. Als sie den Haufen Dinge betrachtete, von denen sie sich trennen würde, wurde ihr klar, dass der Mensch, der ihr am wichtigsten war und mit dem sie ihr Leben verbringen wollte, weder ein zerstreuter Kiffer noch ein angehender Immobilienmogul war. Sondern … *sie selbst*. Und ganz ehrlich – gab es einen Besseren?

Nein, Schwester!

gossipgirl.net

themen ◀ gesichtet ▶ eure fragen antworten

erklärung: sämtliche namen und bezeichnungen von personen, orten und veranstaltungen wurden geändert bzw. abgekürzt, um unschuldige zu schützen. mit anderen worten: mich.

ihr lieben!

blitzmeldung von der party-patrouille

wir unterbrechen den planmäßigen ablauf der feierlichkeiten für folgende wichtige durchsage: ein gewisses grünäugiges it-girl, das der star des heutigen abends ist, gilt plötzlich als *verschwunden*. allerdings ist das kein grund, gleich eine vermisstenanzeige aufzugeben – ich denke, wir können mit ziemlicher sicherheit sagen, dass sie die veranstaltung aus freien stücken verlassen hat. bereits kurz nach mitternacht war das gesicht des ›grünen wohnens‹ in nyc nirgendwo mehr zu sehen. aber das merkwürdigste kommt noch: sie hatte eine helfershelferin, und zwar niemand geringeren als reporterin **A**, bekannt als **J**s erbittertste feindin, die ebenfalls verschwunden zu sein scheint. hmmm. waren ein dschungel-motto und kaviarhäppchen & co. einfach nicht das richtige format für **J**? oder handelte sie schlicht nach der devise: das ist meine party und ich gehe, wann ich will?

halten wir also fest: durchfeiern war gestern, ein früher abgang ist heute der neueste trend. wer also nicht als einsame versagerin gesichtet werden möchte, die nirgendwo anders mehr erwartet wird, sollte die party rechtzeitig verlassen – also bevor die barkeeper ihre mixer zusammenpacken, die ersten mädchen auf der damentoilette zusammenbrechen und ihren rausch ausschlafen und der türsteher anfängt, leute rauszuschmeißen statt reinlassen. und damit wir uns nicht missverstehen: siegerin des abends ist *nicht* diejenige, die als letzte in ihren manolos über die leere tanzfläche wankt.

auswärts übernachten

womit wir bei dem eingangs erwähnten stichwort *durchfeiern* wären – oder besser gesagt: den afterpartys. wenn ihr selbst gastgeberin einer solchen seid, macht euch auf einige unannehmlichkeiten gefasst. früher oder später werden eure gäste nämlich schlafen wollen – und zwar aller voraussicht nach nicht allein. lasst es euch gesagt sein: post-party-dramen sind nichts für schwache gemüter.

ihr möchtet wissen, welche alternativen euch sonst noch bleiben? nun, ihr könntet zum beispiel euren begehbaren kleiderschrank ausmisten statt auf partys zu gehen. oder wie ein gewisser junger mann eine peace-love-and-flower-power-orgie in eurer stadtvilla veranstalten. wofür auch immer ihr euch entscheidet, ob ihr kontakte in der vip-lounge knüpft, knietief in ausgemisteten designerroben watet oder euch mit eurer neuen bff die kante gebt: macht die nacht – oder zumindest das, was davon noch übrig ist – zum tag! es sind immer noch fünf stunden bis sonnenaufgang, dem zeitpunkt, zu dem selbst ich meine tanzschuhe an den nagel hänge …

gesichtet

B, die schwer bepackt aus dem haus kam und mehrere säcke mit kleidung und diversen anderen sachen entsorgte. frühjahrsputz im oktober? **A** und **J**, die in einer spelunke unweit der cashman-lofts krügeweise budweiser pichelten – ist die party-posse umgezogen? etwas später noch mal **J**, wie sie in ein taxi torkelte, aus dem taxi zu den lofts torkelte und dort im aufzug **J.P.** – und einer armee fotografen – in die arme torkelte. scheint, als würde ein gewisses paar diese nacht nicht besonders viel schlaf bekommen … allerdings aus einem ganz anderen grund, als sie gehofft hatten. **O**, der sich bei einem chinesen auf der third etwas zu essen holte und dann nach hause eilte – allein. was für eine schande, wo wir doch *alle* wissen, wie aphrodisierend fettiges chinesisches essen sein kann. **R**, der an seiner haustür einen pizzaboten bezahlte. ich weiß, dass alles teurer geworden ist, aber dem bündel scheine nach zu urteilen, das da den besitzer wechselte, hat er mehr als nur ein paar pizzas gekauft.

eure mails

f: hey gossip girl,
du bist echt süß. ich sag dir was – wir treffen uns

am montagabend um acht vor dem waverly. ich mache einen star aus dir, kleine.
sunglassesatnight

a: hallo sgan,
vielen dank für das angebot, aber ich bin mit meinem derzeitigen star-status – nämlich ganz oben am firmament – ganz zufrieden.
gg

f: sehr verehrtes gossip girl,
ich bin vertrauenslehrer am harrington, einem privaten jungeninternat in großbritannien, und habe gerade einen anmeldeantrag von den eltern eines jungen mannes erhalten. er geht in manhattan auf eine wirklich exzellente schule und seine bisherigen zeugnisse sind ganz vorzüglich. so weit gibt es also nichts zu beanstanden, nichtsdestrotrotz würden wir gerne mit ihrer hilfe ein gespür für den jungen bekommen, um herauszufinden, ob er wirklich in unsere kleine gemeinschaft passen würde. wenn sie, meine liebe, für ihn bürgen, würden wir ihm sofort tür und tor öffnen.
ergebenst,
ihr rugby thoplethorn

a: sehr geehrter rugby th-th,
bedauerlicherweise muss ich ihnen mitteilen, dass sich dieser junge mann meines wissens nicht dazu bewegen lassen wird, new york – bzw. das gewächshaus seiner mutter – in absehbarer zeit zu verlassen. das britische klima ist der pflanze,

die er gern anbauen möchte, nicht so recht zuträglich. wobei ich allerdings sagen muss, dass er sehr gut mit den unterschiedlichsten »kleinen gemeinschaften« zurechtkommt.
gossip girl

so. und jetzt nichts wie zurück auf die afterparty.

ihr wisst genau, dass ihr mich liebt

r wird clean

»Kuschelparty, Alter!«

Rhys wachte am Samstagmorgen auf, weil ihm irgendetwas Schweres auf die Brust fiel. Was sollte der Scheiß? Er hatte gerade geträumt, er würde in der Backwarenabteilung von Zarbar's in einer selbst gebackenen Baguette-Hütte wohnen. Eigentlich ein ziemlich cooler Traum. Er öffnete ein Auge und starrte in einen strahlend blauen Himmel mit kleinen Schäfchenwolken. Wo zur Hölle war er?

Kleiner Tipp: nicht in einem Feinkostladen auf der Upper West Side.

»Du bist wach!«, rief eine fröhliche Stimme, dann tauchte das gebräunte Gesicht von Lucas über ihm auf.

»Hmpf«, murmelte Rhys und merkte, dass es ihm schwerfiel, ganze Wörter zu bilden. Er öffnete beide Augen, die sich seltsam geschwollen und verklebt anfühlten. Lucas stand immer noch über ihm. Er war barbrüstig, trug einen der Kilts von Rhys' Vater und hielt sich etwas

Zeltartiges über den Kopf, das Rhys als eines der maßgearbeiteten Laken seiner Eltern erkannte, die aus dem Luxuswäschegeschäft Monogrammed Linen in London stammten.

»Komm schon, Bruder, spüre die Liebe!«, lallte eine Mädchenstimme, die sich halb betrunken und halb breit anhörte. Rhys spürte tatsächlich etwas, und zwar ein seltsames Gewicht auf seinem Arm. Er drehte den Kopf und sah, dass Lisa darauf lag. Sie hatte die Arme im Nacken verschränkt und ihre Achselhaare reckten sich wie zum Gruß der Sonne entgegen.

Das kann er, wenn er möchte, jetzt jeden Morgen haben.

Rhys zog hastig seinen Arm unter ihr hervor und sprang auf. Er fühlte sich seekrank, so wie damals, als er und seine Eltern einen Monat durch die Ägäis geschippert waren und dann abrupt vor einer kleinen Insel geankert hatten. Kaum war er an Land gewesen, hatte er sich übergeben müssen, obwohl er sich auf dem Schiff noch blendend gefühlt hatte.

»Du siehst ein bisschen mitgenommen aus«, sagte Lucas besorgt. »Ich glaub, du brauchst ein Pfeifchen.« Er kramte unter dem Kilt herum und zog eine kleine Wasserpfeife hervor. Rhys wollte gar nicht wissen, wo genau er sie herhatte.

»Nein!«, rief er entsetzt und presste sich die Hand auf den Mund, um nicht sofort auf den Boden zu kotzen. Lucas zuckte die Achseln, legte sich an die Stelle, wo Rhys gelegen hatte, und kuschelte sich an Lisa. Kaum hatte er die Augen geschlossen, schien er auch schon eingeschlafen zu sein. Rhys blickte sich hektisch um und spürte, wie sein Herz immer schneller schlug. Verdammte Scheiße –

was war letzte Nacht *passiert*? Sein Blick wanderte über die Terrasse und blieb an einer Pyramide aus leeren Sol-Bierdosen hängen. Daneben stand unerklärlicherweise die Skulptur des italienischen Windspiels aus der Eingangshalle.

»Was haben wir bloß getan?«, murmelte Rhys schwach, obwohl ihm sowieso niemand zuhörte. Er wankte die Wendeltreppe hinunter, die von der Terrasse ins Wohnzimmer führte. Vielleicht hatten sie ja den ganzen Abend auf der Terrasse verbracht. Vielleicht war es gar nicht so schlimm.

Genieße die letzten Sekunden in Unwissenheit, mein Freund!

»Was ist hier los?«, rief er alarmiert, als er in die Küche kam. Die marmorne Kücheninsel war von geöffneten Kaviardosen übersät.

»Ich glaub, dein Kühlschrank ist im Arsch, Bruder. Die Milch schmeckt echt seltsam.« Vince schüttelte betrübt den Kopf und trat vom Kühlschrank zurück. Als Rhys auf den Boden schaute, stellte er fest, dass der Kühlschrank in einer riesigen Wasserlache stand und der Parkettboden um ihn herum hässlich aufgequollen war.

»War echt 'ne geile Party, Alter«, murmelte Vince, dem nicht aufzufallen schien, dass er bis zu den Knöcheln in Wasser stand. Rhys nickte zerstreut. Solange sich die Verwüstung auf die Küche beschränkte, war es nicht *so* schlimm.

»Krass, Mann, du bist echt voll der gute Schwimmer. Du warst echt der Hammer gestern im Pool.«

Zwischen den Fressnäpfen der Corgis saß ein kleiner Junge auf dem Boden, den Rhys noch nie vorher gesehen hatte. Er baute gerade einen Turm aus ehemals tiefgefrorenen Scones und runzelte dabei konzentriert die Stirn. Rhys stützte sich haltsuchend auf der Arbeitsplatte ab. Urplötzlich blitzten vor seinem inneren Auge Bilder der letzten Nacht auf. Wetttauchen nach den Tomaten seiner Mutter im Pool. Wasserpfeifenbasteln aus den Tomaten. Kiffen, was das Zeug hielt. Ein feuchter Kuss mit Lisa auf dem Balkon. Raubzüge durch die Küche und den Weinkeller. Oh Gott.

»Ich glaub, ich muss kotzen«, verkündete er und stürzte ins Badezimmer. Die mit einem zartem Rosenmuster tapezierten Wände waren mit Tomatensaft vollgespritzt. Ein Junge und ein Mädchen schliefen friedlich in der Badewanne. Der Typ drückte beschützend eine Bong an seine Brust wie einen verloren geglaubten Freund.

»Raus!«, brüllte Rhys. Sogar das Brüllen schmerzte. Er sehnte sich danach, eine lange heiße Dusche zu nehmen, und hoffte wider besseres Wissen, dass das alles vielleicht nur ein irrwitziger THC-Albtraum war, aus dem er bald erwachen würde.

Das Telefon klingelte.

»Jep!« Rhys hörte, wie Vince in der Küche dranging.

»Raus!«, brüllte er das schlafende Pärchen in der Badewanne erneut an, bevor er hinausrannte und Vince mit rasendem Herzen das Telefon aus der Hand riss.

»Rhys, Liebling? Wer war das denn?«, trillerte Lady Sterling am anderen Ende der Leitung. Ihr britischer Akzent war noch stärker als sonst.

»Äh, der … der Typ vom Lieferdienst«, stammelte Rhys.

»Wirklich, Liebling? Warum geht er denn an unser Telefon?«, fragte seine Mutter verwirrt. »Wie auch immer, mein Schatz, ich wollte dir nur kurz Bescheid geben, dass dein Vater und ich heute Abend zurückkommen. Es war wirklich ganz reizend hier, aber dann haben die grauenvollen Brüder deines Vaters wieder angefangen, die alten Familiengeschichten auszugraben, wonach uns nun wirklich nicht der Sinn stand«, schloss sie.

Rhys krümmte sich innerlich. »Klar, Mom«, sagte er matt und zuckte zusammen, als er sah, wie Vince eine zerbrechliche chinesische Vase von einem kleinen Beistelltischchen in der Ecke nahm.

»Stell das sofort wieder hin!«, zischte er.

»Rhys?«, fragte Lady Sterling.

»Ich … ich muss los.« Rhys legte eilig auf. Er wusste noch nicht einmal, wie viele Leute überhaupt noch im Haus waren.

Eins ist klar: Wo Rauch ist, da ist die Kifferhorde nicht weit.

ein neuer tag bricht an

Jack wälzte sich schlaflos auf dem Biobaumwolllaken hin und her, mit dem die rosshaargefüllte Matratze bezogen war – aber so oft sie sich auch drehte, sie fand einfach keine gemütliche Schlafposition. Als sie vor einer halben Stunde aufgewacht war, hatte sie festgestellt, dass sie immer noch ihr weißes Dior-Kleid anhatte, allerdings war ihr viel zu schwindelig und schlecht gewesen, als dass sie es geschafft hätte, aufzustehen und es auszuziehen.

Neben ihr lag J.P. mit weit von sich gestreckten Armen und Beinen auf dem Bauch, an den Füßen seine schwarzen Lackschuhe von Harris. So viel zum Thema leidenschaftlicher Sex. Avery und sie hatten sich irgendwann kurz nach Mitternacht von der Party abgeseilt und waren in eine ziemlich versiffte Kneipe gegangen, wo sie die einzigen weiblichen Gäste gewesen waren. Das Bier dort hatte ziemlich schal geschmeckt, was sie jedoch nicht davon abgehalten hatte, es literweise in sich reinzuschütten. Zwischendurch hatten sie dann noch mit einer Gruppe dienstfreier Polizisten ein paar Kurze gekippt. Erstaunlicherweise hatten sie sich blendend amüsiert. Gegen zwei Uhr morgens hatte Jack dann einen Blick auf ihr Handy geworfen und eine SMS von J.P. und seinem Vater darauf entdeckt, die offenbar in ziemlicher Panik waren, weil sie nicht wussten, wo sie steckte. Sie hatte Avery in ein Taxi verfrachtet und war dann zu den Lofts gefahren, wo man sie sofort genötigt hatte, wieder in Kameras zu lächeln, entsetzlich langweiligen Menschen die Hände zu schütteln und weitere Interviews mit irgendwelchen Fernsehsendern zu führen.

Und noch mehr zu trinken?

Weil sie zwei Stunden lang verschwunden gewesen war, ließen Candice und Jeannette sie und J.P. erst gegen vier Uhr morgens wieder aus ihren Krallen, als auch die Party nur noch auf Sparflamme köchelte. Allerdings bestanden die beiden darauf, dass sie zum Abschluss im Penthouse noch ein letztes Interview mit einem Reporter von NY1 führten. Jack hoffte inständig, dass sie dabei nicht wie eine komplette Vollidiotin rübergekommen war. Obwohl... wenn sie jetzt so darüber nachdachte, war es ihr eigentlich ziemlich egal. Sie schloss die Augen wieder. Vielleicht würde sich ihr Kater etwas gelegt haben, wenn sie sie das nächste Mal öffnete.

Wie schade, dass man als das *Gesicht des Grünen Wohnens* nicht automatisch zur niemals-müden, niemals-verkaterten, immer-fitten Superheldin mutierte.

»Uuuaaahhh.« J.P. stöhnte im Schlaf und legte einen Arm quer über Jacks Brüste, was sie allerdings nicht an-, sondern extrem abtörnte. Verdammt noch mal, konnte er nicht auf seiner Seite des Betts bleiben?

Als sie vorsichtig ihre Füße über die Bettkante schwang,

wäre sie fast auf Magellan getreten. Das kleine Hundemädchen stieß ein empörtes Winseln aus und sprang dann übermütig aufs Bett.

»Runter mit dir«, zischte Jack und schubste sie auf den Boden zurück. Als sie sich im Apartment umschaute, sah sie auf der Arbeitsplatte eine Armada an Geschenkkörben und Weinflaschen stehen. Wann waren die denn geliefert worden?

Sie wankte zur Theke, nahm sich einen Heidelbeer-Muffin aus einem der Geschenkkörbe und biss hinein. Er war staubtrocken.

»Wo bist du, meine Schöne?«, krächzte J.P., rollte sich herum und rieb sich den Schlaf aus den Augen. Seine Haare standen in alle Richtungen vom Kopf ab und auf einer Wange hatten die Knöpfe seines Kopfkissens tiefe Abdrücke hinterlassen.

»Morgen.« Plötzlich sah Jack sich selbst und J.P. in fünfzig Jahren vor sich – wie sie immer noch in den Cashman-Lofts wohnten, wie sie immer noch neben ihm aufwachte und er sie immer noch »Meine Schöne« nannte, wie sie immer noch viel zu viel Champagner tranken und am nächsten Morgen verkatert trockene Muffins aßen.

»Alles okay?«, fragte J.P., als er Jacks versteinerten Gesichtsausdruck bemerkte.

Jack warf ihm einen Blick zu und sagte nichts. Sie hatten sich als Neuntklässler auf dem großen Ball der New Yorker Privatschulen kennengelernt und waren seitdem zusammen. Sein unaufdringliches Selbstbewusstsein, die Tatsache, dass er es nicht nötig hatte, sich oder anderen irgendetwas zu beweisen zu müssen, und seine Ausgeglichenheit hatten sie sofort für ihn eingenommen. Er war der Gegenpol zu ihrem zu dramatischen Ausbrüchen neigenden Temperament, und sie hatte seine Besonnenheit immer unglaublich geschätzt. Aber jetzt kam ihr ihre Beziehung so vorhersehbar vor wie ein Film, von dem man schon nach zehn Minuten wusste, wie er enden würde. Ein Film – so langweilig, dass er es noch nicht einmal in den Movie-Channel schaffen würde. Sie seufzte.

»Ich glaube, das funktioniert so alles nicht«, platzte es aus ihr heraus. Hastig stopfte sie sich den Rest des Muffins in den Mund, um keine weiteren Erklärungen abgeben zu müssen. Sie wusste noch nicht einmal, warum sie überhaupt damit angefangen hatte.

J.P.s Mund öffnete sich zu einem ungläubigen »Oh«.

»Ich meine, das mit dem Apartment funktioniert so nicht«, fügte Jack mit vollem Mund hinzu. »Die ganze Zeit dieser Druck und die vielen Leute, die uns ständig belagern. Irgendwie unternehmen wir überhaupt nichts mehr miteinander, obwohl wir uns viel öfter sehen als früher. Ist dir schon mal aufgefallen, dass uns alle Leute behandeln, als ob wir verheiratet wären?«

»Ja, schon.« J.P. zögerte. »Aber ich finde das eigentlich ganz schön.«

Jack atmete tief durch. »Ich hab das Gefühl, dass wir dringend einen Gang runterschalten sollten. Versteh mich bitte nicht falsch, das Apartment ist wirklich toll, und dass dein Vater es mir überhaupt zur Verfügung gestellt hat, ist wirklich unglaublich nett, aber … es ist viel zu viel. Ich meine, wir sind doch erst sechzehn, oder? Weißt du was? Ich ziehe zu meinem Vater«, sagte sie entschlossen und überraschte sich damit selbst. *Hoffentlich* würde ihr Vater sie überhaupt bei sich aufnehmen. Aber sie wusste auf einmal mit absoluter Sicherheit, dass sie nicht länger hierbleiben konnte.

»Ich gehe duschen. Ich brauch jetzt ein bisschen Zeit für mich.« Sie drehte sich um, verschwand im Badezimmer und hoffte, J.P. würde weg sein, wenn sie wieder rauskam.

Wenn er schlau ist …

problem gelöst

Baby wachte vom Klingeln ihres Handys auf. Sie war froh, dass sie die Wohnung gestern Abend für sich gehabt hatte, sodass sie in aller Ruhe ihren Kleiderschrank, ihre Fotos und ihre alten Notizen hatte sortieren können. Seltsamerweise fühlte sie sich jetzt, wo ihr Zimmer aufgeräumt war, tatsächlich ein bisschen mehr wie *sie selbst*. Sie hatte sogar die Sachen, die sie sich von Avery geliehen hatte, wieder in deren Schrank zurückgehängt, wo sie schließlich auch hingehörten.

»Hallo?«, meldete sie sich.

»Hey! Na, bist du schon geheilt?«, hörte sie Sydney am anderen Ende der Leitung fragen.

»Ich glaub schon.« Baby setzte sich im Bett auf und blickte sich zufrieden lächelnd um. Nach ihrer gestrigen Aktion wirkte ihr Zimmer richtig hell und luftig.

Umso besser! Es wird nämlich allmählich ein bisschen zu kühl, um weiterhin auf der Terrasse zu nächtigen…

»Meinst du, ich könnte vielleicht vorbeikommen und

noch mal kurz mit deiner Mom reden?«, fragte sie und war plötzlich verlegen. Schließlich hatte Lynn bis jetzt noch nicht gesagt, ob sie bereit war, sie als Patientin aufzunehmen – dabei musste sie dringend ihre Therapiestunden hinter sich bringen, wenn sie nicht von der Constance Billard fliegen wollte.

»Sie hat heute Vormittag irgend so eine Gruppentherapie, aber ich schätze mal, dass sie nichts dagegen hat, wenn du kommst.« Baby konnte fast hören, wie Sydney mit den Achseln zuckte.

»Super!« Sie klappte das Handy zu, sprang aus dem Bett und riss die Tür zu ihrem begehbaren Kleiderschrank auf. Die Auswahl war mehr als überschaubar – sie hatte so gründlich ausgemistet, dass sie kaum noch etwas zum Anziehen besaß. Nach kurzem Nachdenken entschied sie sich für schwarze Leggins von American Apparel, über die sie ein Blümchenkleid zog, das sie in Barcelona gekauft hatte, und rundete das Ganze mit einem riesigen grauen Abercrombie-Sweater ab, der wahrscheinlich einmal Owen gehört hatte. Zuletzt schnallte sie noch einen Gürtel um, schlüpfte in ein Paar Chucks und rannte zur Tür hinaus.

Als sie durch den Park lief, staunte sie darüber, wie belebt die Stadt so frühmorgens schon war. Auf den Gehwegen tummelten sich Eltern, die Buggys schoben, Fangen spielende, kreischende Kinder und händchenhaltende Pärchen, die an ihrem Unterwegskaffee nippten. Früher hatte so viel Betriebsamkeit Fluchtgedanken in ihr ausgelöst, jetzt färbte die gute Laune der anderen auf sie ab. Sie fühlte sich, als wäre sie ein Teil der flirrenden Energie der Stadt.

Als sie das Haus in der Upper West Side erreicht hatte,

in dem Sydney wohnte, klingelte sie wild, stürmte durch die Tür, nachdem aufgedrückt worden war, und raste, statt den Aufzug zu nehmen, zu Fuß die Treppe hoch.

»Baby! Immer rein in die gute Stube!« Lynn ließ sie eintreten und führte sie ins Wohnzimmer, wo eine Gruppe Frauen auf dem abgewetzten blauen Samtsofa und auf den weinroten Sitzkissen am Boden saß. Sphärische Musik wehte durch den Raum und jede der Frauen hatte ein Skizzenbuch auf den Knien und zeichnete.

»Ich hab gerade eine Gruppensitzung. Hast du Lust, Menschen mit Problemen zuzuschauen?«, fragte Lynn leise. Baby warf einen Blick auf die Zeichnungen. Eines der Bilder zeigte eine Elefantenherde, die in der Mitte eines Ladens stand, der wie Barneys aussah. Sie wollte noch nicht einmal darüber nachdenken, was die Symbolik dieser Zeichnung bedeutete.

»Wir machen heute eine kleine Maltherapie. Ist gerade der letzte Schrei. Totaler Bullshit, wenn du mich fragst. Aber dieser Bullshit bezahlt meine Rechnungen, also sollte ich die Klappe halten und froh sein.« Lynn zwinkerte ihr verschwörerisch zu. »Und davon abgesehen – wenn sie das *Gefühl* haben, dass es ihnen hilft, dann hilft es ihnen auch. Das ist eigentlich auch schon das ganze Geheimnis.«

»Ich will gar nicht lange stören, sondern wollte mich nur …«

»Bedanken?«, unterbrach Lynn sie. »Aber Liebes, ich hab doch gar nichts gemacht! Ich hab dich bloß daran erinnert, dass es dir im Grunde verdammt gut geht«, sagte sie. »Also …? Kann ich sonst noch irgendetwas für dich tun?«

»Ehrlich gesagt …« Baby wühlte in ihrer limettengrünen Kuriertasche nach dem Therapieformular. Nach den Pleiten mit den ersten beiden Therapeutinnen fehlten ihr immer noch achtzehn Stunden. »Wenn ich an der Schule bleiben will, muss ich insgesamt zwanzig Stunden Therapie machen, und ich hab erst zwei. Könnten Sie mir vielleicht jemanden empfehlen … oder könnte ich vielleicht sogar weiter zu Ihnen kommen?«, fragte sie schüchtern. Was wenn Lynn Nein sagte? »Natürlich würde ich Sie ganz normal bezahlen!«, fügte sie hinzu.

»Unsinn.« Lynn schüttelte entschieden den Kopf. »Her mit dem Formular!« Sie zog einen Stift aus einem angeschlagenen Kaffeepott und setzte schwungvoll ihre Unterschrift unter das Papier. »Betrachte dich selbst als genauso perfekt neurotisch wie den Rest von uns!«

»Danke schön!«, rief Baby fassungslos. Wow, sie war erlöst! Mit einem Mal fühlte sie sich so leicht wie schon lange nicht mehr.

»Jederzeit, Liebes. Sydney verkriecht sich in ihrem Zimmer. Warum zieht ihr beiden nicht los und macht ein bisschen die Stadt unsicher?«, meinte Lynn und tätschelte Babys Arm. »Und jetzt ab mit dir und lass mich hier meinen Zauber wirken!« Sie schob Baby den Flur entlang und brachte sie bis zu Sydneys Zimmer.

Baby klopfte an die Tür.

»Komm rein!« Sydney lag auf einer Patchwork-Decke auf ihrem Bett, hörte Musik über ihren iPod und starrte an die Decke. Sie hatte einen winzigen grünen Kordrock und ein schwarzes T-Shirt an, auf dem »DIE ZUKUNFT IST WEIBLICH – ODER FINDET GAR NICHT STATT« stand.

»Ich bin geheilt!«, verkündete Baby und tanzte aufgekratzt durch das Zimmer.

»Na endlich! Du hast ja keine Ahnung, wie langweilig du in letzter Zeit gewesen bist.« Sydney schüttelte den Kopf. »Ich treff mich gleich mit Webber und seinen Mitbewohnern. Wir machen heute mal wieder einen Flashmob. Diesmal treffen wir uns in der U-Bahn, wo wir dann alle gleichzeitig unsere Hosen ausziehen. So eine Art Herbsttradition. Hast du Lust, mitzukommen?« Sie grinste vielsagend.

»Klar!«, rief Baby.

Sie flirtete gern mit Jungs, war abenteuerlustig und flatterte von einem Spaß zum nächsten – und wenn schon? Das war *sie*. Die *echte* Baby war zurück.

Jungs, bitte hinten anstellen!

wiedervereinigung

Owen sprang am Samstagmorgen kopfüber ins Schwimmbecken und genoss es, wie das kalte Wasser seine Haut zum Kribbeln brachte. Er tauchte rasch wieder auf und schwamm ein paar Züge Schmetterling zur Auflockerung, bevor er in entspannten Freistil verfiel. Endlich hatte er Zeit und konnte ungestört nachdenken – genau das war es, was er am Schwimmen schon immer geschätzt hatte. Und es gab jede Menge, worüber er nachdenken musste. Zum Beispiel darüber, dass es zwischen ihm und Kelsey irgendwie nicht wirklich stimmte. Körperlich war es der Wahnsinn, aber emotional… war da eigentlich nicht besonders viel. Sie hatten sich bis jetzt ja noch nicht ein Mal richtig *unterhalten*. Am Ende der Bahn angekommen, vollführte er eine geschmeidige Rollwende, als ihn plötzlich jemand am Fußgelenk festhielt.

Owen fuhr herum und stellte sich im flachen Wasser auf.

»Hi!« Da war sie, kauerte am Beckenrand und wirkte in

ihrem schwarzen Strickkleid, den Strumpfhosen und den hohen Wildlederstiefeln vollkommen fehl am Platz – Kelsey.

»Da hat wohl jemand seinen ganz privaten Cheerleader mitgebracht«, dröhnte eine tiefe Stimme durch die Schwimmhalle.

Owen blieb fast das Herz stehen, als er Coach Siegel aus dem Umkleideraum kommen sah, fröhlich seine Trillerpfeife hin- und herschwingend.

»Tut mir leid, Coach!« Er wollte nicht, dass sein Trainer dachte, er würde seine Pflichten als Mannschaftskapitän vernachlässigen, erst recht nicht nach dem Gespräch, das sie am Donnerstag gehabt hatten. Schnell stemmte er sich aus dem Wasser. »Was machst du denn hier?«, zischte er. Der Wettkampf fing zwar erst in einer Stunde an, aber er war früher gekommen, um sich in Ruhe aufzuwärmen, bevor der Rest des Teams kam. Wenn die Jungs ihn jetzt auch noch mit Kelsey sahen, würden sie ihn noch mehr hassen und ihn noch weniger als Kapitän akzeptieren.

»Sollen wir lieber woanders hingehen?« Kelsey lächelte kokett, stellte sich auf die Zehenspitzen und knabberte zärtlich an seinem Ohrläppchen. Irgendetwas an ihrem Verhalten wirkte so … *gierig*. War sie schon immer so nymphoman veranlagt gewesen?

Ähm, es braucht stets zwei, um sich gegenseitig die Klamotten vom Leib zu reißen, ohne sich vorher vorgestellt zu haben …

»Komm mit.« Er zog sie in Richtung des Damenumkleideraums, von dem er wusste, dass er leer sein würde, weil das Schwimmbad wegen des Wettkampfs heute Vormittag geschlossen war.

In der Mädchenumkleide waren die Spinde rosa statt blau, aber es müffelte genauso nach Chlor und Käsefüßen wie bei den Jungs. Was zwar nicht besonders romantisch, aber wahrscheinlich ganz gut so war. Um ganz sicherzugehen, dass sie auch wirklich niemand sehen konnte, ging er mit Kelsey in die kleine Kammer, in der diverses Schwimmequipment aufbewahrt wurde.

Ein begehrliches Leuchten trat in Kelseys Augen und sie legte ihre Hand auf seine Brust. Spürte sie, wie schnell sein Herz schlug?

»Hör zu … das mit uns funktioniert nicht«, sagte Owen mit schwerer Stimme und lehnte sich gegen einen Stapel Schwimmbretter. Er hatte das Gefühl, in den letzten paar Wochen mehr Zeit damit verbracht zu haben, mit Kelsey Schluss zu machen, als die Zeit mir ihr tatsächlich zu genießen. Er nahm ihre Hand und drückte sie seufzend.

»Was …? Warum nicht?«, fragte Kelsey mit bebender Unterlippe.

Oh Scheiße! Wieso war es nur immer so schwer? Warum konnte er nicht die Eier haben, das Ganze anständig über die Bühne zu bringen?

»Kelsey … bitte.« Er ließ ihre Hand los. »Wir können nicht zusammen sein. Und dieses Mal meine ich es ernst.« Seine Stimme klang heiser. Kelseys Unterlippe begann noch mehr zu zittern und ihre Augen füllten sich mit Tränen.

»Aber warum? Ich versteh das einfach nicht.« Sie legte ihm die Arme um den Hals.

»Weil …« Owen zögerte. »Weil es eben nicht geht«, sagte er schließlich und machte sich von ihr los. Dann trat er einen Schritt zurück und spürte, wie sich sein ganzer Körper schlagartig entspannte. Sie reagierten wie

Magnete aufeinander: Ab einer bestimmten Nähe mussten sie Körperkontakt miteinander aufnehmen und sich die ganze Zeit anfassen. Aber so funktionierte eine Beziehung nicht. In einer echten Beziehung ging es um viel mehr als nur körperliche Anziehung.

Kelsey biss sich auf die Unterlippe. Owen entfernte sich noch ein paar Schritte von ihr, um nicht wieder in die Versuchung zu geraten, sie zu berühren.

»Owen?« Kelsey schlang die Arme um ihren Oberkörper und sah aus, als würde sie jeden Moment in Tränen ausbrechen.

Er hätte ihr am liebsten die honigblonden Haare aus dem Gesicht gestrichen und ihr gesagt, dass alles gut werden würde. Er hätte gern die Arme um ihre Taille gelegt und sie an sich gezogen. Aber das ging nicht. »Du solltest mit jemandem zusammen sein, der dich wirklich kennt«, stieß er hervor, bevor er aus dem Geräteraum stürzte und sie zwischen den Flossen, Schwimmbrettern und Wasserbällen stehen ließ. Er wusste, dass sie erst einmal total durcheinander sein würde, aber irgendwann würde sie es verstehen, und dann würde es ihr besser gehen. Er war noch nie so sicher gewesen, das Richtige getan zu haben.

a ist alles andere als verantwortungslos

Avery stürmte gegen zwölf Uhr mittags in die verwaisten Büroräume der *Metropolitan*. Als sie aus ihrem trunkenen Tiefschlaf erwacht war, hatte sie nur einen Gedanken gehabt: Sie musste die Veröffentlichung des Artikels über Jack unbedingt verhindern. Das Problem war nur, dass sie keine Ahnung hatte, wie sie das anstellen sollte. Sie konnte schließlich schlecht in der Druckerei anrufen und die Maschinen anhalten lassen. Sie hatte darauf gehofft, dass ihr irgendetwas einfallen würde, wenn sie in der Redaktion war, aber jetzt stand sie hier und wusste nicht weiter.

»Avery?« Ticky kam auf ihren Glitzer-Miu-Mius angestöckelt und wirkte völlig überrascht, sie hier zu sehen. »Sie sind mir ja eine ganz Eifrige! Hoffentlich nehmen wir Sie hier nicht zu hart ran. Es ist gestern schließlich bestimmt spät geworden!«, rief sie.

Averys Gedanken überschlugen sich. »Ich muss mit Ihnen reden«, stieß sie hervor.

»Natürlich, meine Liebe. Kommen Sie, wir gehen in mein Büro.« Tickys braune Augen nahmen einen besorgten Ausdruck an, und ihre blutrot lackierten Fingernägel bohrten sich in Averys Haut, als sie gemeinsam in ihr herrschaftliches Büro gingen.

»Setzen Sie sich und schießen Sie los.« Ticky deutete auf den hellrosa Sessel vor ihrem Schreibtisch. Avery fühlte sich wie damals, als sie auf der Highschool in Nantucket ins Büro des Rektors zitiert worden war. Der Grund dafür war zwar ein erfreulicher gewesen – sie hatte die Wahl zur Stufensprecherin der zehnten Klassen gewonnen –, aber sie war genauso nervös gewesen wie jetzt. Und dieses Mal hatte sie *definitiv* keine gute Nachricht zu erwarten.

»Der Artikel über Jack Laurent und Dick Cashman darf nicht veröffentlicht werden«, ließ Avery die Bombe platzen. Sie hatte das Gefühl, sich gleich über Tickys antiken Schreibtisch übergeben zu müssen, auf dem nichts als die vorsintflutliche Schreibmaschine stand. Zur Beruhigung konzentrierte sie sich auf ein Foto, das hinter Ticky an der Wand hing. Es zeigte sie – jünger, aber genauso dünn und auftoupiert –, wie sie mit Mick Jagger auf einem Tisch tanzte. Avery verzog das Gesicht. Anscheinend hatte Ticky selbst bei ihren Jugendsünden immer Klasse gehabt und Coolness bewiesen. Sie hatte ihre Zeit bestimmt nicht mit egozentrischen Journalisten verschwendet. »Auf gar keinen Fall«, fügte Avery verzweifelt hinzu.

»Und warum nicht?« Ticky lehnte sich ruhig in ihrem Eames-Sessel zurück und verschränkte die Arme vor der Brust. »Avery, mein Engel, Sie sind eine wirklich herausragende Praktikantin. Ein wenig erinnern Sie mich an mich selbst, als ich so alt war wie Sie.« Sie nickte ihr aufmunternd zu. »Es ist vollkommen normal, dass Sie nervös sind. Das ist immerhin Ihre erste Story! Und ganz New York wird darüber reden. Natürlich ist das aufregend.« Sie lächelte wohlwollend und wedelte dann ungeduldig mit ihrer knotigen Hand. »Und jetzt raus mit Ihnen. Wir haben schließlich Wochenende! Gehen Sie und suchen Sie mir noch mehr gute Storys. Ein bisschen Ablenkung ist jetzt genau das Richtige für Sie.«

»Ähm, danke.« Avery rang um Haltung. »Es ist nur so, dass … dass diese Geschichte über Jack … also sie ist nicht …« Sie seufzte. Wie sollte sie es Ticky bloß sagen? Sollte sie sich eine Ausrede ausdenken? *Jack und ich hatten keine Lust auf die langweilige Schickimicki-Party, deshalb sind wir in eine abgerockte Kneipe gegangen und haben uns mit schalem Bier zulaufen lassen – und deshalb gibt es jetzt auch kein fertiges Interview?*

»Einen Moment.« Ticky zog einen riesigen Probeabzug aus ihrem Postfach und studierte ihn. Sie musste nur noch ihren Montblanc-Füller mit der purpurfarbenen Tinte zücken und ihn mit ihrer Unterschrift freigeben. Plötzlich blickte sie auf, schob ihre Prada-Lesebrille auf dem Rücken ihrer Hakennase höher und blickte Avery scharf an. »Sie hat gar keine Affäre mit diesem alten Mann«, stellte sie sachlich fest. Avery nickte erleichtert.

»Ich hätte das schon viel früher richtigstellen sollen. Sie können mich feuern, wenn Sie möchten, aber bitte ziehen Sie den Artikel zurück. Was darin behauptet wird, ist einfach nicht wahr. Es ist alles gelogen.« Avery war sich jetzt ganz sicher, dass die Alkoholmischung, die noch von gestern Nacht in ihrem Blutkreislauf zirkulierte, sich schon sehr bald unangenehm Bahn brechen würde. Sie musste dringend hier raus.

»Es tut mir leid!«, presste sie hervor, stürmte aus Tickys Büro und rannte auf die Toilette, wo sie sich kaltes Wasser ins Gesicht spritzte. Als sie sich anschließend im Spiegel betrachtete, stellte sie fest, dass ihr Gesicht und ihr Hals mit hektischen Flecken übersät waren und dass sie unendlich müde aussah. Ganz und gar nicht wie eine erfolgreiche Journalistin der *Metropolitan*. Mit hängendem Kopf verließ sie die Toilette, ging zu ihrem Schreibtisch, räumte ihre Sachen zusammen und steckte sich zuletzt noch die aktuelle *Metropolitan*-Ausgabe in ihre beerenfarbene Marc-Jacobs-Tasche. Auf dem Cover war ein Foto von Sienna Miller abgebildet, auf dem sie einen karierten Prada-Rock trug und gelassen und selbstbewusst wirkte. Das genaue Gegenteil von ihr selbst.

Plötzlich hörte sie das vertraute Klackern von turmhohen Absätzen auf dem Marmorboden. Ganz toll. Jetzt würde Ticky sie richtig fertigmachen. Avery straffte die Schultern und wünschte sich, sie hätte sich auf der Toilette eben übergeben.

»Avery?«

»Ich bin hier«, antwortete sie matt.

»Liebes, was machen Sie denn da?« Ticky betrachtete entgeistert den leer geräumten Schreibtisch. »Sie erinnern mich an meinen gottverdammter Ex-Mann. Einmal ein scharfes Wort, und schon war er dabei, seine Sachen zu packen. Aber als ich ihm dann wirklich den Laufpass gegeben habe, ist dieser Mistkerl doch tatsächlich aus allen Wolken gefallen!« Sie schüttelte den Kopf. Avery lächelte höflich.

»Sie haben recht. Wir kippen die Story. Sie basiert auf

nichts als einem bösen Gerücht und das ist einfach nicht der Stil der *Metropolitan*. Stimmen Sie mir zu?« Avery war so sprachlos, dass sie nur nicken konnte. Sie würde nicht mit Schimpf und Schande aus der Redaktion gejagt werden? »Ich hätte Sie niemals mit James zusammenbringen dürfen. Obwohl ich sagen muss, dass Sie sich wacker geschlagen haben«, sinnierte Ticky. »Na schön, dann setzen wir Sie jetzt auf eine *wahre* Story an. Über welches Thema würden Sie gerne schreiben?«

Avery dachte nach. Sie versuchte sich vorzustellen, wie sie mit einem kleinen Aufnahmegerät herumlief und Leute befragte, welchen Designer sie trugen, wie ihnen die Party gefiel, oder ihnen eine der knallharten Fragen stellte, für die die *Metropolitan* bekannt war – zum Beispiel welches ihre schlimmste Kindheitserinnerung oder ihre größte Angst war. Aber sie konnte sich in dieser Rolle einfach nicht sehen. In ihrer Idealvorstellung von ihrem New Yorker Leben war immer *sie* diejenige gewesen, die im Rampenlicht stand und befragt wurde.

»Ehrlich gesagt …« Sie schüttelte den Kopf. Es war ihr sehnlichster Wunsch gewesen, dass Ticky sie anerkannte und in ihr ganz den Stil der *Metropolitan* verkörpert sehen würde. Als wäre das der magische Schlüssel, der ihr in New York alle Türen öffnete. Aber so einfach war es nicht. Sie wollte nicht wie McKenna oder Gemma werden, die sich mit verbissenem Ellbogeneinsatz ihren Weg an die Spitze erkämpften. »Wissen Sie, Ticky … Sie sind für mich immer ein Vorbild gewesen … vor allem nachdem meine Großmutter gestorben war«, begann Avery zaghaft. »Aber ich fürchte, der Journalismus ist nicht das Richtige für mich.« Sie hoffte, dass sie der alten Dame damit nicht zu nahe getreten war und dass sie keine nähere Erläuterung von ihr verlangen würde.

Überraschenderweise nickte Ticky nachdenklich. »Ich würde mich allerdings freuen, wenn Sie Ihre Entscheidung in ein paar Jahren noch einmal überdenken würden. Sie haben sich bereits die ersten Sporen verdient. Unser Geschäft ist hart, das stimmt – aber wer einmal Geschmack daran gefunden hat, kann nie wieder die Finger davon lassen. Außerdem braucht diese Branche weiß Gott Leute mit *wirklicher* Klasse. Ich werde schließlich nicht ewig leben«, fügte sie bedauernd hinzu. »Aber wissen Sie was? Für Ihre gute Arbeit und Ihre Aufrichtigkeit lasse ich Ihnen die Ticky-Spezialbehandlung angedeihen. Die *Metropolitan* wird niemals ein böses Wort über Sie verlieren. Es sei denn, Sie bitten uns ausdrücklich darum. Einverstanden, Kindchen?«

Avery strahlte. Sie konnte kaum glauben, was sie gerade gehört hatte. Ticky hatte die letzte Entscheidungsgewalt darüber, was über praktisch jeden, der in New York etwas galt, gesagt oder nicht gesagt wurde. New York würde noch von ihr hören. Genau wie damals von ihrer Großmutter.

»Ich weiß nicht, wie ich Ihnen danken soll«, sagte sie aufrichtig berührt.

»Sorgen Sie einfach dafür, dass diese Stadt auch weiterhin interessant bleibt.« Ticky zwinkerte ihr zu und wandte sich zum Gehen.

Avery bückte sich und hob eine der albernen Pailletten auf, die von ihren Pumps gefallen war. »Warten Sie!«

Ticky hielt mitten im Schritt inne und balancierte wie ein unterernährter Flamingo auf einem Bein.

»Die ist von Ihrem Schuh abgefallen.« Avery hielt ihr schüchtern die Paillette hin.

»Behalten Sie sie!«, rief Ticky mit ihrer Reibeisenstimme. Und obwohl es vielleicht ein bisschen kitschig war, steckte Avery die Paillette vorsichtig in das nie benutzte Kleingeldfach ihres schwarzen Prada-Portemonnaies.

Na ja, der Pulitzer-Preis ist es nicht gerade, aber man nimmt, was man kriegen kann.

Avery seufzte erleichtert und steuerte auf die Aufzüge zu. Sie freute sich auf ihren letzten Gang durch die Lobby des Dennen-Gebäudes.

Als die Fahrstuhltüren im Erdgeschoss auseinanderglitten, stand sie plötzlich James gegenüber. Er trug ein blau kariertes Hemd, eine karierte Fliege und ein Jackett mit Fischgrätmuster. Gestern hätte Avery noch gesagt, er sähe urban und cool aus. Heute fand sie, dass er es mit seinem Dandy-Stil eindeutig übertrieb.

»Oh, toll, dass Sie hier sind, Mäuschen!« James zog sie aus dem Aufzug und küsste sie auf beide Wangen. Avery erstarrte. *Mäuschen?* »Ich brenne auf Ihren Bericht über gestern Abend. Wo haben Sie eigentlich die ganze Zeit gesteckt? Ich konnte Sie nirgendwo finden, als ich gehen wollte. Sie haben einiges verpasst«, rügte er sie nachsichtig.

»Nein, *Sie* haben einiges verpasst«, entgegnete Avery ruhig und musterte ihn eingehend. Sie konnte einfach nicht glauben, dass sie auf den affektierten schottischen Akzent und das aufgeblasene Gehabe eines Typen hereingefallen war, der nichts weiter als ein eingebildeter Idiot mit einem miserablen Stilberater war. »Aber damit Sie auf dem Laufenden sind: Ich arbeite nicht mehr hier. Und die Story wird nicht gedruckt, weil es nicht dem Stil der *Metropolitan* entspricht, fiese Gerüchte in die Welt zu setzen. Ich kann es kaum erwarten, Ihre nächste Story zu lesen!«, rief sie über die Schulter, kurz bevor sie durch die Drehtür verschwand.

r erinnert sich an ein paar hausregeln

»Das nächste Mal findet die Party bei mir statt, Alter«, versprach Lucas ernst und nahm einen langen Zug von seiner Tüte, bevor er den Kopf in den Nacken legte und den Rauch ausblies, bis er sich unter der holzgetäfelten Decke der Sterling'schen Eingangshalle kräuselte. Lisa, Malia, Vince und fünf oder sechs andere, die Rhys noch nie zuvor gesehen hatte, standen im Kreis um Lucas herum, als wäre er ihr Guru. Alle trugen Tomaten in den Händen.

»Danke«, sagte Rhys knapp. »Okay, Leute, nehmt es mir nicht übel, aber ihr müsst jetzt gehen.« Er öffnete die große, schwere Eichentür. »Man sieht sich.«

Ja klar. Als würde er jemals wieder mit diesen siffigen Typen abhängen, die fast sein Leben ruiniert hätten.

»Ich werde diese kleinen Scheißerchen hier zu Pastasoße verarbeiten. Die Tomaten sind echt der Hammer«, schwärmte Lucas, als wäre er ein Sternekoch und kein zugedröhnter Sechzehnjähriger. Er versuchte, mit ein paar der Tomaten zu jonglieren, was aber jämmerlich fehlschlug. Rhys spürte, wie sich sein Herzschlag beschleunigte. Vielleicht würde er gleich einen Herzinfarkt bekommen. Konnte Gras so etwas auslösen?

»Okay, Mann, Peace. Danke für alles, war echt cool«, nuschelte Lucas schließlich, als offensichtlich wurde, dass Rhys nichts mehr sagen würde. Die anderen Hippies nickten zustimmend, während sie Lucas zur Tür hinaus folgten.

Auf Nimmerwiedersehen!

Rhys raste, immer zwei Stufen auf einmal nehmend, die Treppe zu den Wohnräumen seiner Eltern hinauf, um sich ein Bild vom Ausmaß des Schadens zu machen. Er hatte hämmernde Kopfschmerzen und trotz intensiven Zähneputzens einen Geschmack im Mund, als hätte er den Boden der Jungenumkleide des YMCA abgeleckt. In seinem ganzen Leben würde er nie wieder etwas rauchen oder trinken. Wenn seine Eltern erst herausgefunden hätten, was passiert war, würden sie ihn sowieso nie wieder ausgehen lassen, es würde also kein Problem sein, dieses Gelübde einzuhalten.

Als er die Tür zur Suite seiner Eltern öffnete, durchflutete ihn Erleichterung. Nirgendwo lagen Tomaten, Joints oder geöffnete Ossetra-Kaviardöschen herum. Vielleicht könnte er seine Eltern an der Tür abfangen, wenn sie zurückkamen, und sie mit verbundenen Augen in ihre Räume führen, sodass er genügend Zeit hatte, den Rest des Hauses wieder auf Vordermann zu bringen.

Grandiose Idee!

Erschöpft ließ er sich aufs Bett fallen und massierte sich die Schläfen. Er brauchte bloß einen kleinen Moment Ruhe, bevor er sich daran machen würde, einen Schlachtplan auszuarbeiten. Es gab doch bestimmt irgendwelche

Katastrophensondereinsatz-Putzkommandos, die man an einem Samstagmorgen anrufen konnte, oder? Er blickte an die Decke und fühlte sich einsamer denn je. Das Haus war ein Dreckloch. Er war ein Versager. Und er hatte es sich mit Owen versaut, der gekommen war, um sich bei ihm zu entschuldigen.

Ohne groß nachzudenken, lief er nach unten, holte seine Schwimmtasche aus dem Garderobenschrank in der Halle und joggte zum YMCA in der 92. Straße hinüber. Eigentlich hatte er wahrhaft Besseres zu tun, aber andererseits … Es war wichtig, dass er einen klaren Kopf bekam. Das kalte Wasser und die körperliche Anstrengung würden ihm guttun. Er wollte sein Leben endlich wieder in die eigenen Hände nehmen und sich nicht im Drogenrausch treiben lassen.

»Coach?«, rief Rhys, als er auf das kleine Behelfsbüro neben dem Umkleideraum zuging. Er würde sich in aller Form bei ihm entschuldigen. Vielleicht erlaubte ihm der Trainer sogar, beim Wettkampf mitzumachen. Viel Hoffnung hatte er nicht, aber er musste es zumindest versuchen.

»Sterling!« Der Coach schlug ihm krachend auf den Rücken. »Meine Güte – du stinkst wie ein Pumamädchen im Schritt.« Er rümpfte die Nase. »Sei's drum. Zieh dir deinen Lendenschurz an und dann ab ins Wasser mit dir. Du schwimmst die hundert Meter Schmetterling. Chadwick, das verdammte Weichei, hat Windpocken.« Er schüttelte verärgert den Kopf. Obwohl Rhys Mitleid mit dem superdürren, superungeschickten Neuntklässler hatte, konnte er sich ein glückliches Strahlen nicht verkneifen.

Als seine Disziplin ausgerufen wurde, ging er mit schlafwandlerischer Sicherheit zu den Startblöcken. Er sah Owen auf dem Block neben ihm stehen und bemerkte, wie sich ein schockierter Ausdruck auf seinem Gesicht breitmachte. Rhys ließ die Schultern kreisen und versuchte, seine Muskeln zu lockern. Mit Owen würde er später sprechen. Jetzt gab es erst einmal nur ihn und das Wasser.

Einmal eingetaucht, war er überrascht, wie leicht es ihm fiel, seinen Rhythmus zu finden. Vor langer Zeit hatte er mal geglaubt, Schmetterlingsschwimmen sei wie Sex – oder besser gesagt so, wie er sich Sex vorstellte. Jetzt genoss er es einfach nur, die Anstrengung und die Körperbeherrschung zu spüren, die dieser Schwimmstil erforderte. Nachdem er tagelang geraucht und sich ausschließlich von fettigem Fast Food ernährt hatte, war es ein enorm befriedigendes Gefühl, die Trägheit aus seinem Körper zu vertreiben und seine Muskeln wieder zu bewegen. Ein letztes Mobilisieren seiner ganzen Energie – und er klatschte die Beckenwand ab.

»Du hast gewonnen, Kumpel!« Owen zog sich in der Bahn neben ihm die weinrote Schwimmkappe ab und tauchte den Kopf in das stark gechlorte Wasser. Als er wieder auftauchte, streckte er ihm die Hand hin. »Wahnsinnsleistung, Alter, echt!«

Rhys strahlte übers ganze Gesicht.

»Übrigens – es ist aus«, flüsterte Owen ihm zu, als sie sich nebeneinander aus dem Wasser zogen. »Ich hab mit ihr Schluss gemacht.«

Was? Wollte Owen damit sagen, dass er nicht mehr mit Kelsey zusammen war? Gestern noch hätte ihn diese Nachricht vor Glück auf und ab hüpfen lassen. Aber jetzt fühlte er sich einfach nur… *gut*. Es war ihm mehr oder weniger egal. Alles in seinem Leben rückte wieder an den Platz zurück, an den es gehörte, aber selbst wenn es anders gewesen wäre, hätte er gewusst, dass er damit klarkommen würde.

Hey, dann hat er ja doch was von seinen Hippie-Freunden gelernt!

Rhys marschierte wie in Trance in Richtung Umkleidekabine. Er wurde plötzlich von einem fast schon absurden Glücksgefühl durchströmt und hätte am liebsten jedem, der auf der klapprigen Tribüne hockte, zugewunken. Es saßen eine Menge Mädchen dort. Warum war ihm das nicht schon früher aufgefallen? Eine von ihnen, sie hatte einen dichten Pony, der beinahe ihre Augen verdeckte, winkte ihm begeistert zu und formte mit den Lippen ein »Gut gemacht!«.

Coach Siegel klopfte ihm anerkennend auf den Rücken. »Saubere Arbeit, mein Freund! Wir haben gewonnen!« Er schüttelte ihm enthusiastisch die Hand. »Aber an das Chlor musst du dich wohl erst wieder gewöhnen. Deine Augen sind ja knallrot.«

Natürlich. Das Chlor.

»Dann bist du also wieder dabei?«, fragte der Coach und zog die Brauen zusammen. »Wenn ja, hab ich nämlich noch was mit dir und Carlyle zu besprechen.«

»Nicht nötig, Coach.« Owen schloss zu ihnen auf, öffnete die Tür zum Umkleideraum und ließ Rhys den Vortritt. »Ich geb das Amt des Kapitäns hiermit an Rhys zurück… das heißt… wenn er will.«

Rhys blickte sich im Umkleideraum um, wo seine Teamkollegen gerade dabei waren, sich anzuziehen und ihre üblichen albernen Scherze miteinander zu machen. Die zerbeulten blauen Spinde sahen genauso aus wie immer und auf einmal überflutete ihn eine Welle nostalgischer Gefühle. Er sah Owen an, der seinen Blick erwiderte, als wollte er sagen *Nur zu, der Job gehört dir*. Schließlich nickte er.

»Sehr schön.« Ein breites Grinsen erschien auf Coach Siegels Gesicht. »Ich muss sagen, Carlyle, du hast dich wie ein echter Kerl verhalten. Alle für einen und so weiter. Ich bin stolz auf euch, Männer!«

»Vielen Dank, Sir«, gab Hugh mit engelsgleichem Grinsen zurück. Er beugte sich über seine weinrote Schwimmtasche, wühlte darin herum und zog schließlich einen etwas zerknittert aussehenden schwarzen Piratenhut hervor, den er Rhys auf den Kopf setzte. Das ganze Team brach in Jubelrufe aus.

Als alle geduscht und umgezogen waren, fanden Owen und Rhys sich schließlich nebeneinander wieder. »Hey, Mann«, begann Rhys zögernd. Er wollte sich bei Owen dafür bedanken, dass er die Sache mit Kelsey geklärt und das Amt des Kapitäns an ihn abgetreten hatte, als plötzlich sein Handy klingelte. Er zog das schwarze iPhone heraus und blickte auf die unbekannte Nummer auf dem Display. »Hallo?«, meldete er sich neugierig.

»Rhys? Rodica hat mir gerade eben einen wirklich üblen Streich gespielt!«, hörte er seine Mutter am anderen Ende der Leitung rufen. Sie klang genauso hysterisch wie damals, als sie sämtliche Hunde der Westminster-Hundeshow in eine Folge ihrer Sendung »Lady Sterling bittet zum Tee« eingeladen und der Gewinnerhund ihr auf das cremefarbene Chanel-Kostüm gepinkelt hatte. »Sie rief mich an, um mir mitzuteilen, dass gestern Abend offenbar eine Party bei uns stattgefunden hat. Das Haus soll in einem desaströsen Zustand sein. Rhys, hast du mir dazu etwas zu sagen?«, fragte sie schrill.

Rhys ließ sich schwer auf eine der Holzbänke fallen und stützte die Ellbogen auf die Knie. Scheiße. Das war nicht gut. Das war ganz und gar nicht gut. Sein Kopf schmerzte.

»Rhys?« Lady Sterlings Stimme kletterte noch eine Oktave höher. Es war, als würde jemand einen Eispickel in sein Gehirn treiben.

Hugh sah ihn besorgt an. »Probleme?«

»Wie kommt Rodica auf die Idee, mir zu sagen, dass meine kostbaren Tomaten im Pool schwimmen?«, fragte Lady Sterling mit sich überschlagender Stimme.

»Ich … äh … ich hör dich grade ganz schlecht«, sagte Rhys geistesgegenwärtig. »Ich glaube die Verbindung bricht ab …« Er drückte auf die Auflegetaste und schaltete sein Handy hastig aus. Wenn seine Eltern heute nach Hause kamen und sahen, dass Rodica die Wahrheit gesagt hatte, konnte er sich auf was gefasst machen. Rhys blickte Owen mit einem schiefen Lächeln an und fragte dann in die Runde: »Kennt vielleicht einer von euch einen guten Reinigungsservice?« Er konnte nur hoffen, dass seine Eltern ihn nicht enterben würden.

»Ich!«, verkündete Hugh weltmännisch. »Worum geht's? Brandschäden, Kotzflecken oder nur fettige Fingerabdrücke?« Er zückte sein Handy und scrollte mit ernster Miene durch seine Kontakte.

Vielleicht am besten irgendwelche Spezialisten zur Entfernung von Tomatensaft?

»Hast du jemanden, den du empfehlen kannst?«, fragte Rhys, obwohl es ihn nicht wunderte, dass Hugh Bescheid wusste. Seine Eltern verbrachten die meiste Zeit auf ihrer

Yacht, sodass ihre Stadtvilla schon seit der Mittelstufe regelmäßig als Party-Location herhalten musste.

Nachdem Hugh ihm die Nummern verschiedener Partyaufräumdienste gegeben hatte, erledigte Rhys ein paar Anrufe und fühlte sich anschließend gleich ein bisschen besser: In einer Stunde würden mehrere Putztrupps vorbeikommen. Trotzdem hatte er keine Lust, nach Hause zu gehen. Die geschändeten Tomaten würde kein Troubleshooter der Welt wieder hinbekommen.

»Meine Mutter wird mir das Fell über die Ohren ziehen«, sagte er seufzend zu Owen.

»Gib ihr einfach etwas Zeit, wieder runterzukommen. Wenn du magst, kannst du so lange bei mir unterkriechen«, bot der ihm zaghaft an.

»Echt?«, fragte Rhys und sah ihn an.

Bilderbuch-Buddys, Teil II?

uptown girl

Jack stand in der Bank Street und blickte zum Erkerfenster einer dreistöckigen Stadtvilla im klassizistischen Stil auf. Es war das Haus ihres Vaters, dessen schlohweißen Schopf sie durchs Fenster blitzen sah. Er saß offensichtlich gerade mit seiner neuen Familie am Esszimmertisch. Nachdem sie J.P. gesagt hatte, dass sie nicht länger im Loft leben konnte, hatte sie sofort ihre Sachen gepackt und sich auf den Weg ins West Village gemacht. Sie hatte darauf verzichtet, ihrem Vater vorher Bescheid zu geben, weil es einfach zu kompliziert gewesen wäre, ihm die ganze Situation am Telefon zu erklären. Außerdem hatte sie ihn nicht bitten wollen, sie bei sich aufzunehmen, sondern gehofft, dass er alles verstehen würde, wenn sie mit ihren Koffern vor seiner Tür stand.

Aber jetzt, wo sie hier war und durch das Erkerfenster beobachtete, wie ihr Vater mit seiner glücklichen Familie zu Abend aß, brachte sie es nicht über sich, zu klingeln. Sie konnte ihrem Vater nicht gestehen, dass er recht gehabt hatte und dass sie seine Hilfe brauchte. Sie würde es nicht ertragen, mit ihren Zwillingsstiefschwestern und ihrer nur acht Jahre älteren Stiefmutter Rebecca zusammenzuleben.

Sie sank auf den Stufen vor der Tür in sich zusammen und spürte, wie die Kälte durch ihre Röhrenjeans von Citizen kroch. Warum war sie bloß aus den Cashman-Lofts ausgezogen?

Seufzend holte sie ihr Handy heraus und fragte sich, wen sie anrufen könnte. Es gab natürlich immer noch Genevieve, aber das Apartment, in dem sie wohnte, war winzig, und ihre Mutter – eine Schauspielerin, die mittlerweile nur noch in billigen Fernsehdramen mitspielte –, war unglaublich laut und peinlich. Aber in der Not frisst der Teufel Fliegen. Während Jack noch mit sich verhandelte, ob sie mit einer hysterischen und egozentrischen Mutter zusammenleben konnte, mit der sie noch nicht mal verwandt war, klingelte ihr Handy.

»Hallo?«, flüsterte sie, die Sprechmuschel an die Lippen gedrückt. Sie wollte auf keinen Fall, dass eines der neugierigen Stiefbälger auf sie aufmerksam wurde und aus dem Fenster schaute.

»Hey! Hier ist Avery.« Ihre Stimme klang putzmunter, als hätte sie drei Dean&Deluca-Lattes hintereinander getrunken. Wie kam es, dass Avery sich nicht genauso verkatert fühlte wie sie.

»Wie geht's dir?«, fragte Jack etwas verhalten. Sie konnte immer noch nicht glauben, dass sie gestern Nacht gemeinsam von der Eröffnungsparty der Lofts abgehauen waren und in einer Spelunke mit einer Horde dienstfreier Cops gebechert hatten. Obwohl sie zugeben musste, dass die Aktion ziemlichen Spaß gemacht hatte.

»Gut. Ein bisschen verkatert vielleicht«, kicherte Avery gut gelaunt ins Telefon. Jack stellte sich vor, wie sie in ihrem traumhaften Penthouse in der Fifth Avenue saß, und fühlte sich plötzlich schrecklich klein und einsam. »Wie geht's dir? Hast du das Loft endlich mal für dich allein?«

»Ähm …« Jack zögerte. »Ich bin ausgezogen. Es war einfach …« Was? *Zu schön? Zu elegant?* »Es hat nicht funktioniert.« So, jetzt war es raus. Irgendwie wurde ihr erst in dem Moment, in dem sie es ausgesprochen hatte, so richtig bewusst, was sie eigentlich getan hatte. Sie war ohne zwingenden Grund aus dem umwerfendsten Apartment ausgezogen, in dem sie wahrscheinlich jemals wohnen würde. Sie hatte J.P. von sich gestoßen, obwohl sie eigentlich immer noch zusammen waren. Sie hatte sich ihr ganzes verdammtes Leben versaut.

Sie spürte, wie es ihr die Kehle zuschnürte, aber sie wollte auf keinen Fall am Telefon heulen. Stattdessen wickelte sie sich eine kastanienbraune Strähne um den Zeigefinger und steckte sich das Ende in den Mund. Es war eine unschöne Angewohnheit, die sie normalerweise unter Kontrolle hatte – nur nicht wenn sie unter extremem emotionalen Druck stand. Aber es war schließlich nicht so, als könnte Avery sie dabei sehen.

»Oje. Das tut mir wahnsinnig leid.« Avery klang vollkommen aufrichtig. »Möchtest du vielleicht vorbeikommen?«, fragte sie so leise, dass Jack zuerst glaubte, sie hätte sich verhört. »Ich hab grad sowieso nichts zu tun«, fügte sie unsicher hinzu.

»Warum nicht«, antwortete Jack langsam. »Ich hab aber ziemlich viel Kram bei mir …« Sie blickte auf ihre beiden riesigen, etwas ramponierten Reisetaschen von Louis

Vuitton, die sie neben den Pflanzenkübeln am Fuß der Treppe abgestellt hatte.

»Kein Problem! Wir haben genügend Platz hier. Im Ernst, du kannst so lange bleiben, wie du möchtest. Das wird bestimmt lustig.« Avery klang so ehrlich und süß, dass Jack fast … gerührt war.

»Na ja, dann werd ich wohl mal vorbeikommen«, sagte sie nüchtern, während sie immer noch an der frisch geschnittenen Spitze ihrer kastanienbraunen Haarsträhne saugte. Sie stand auf, nahm ihre Taschen und schleppte sie zur Seventh Avenue. Keine Sekunde später hielt ein Taxi neben ihr.

»72., Ecke Fifth«, rief Jack, als der Taxifahrer ausgestiegen war, um ihr Gepäck in den Kofferraum zu laden.

»Ich bringe Sie dahin, wo Sie hingehören«, sagte der Taxifahrer galant und hielt ihr die Tür auf. Jack nickte befriedigt und kletterte auf die schwarze Rückbank. Sie wusste zwar nicht so genau, wo sie hingehörte, aber wenigstens hatte sie jetzt einen ersten Zwischenstopp.

wo die liebe nur einen blick weit entfernt ist...

»Ich hab uns Johannisbrot-Kekse gebacken – die sind irrsinnig gesund und schmecken trotzdem köstlich!« Edie trat, gefolgt von einem breitschultrigen Mann in Jeans und Hemd, auf die mondbeschienene Terrasse. Er war Mitte vierzig, hatte grau melierte Haare und sah neben Edie, die ein fließendes, bodenlanges Batikkleid trug und ihre Haare zu einer Prinzessin-Leia-Frisur hochgesteckt hatte, schockierend normal aus.

»Danke!«, rief Avery von Babys Hängematte aus, wo sie in einvernehmlichem Schweigen mit Jack saß, Zeitschriften durchblätterte und über ihren iPod John Mayer und Jason Mraz hörte. Owen und sein Freund Rhys saßen außer Hörweite auf einer Kiefernbank und führten eine ernste Unterhaltung, und Baby hatte versprochen, auch gleich rauszukommen, wenn sie ihren Schrank fertig aufgeräumt hatte – oder was auch immer sie in ihrem Zimmer gerade trieb. Avery war erstaunlich eins mit sich und der Welt. Nach dem gestrigen Partyabend tat es wahnsinnig gut, einfach ein bisschen zu entspannen und endlich mal wieder nicht unter dem Druck zu stehen, jemanden beeindrucken zu müssen.

»Wer möchte welche?« Edie hielt das Tablett hoffnungsvoll in die kühle Nachtluft. Nachdem sie eingesehen hatte, dass sie keine Abnehmer für ihre Gesundheitskekse finden würde, stellte sie das Tablett auf den Boden und zauste Jack zerstreut durch die kastanienbraunen Haare.

»Hi«, sagte Jack etwas unbehaglich. Sie war sich nicht hundertprozentig sicher, ob Edie sich bewusst war, dass sie keines ihrer Kinder war.

»Hallo, Schätzchen! Du bist doch das reizende Mädchen, das kürzlich bei uns zum Essen war!«

»Genau die bin ich!« Jack lächelte höflich und versuchte, begeistert zu klingen. Als sie und Owen damals so getan hatten, als wären sie zusammen, hatte Owen sie mit zu sich nach Hause genommen, wo gerade die bizarrste generationenübergreifende Dinner-Party der Welt stattgefunden hatte.

»Keine Sorge, meine Süßen, wir wollen auch gar nicht lange *stören*! Wir schnappen nur ein bisschen Nachtluft!«, sagte Edie und schürzte die Lippen, als wäre sie leicht beleidigt darüber, dass ihre heranwachsenden Kinder keine Lust hatten, mit ihr abzuhängen. Hinter ihr trat Remington nervös von einem Fuß auf den anderen und lächelte höflich. »Remington hat mir von diesem *fabelhaften* Dichterabend im Village erzählt, der die ganze Nacht dauert. Wir gehen gleich hin, und *eigentlich* hatte ich euch fragen wollen, ob ihr Lust habt mitzukommen.« Edie zog erwartungsvoll die Brauen hoch.

»Danke, aber wir bleiben lieber hier, Mom!«, sagte Avery schnell. Sie würde ganz bestimmt nicht zu einer Verabredung ihrer Mutter mitkommen. Und apropos – wie ernst war es Edie mit diesem Typen überhaupt? Sie zog eine Augenbraue hoch und musterte Remington kritisch. Er war ganz attraktiv – jedenfalls für jemanden, der so alt war wie ihre Mutter –, und dafür, dass er sich auf eine von Edies Ausstellungen verirrt hatte, wirkte er viel konventioneller, als sie ihn sich vorgestellt hatte. *Interessant.* Jetzt wo sie nicht mehr für die *Metropolitan* arbeitete, würde sie wenigstens Zeit haben, ihre Familie im Auge zu behalten.

Und wofür? Um einen autobiographischen Bestseller zu schreiben, oder was?

»Wie ihr wollt.« Edie schüttelte so bedauernd den Kopf, dass ihre schweren Holzperlenketten aneinanderklacker-ten. »Wann lernt ihr Kinder endlich, etwas aus eurem Leben zu machen?«, fügte sie noch hinzu. Remington nickte zustimmend, hob das Tablett mit den verschmähten Kek-sen vom Boden auf und folgte Edie durch die Terrassentür ins Apartment zurück.

»Tut mir leid.« Avery sah Jack an, zuckte mit den Schultern und holte eine der zwei Flaschen Corona hervor, die sie halbherzig hinter einem Pflanzenkübel versteckt hatte. »Auch eins?«

»Gern.« Jack nahm die kalte Flasche entgegen. Statt sie aufzumachen, hielt sie sich das kühle Glas an die Schläfen und versuchte, damit ihre immer noch dumpf pochenden Kopfschmerzen zu lindern. Überraschenderweise fühlte sie sich schon sehr viel besser, seit sie bei den Carlyles war, und das, obwohl sie obdachlos war und nicht wusste, ob sie noch mit ihrem Freund zusammenbleiben wollte. Der Vollmond schwebte riesig und leuchtend über dem Central Park und sah fast künstlich aus, wie eine Theater-Requisite. Es herrschte eine merkwürdig verzauberte Atmosphäre auf der in leichten Abendnebel gehüllten Terrasse, von der aus man einen traumhaften Blick über den Park hatte.

»Hallo, alle!« Baby kam plötzlich durch die Terrassentür gestürmt. Sie trug eine Jeans von Citizen, die ihr ausnahmsweise einmal wie angegossen passte, und eine lässige violette Tunika von Marc Jacobs. Ihr Stil war immer noch sehr hippie-like, aber wenigstens sah sie nicht mehr aus wie eine Stadtstreicherin. »Oh, *du* bist da«, stellte sie sachlich fest und starrte Jack aus großen braunen Augen an. »Und *er* auch.« Jack folgte Babys Blick zum anderen Ende der Terrasse, wo Owen und Rhys nebeneinander auf der Holzbank saßen und auf den Central Park hinausblickten. Obwohl es schon fast dunkel war, konnte Jack Owens athletische Silhouette ausmachen. Er und Rhys schlugen immer wieder die Fäuste aneinander und lachten. Offensichtlich erlebten sie gerade einen innigen Kumpelmoment.

»Hey, Jungs!«, rief Avery ihnen befehlshaberisch zu. Was konnten zwei Typen schon so Wichtiges miteinander zu betuscheln haben?

»Was ist?« Owen und Rhys standen auf und kamen zu ihnen herübergeschlendert.

»Wir brauchen Biernachschub.« Avery lächelte. Wozu hatte man schließlich einen älteren Bruder?

Einen *drei Minuten* älteren Bruder, um genau zu sein … aber wer will sich schon mit solchen Nebensächlichkeiten aufhalten?

In diesem Moment war der Party-Mix, den Avery auf ihren iPod gezogen hatte, zu Ende und ein langsameres Stück setzte ein.

»Oops!« Avery stand verlegen auf und wollte es schnell

weiterdrücken. Es war eine Schnulze von Frank Sinatra, die sie nur hörte, wenn sie allein war.

»›Strangers in the Night‹«, sagte Rhys lächelnd. »Lass es laufen – ich mag das Lied.«

»Echt?« Avery zog die Augenbrauen hoch. Rhys sah so sportlich und männlich aus, dass sie sich gar nicht vorstellen konnte, dass er gern schmalzige Frank-Sinatra-Songs hörte.

»Warum nicht?« Rhys zuckte die Achseln. Avery rutschte auf der Hängematte ein Stück zur Seite, um zu sehen, ob Rhys sich neben sie setzen würde. »Hi. Ich glaube, wir kennen uns noch gar nicht wirklich.«

»Rhys.« Er streckte die Hand aus. Avery schüttelte sie und lehnte sich dann in die Hängematte zurück.

»Soll ich sonst noch was von drinnen mitbringen?«, fragte Owen. Baby schüttelte den Kopf. Avery verneinte ebenfalls und zog sich ihren dunkelvioletten Cardigan von Milly enger um die Schultern.

»Ich komm mit und helf dir!« Jack schwang sich aus der Hängematte und folgte Owen ins Haus.

»Ist dir kalt?«, fragte Rhys und hielt Avery seine königsblaue Strickjacke hin.

»Danke.« Sie nahm die Jacke ein wenig verlegen entgegen und legte sie sich um die Schultern. Sie duftete nach Ralph Lauren Romance und ein kleines bisschen nach kaltem Rauch. Zu ihrer Überraschung fand sie den Duft gut – und noch besser fand sie es, dass Rhys sich jetzt neben sie setzte.

Baby saß ein Stückchen weiter weg im Schneidersitz auf einem Sitzkissen, schmuste mit Rothko und sah rundum zufrieden aus. Avery seufzte wohlig und rutschte unauffällig ein bisschen näher an Rhys heran. Er sah zu ihr und lächelte. Von drinnen wehte Jacks perlendes Lachen auf die Terrasse, gefolgt von Owens idiotischem Glucksen. So lachte er eigentlich nur, wenn er flirtete.

Auf dem iPod lief immer noch »Strangers in the Night« und Avery atmete tief die frische Abendluft ein. Niemand stritt sich oder lästerte oder knutschte herum oder weinte. Wie ungewohnt und seltsam und schön.

Das war New York!

gossipgirl.net

themen ◀ gesichtet ▶ eure fragen antworten

erklärung: sämtliche namen und bezeichnungen von personen, orten und veranstaltungen wurden geändert bzw. abgekürzt, um unschuldige zu schützen. mit anderen worten: mich.

ihr lieben!

ihr wisst doch bestimmt, wie alle welt den tag ende oktober bejammert, an dem das balthazar's draußen plötzlich keine tische mehr aufstellt, der vespa-biergarten auf der second avenue geschlossen ist und die freiluft-bar des maritime nur noch zu speziellen partys geöffnet wird? ich sage: kein grund, lange gesichter zu ziehen! dass unser inselchen im laufschritt der kalten jahreszeit entgegeneilt, bedeutet doch nur, dass die party auf den privaten dachterrassen weitergeht – nehmen wir nur die kleine zusammenkunft, die in einem gewissen penthouse auf der 72./ecke fifth stattfand. wir wissen doch alle, weshalb es so schön ist, sich bei fallenden temperaturen in gemischter gesellschaft unter freiem himmel aufzuhalten: man muss ganz eng zusammenrücken.

ist das vielleicht der grund dafür, warum **A** und **R** bei frank sinatra schwach wurden? und warum **O** plötzlich unbedingt **J** dabei helfen wollte, ihre sachen in ihrem neuen domizil auszupacken? und warum **B** nur in gesellschaft einer katze gesehen wurde? es ist ein klischee, aber ich bemühe es trotzdem: wir sind hier in der stadt, die niemals schläft. und genau deshalb bleibt die frage umso spannender, wer am ende mit wem die bettstatt teilen wird.

eure mails

f: hallo gossip girl,
wir hatten kürzlich so eine praktikantin bei der zeitschrift, für die ich arbeite. sie war zwar bloß eine woche hier, aber unsere herausgeberin spricht praktisch von niemand anderem mehr und vergleicht mich ständig mit ihr. was kann ich dagegen tun?
kolumnengrrrl

a: liebes kg,
warum stellst du nicht dein talent unter beweis und schreibst etwas über *sie*? man sollte zwischendurch ruhig auch mal über den rand seiner großraumbürokabine schauen!
gg

f: liebes gossip girl,
willst du mal mit mir ausgehen? *bitte!*
verzweifelter

a: mein lieber verzweifelter,
regel nummer eins: sprich niemals offen aus, dass du verzweifelt bist. und: nein, ich gehe ganz be-

stimmt nicht mit dir aus. ich habe in letzter zeit schon genug mildtätige werke getan.
gg

manchmal ist es an einem kühlen samstagabend das beste, einen ausgiebigen schönheitsschlaf zu halten und sich am sonntagvormittag bei der frühstückstafel im sarabeth's am zerstörten anblick seiner verkaterten freunde zu erfreuen. außerdem gibt es da noch ein paar fragen, die ich selbst erst überschlafen muss:

was passiert, wenn **Lady S** herausfindet, dass sie ihre »tolle tomaten«-sendung abblasen muss? wird sie unseren ehemaligen meister-kiffer **R** auf ein englisches internat verbannen? womit wird **B** uns noch überraschen, nachdem sie ihre flower-power-kleider gegen ordentlich sitzende jeans eingetauscht hat? hat **A** endlich ihr perfektes gegenstück gefunden? wird **A**s und **J**s freundschaft *wirklich* von dauer sein? morgen zeigt sich wieder die sonne … und wer weiß, was wir dann noch alles zu sehen bekommen. vergesst nicht, dass der tag alle geheimnisse ans licht bringt. zumindest wenn ich in der nähe bin.

ihr wisst genau, dass ihr mich liebt

Cecily von Ziegesar weiß genau, wovon sie schreibt. Wie ihre Figuren besuchte sie eine Elite-Schule der New Yorker Oberschicht und gehörte zum Kreise der Erlauchten. Heute lebt sie mit ihrer Familie in Brooklyn.

Weitere Informationen zu Gossip Girl unter
www.gossipgirl.de

Von Cecily von Ziegesar ist bei
cbj und cbt erschienen:

Gossip Girl – Ist es nicht schön, gemein zu sein? (Band 1)
Gossip Girl – Ihr wisst genau, dass ihr mich liebt! (Band 2)
Gossip Girl – Alles ist mir nicht genug (Band 3)
Gossip Girl – Lasst uns über Liebe reden! (Band 4)
Gossip Girl – Wie es mir gefällt (Band 5)
Gossip Girl – Ich lebe lieber hier und jetzt (Band 6)
Gossip Girl – Sag niemals nie (Band 7)
Gossip Girl – Lass uns einfach Feinde bleiben (Band 8)
Gossip Girl – Träum doch einfach weiter (Band 9)
Gossip Girl – Das haben wir uns verdient (Band 10)
Gossip Girl – Liebt er mich? Liebt er dich? (Band 11)
Gossip Girl – Es kann nur eine geben (Band 12)

Gossip Girl – Manche kriegen nie genug (Band 13)
Gossip Girl – Wie alles begann (Die Vorgeschichte)
It Girl – Jung, sexy und beliebt (Band 1)
It Girl – Berühmt und berüchtigt (Band 2)
It Girl – Wild und gefährlich (Band 3)
It Girl – Süß, naiv und intrigant (Band 4)
It Girl – Rasant und unwiderstehlich (Band 5)

Cecily von Ziegesar

Gossip Girl

Wie alles begann

448 Seiten ISBN 978-3-570-16006-0

Das »Prequel« zu den GossipGirl-Bänden:
Wie sich die beiden damals 15-jährigen besten Freundinnen Serena und Blair in Nate verliebten, wie sie anfingen, miteinander zur konkurrieren – und wie es kam, dass Serena aufs Internat ging ...

7164

www.cbj-verlag.de

Rachel Cohn / David Levithan

Naomi & Ely

Die Liebe, die Freundschaft und alles dazwischen

272 Seiten ISBN 978-3-570-16017-6

Naomi und Ely sind beste Freunde seit der Kindheit, und zum Schutz ihrer Freundschaft haben sie (17, hetero) und er (ebenso alt, aber schwul) eine No-Kiss-List erstellt. Dann aber passiert es doch: Ely küsst Bruce, der eigentlich Naomis Freund ist! Und das Schlimme: Ely meint die Sache mit Bruce richtig ernst. Noch schlimmer: Naomi merkt erst jetzt, wen sie eigentlich liebt – und das ist nicht Bruce, sondern Ely ...

7191

www.cbt-jugendbuch.de